ВОЕННЫЕ
Приключения

МИХАИЛ ЧЕРНЕНОК

АРХИВНОЕ ДЕЛО

Москва
«Вече»
2010

УДК 821.161.1-311.3
ББК 84(2)
Ч49

Составитель серии *В.И. Пищенко*

Черненок, М.Я.

Ч49   Архивное дело : романы / Михаил Черненок. — М.: Вече, 2010. — 368 с. — (Военные приключения).

ISBN 978-5-9533-4567-5

Отошла в прошлое братоубийственная Гражданская война, но то и дело потрескивают давно ставшие привычными людям выстрелы. Вот и на выстрел из берданки возле Ерошкиной плотины никто не обратил внимания. Но тайное зачастую становится явным, и спустя полвека приходится поднимать из архива старое, запыленное «Дело»... В этих романах признанного мастера отечественной остросюжетной литературы читатель вновь встретится с давно полюбившимися ему Антоном Бирюковым и другими героями книг Михаила Черненка.

УДК 821.161.1-311.3
ББК 84(2)

ТАЙНА СТАРОГО КОЛОДЦА

Светлой памяти друга
Владимира Григорьевича Гроховского

1. ЗАДАНИЕ ПОДПОЛКОВНИКА

«...Когда я сделал им замечание о необходимости вести себя в общественном месте приличнее, они предложили выйти из клуба и выяснить отношения. Я не струсил перед молокососами. Их увязалось за мной пятеро. В связи с неравностью сил мирным путем выяснить отношения не удалось, пришлось троим распечатать носы, и только после этого хулиганы угомонились. Своей вины в рукоприкладстве не вижу, потому как весь вечер молокососы искали приключений, ну и, как поется в одной песне, "кто ищет, тот всегда найдет".

То, что был я немного выпивши, не отрицаю. Как бывший моряк, выпил по случаю Дня Военно-Морского Флота. В чем и расписываюсь.

И.И. ГАВРИЛОВ».

Задумчиво посмотрев на крючковатую роспись, Антон отложил объяснительную и взял заявление потерпевших. В левом углу, наискосок, была резолюция старшего инспектора уголовного розыска капитана Кайрова:

«Бирюкову! Сделать Гаврилову серьезное внушение. До каких пор он будет пьянствовать и дебоширить? Обязательно оштрафовать».

5

Антон вздохнул… Вот чем приходилось заниматься… После института он попросил направление в район, где родился и вырос, надеясь, что здесь ему — специалисту с высшим образованием — будут поручать сложные дела. По простоте душевной он при первом же разговоре сказал об этом своему непосредственному начальнику капитану Кайрову.

— Сразу в Наполеоны метишь? — усмехнулся тот.

— На каждого Наполеона всегда найдется Кутузов, — отпарировал Антон. — В Наполеоны мне ни к чему, хочу быть самим собой.

Смуглое с тонкими черными усиками лицо Кайрова нахмурилось, он смахнул с рукава форменной тужурки пушинку и сказал неопределенно:

— Поживем — увидим…

До начала рабочего дня оставался целый час. В районном отделе милиции было прохладно и тихо. Молчал телефон. Посмотрев на свернутый в клубок телефонный шнур, Антон снял трубку и неторопливо стал его раскручивать.

Когда шнур выровнялся, опустил трубку на аппарат, и не успел убрать руку, как телефон задребезжал. От неожиданности Антон даже вздрогнул.

— Бирюков? — услышал он в трубке голос начальника райотдела подполковника Гладышева. — У тебя срочные дела есть?

— Кроме трех распечатанных… извините, разбитых носов, ничего нет.

— Хулиганство?

— Так точно. Опять Гаврилов Иннокентий Иванович драку устроил. Вы его должны знать. Здоровый такой, рыжий. Экспедитором в райпо работает.

— Кто его не знает… Где Кайров?

— Должен вот-вот появиться.

Подполковник помолчал. Антон представил, как насупились его густые брови, и тут же услышал вопрос:

— Ты село Ярское знаешь?

— Так точно.

— Бывал там?

— В детстве. Я же родился и вырос в Березовке, что у Потеряева озера. А Ярское напротив, за озером.

— Правильно. Сейчас мне звонил председатель колхоза из Ярского, Маркел Маркелович Чернышев. Вчера они у себя в хозяйстве стали чистить старый, заброшенный колодец и вместе с илом достали человеческие кости.

— Как они туда попали? — удивился Антон.

— Поручаю на этот вопрос ответить самому. Чернышев скоро будет здесь, в райцентре. Заедет за тобой. Позвони в больницу, предупреди Бориса Медникова. Он у нас медицинским экспертом по таким делам выступает. Надо бы из прокуратуры представителя взять, но там сейчас ни души: кто в отпуске, кто в командировке.

Подполковник замолчал. Несколько раз почти у самой телефонной трубки, похоже, чиркал спичкой — должно быть, прикуривая.

— Нераскрытых преступлений, связанных с жертвами, у нас не числится, — снова заговорил он. — Однако этот случай придется расследовать. Может быть, кому-то ловко удалось спрятать концы, а возможно, случайность... Оступился, допустим, человек и угодил в заброшенный колодец. Возможно, вообще какую-то древность отрыли, у нас в практике был такой случай.

— Колодец давно заброшен? — спросил Антон.

— Лет пять или семь. Чернышев тебе кое-что расскажет, а там смотри по ходу дела. Понадобится, оставайся на завтрашний день в Ярском. Только обязательно мне позвони, — подполковник опять вроде бы чиркнул спичкой. — А дело о разбитых носах Кайров пусть поручит Голубеву. Вопросы есть?

— Никак нет.

— Желаю успеха.

Антон тут же стал звонить в больницу. Договорившись с Медниковым, отодвинул телефон и откинулся на спинку стула. Представив, как вспыхнет Кайров, когда узнает о задании подполковника, поймал себя на мысли, что боится, как бы Кайров сам не взялся вести дело. «Если так, пойду к подполковнику. Надо же когда-то за настоящее браться. Целый месяц разной мелочовкой занимаюсь, просвета не видно», — запальчиво подумал Антон и стал прикидывать в уме возможные версии.

В коридоре послышались четкие торопливые шаги, хлопнула дверь соседнего кабинета — Кайров появился на работе. Антон взял заявление потерпевших и объяснительную Гаврилова и пошел к своему непосредственному начальнику.

Кайров выслушал внимательно, потрогал мизинцем полоску усов и недовольно сказал:

— Поражаюсь способности нашего шефа выискивать душещипательные дела. Помню, несколько лет назад при раскорчевке поля в колхозе «Гранит» вот так же разрыли скелет. По настоянию Гладышева, мой предшественник несколько месяцев пластался, строгача схлопотал за нарушение сроков расследования. Дело же выеденного яйца не стоило. Оказалось... разрыли старую могилку.

— Может... — начал было Антон, но Кайров перебил:

— Может — надвое ворожит. У тебя в голове еще студенческая романтика, детективный интерес, а у меня работа, за которую я, как старший инспектор уголовного розыска, несу ответственность. Мне, родной мой, игра в Шерлока Холмса боком выходит, — он ребром ладони провел по горлу. — Она у меня вот тут сидит!

Антон положил перед Кайровым бумаги и упрямо закончил свою фразу:

— Может, оно и так, товарищ капитан. Только приказ начальника — закон для подчиненного.

— Это конечно, — подтвердил Кайров и постучал пальцем по объяснительной Гаврилова. — А вот от таких дел напрасно нос воротишь. Чтобы понять психологию преступника, надо начинать с малого. Мне, например, прежде чем поручили серьезное расследование, несколько лет пришлось пустяками заниматься.

— Видимо, я нетерпеливей, чем вы.

— Вот это и плохо. В уголовном розыске должны работать люди взрослые.

— Молодость — недостаток, который с годами проходит, — задиристо сказал Антон, но тут же перешел на уставной язык: — Разрешите выполнять задание подполковника, товарищ капитан?

— Выполняйте, лейтенант, — сухо ответил Кайров, чуть помолчал и добавил: — Только здорово не увлекайтесь. Помните, что и текущую работу кому-то делать надо.

2. СТАРЫЙ КОЛОДЕЦ

Хирургу районной больницы Борису Медникову едва перевалило за тридцать, но он уже заметно поседел и раздался в поясе. По натуре из тех добряков-флегматиков, которых почти до глубокой старости знакомые называют не иначе как по имени и запросто ведут доверительные разговоры, зная, что на них можно смело положиться. Медников был отличным хирургом, хорошо разбирался в человеческой психологии, знал уйму анекдотов, любил поговорить и никогда не имел своего курева.

Когда Антон вернулся от Кайрова в свой кабинет, Борис уже сидел там, поставив перед собою на стол баул с медицинскими принадлежностями.

— Дай закурить, — вместо приветствия встретил он Антона.

Антон развел руками:

— Не курю, Боренька.

— Правильно делаешь. Я вот тоже бросаю. Скоро поедем?

— Как Чернышев появится, председатель колхоза из Ярского.

— В таком случае пойду у ребят стрельну сигаретку.

— Посиди лучше здесь, — удержал его Антон.

— Курить охота, аж уши пухнут.

— А ты отвлекись, расскажи что-нибудь.

Медников кашлянул.

— Что тебе рассказать? Нам бы, ни минуты не теряя, давно пора мчаться на место происшествия. Мы же с тобой председателя Чернышева ждем. Пока доберемся до Ярского, день пройдет. А ты от меня будешь требовать качественной экспертизы.

— Случай такой, что оперативность не поможет.

— Убили кого?

— Не знаю. Приедет Чернышев, кое-что расскажет, — Антон сел на свое место, облокотился на стол и, подперев ладонями подбородок, спросил: — Боря, какого ты мнения о Кайрове?

— Хорошего. А что, забижает он тебя?

— Нет вроде... Понимаешь, по-разному мы с ним на работу смотрим, — Антон задумался. — Порою мне кажется, что Кайров повинность в уголовном розыске отбывает...

— Во куда хватил! Ваше расхождение во взглядах мне понятно. Ты, как молодой орелик, — Медников часто помахал ладонями, — не жалеешь крыльев. С одинаковой яростью готов бросаться и на мышонка, и на джейрана. А Кайров — старый беркут. Силы напрасно не тратит. Высмотрит, прицелится и... хоп! Готово. Конечно, и у Кайрова есть свои слабости. Нрав у него крутой, самолюбивый — это многих от него отталкивает. Но, как криминалист, скажу тебе, Кайров — голова. Ему крепкие орешки по зубам...

Чернышева пришлось ждать больше часа. За это время Медников высказал свое мнение о девальвации доллара, «установил» подлинного убийцу президента Кеннеди и, стрельнув все-таки у ребят сигаретку, с наслаждением стал наполнять узкий инспекторский кабинет табачным дымом. В разгар этого занятия и заявился Чернышев. Поздоровавшись с Медниковым, как со старым знакомым, он протянул загоревшую до черноты жилистую руку Антону и, не выпуская его ладони из своей, удивленно спросил:

— Никак, Игната Бирюкова сын?

Антон кивнул головой.

— Ну, голубчик, тебя без паспорта опознать можно. Копия бати: лоб упрямый, глаза, что небо голубое. Судя по плечам, и силушка батина досталась, а? Игнат-то в молодости однажды на спор годовалую телушку кулаком по лбу приласкал, та и копытца отбросила.

Медников захохотал:

— Не знал, что лично знаком с потомком русского богатыря.

Чернышев повернулся к нему:

— Истинную правду говорю. Силен его батя в молодости был, ох силен! — и заторопился: — Ну, поехали, голубчики, поехали. Дорогой поговорим. Мой «опель-председатель» урчит у подъезда.

«Газик» промчался мимо железнодорожного вокзала, встряхнулся на рельсах переезда, вильнул по окраинным улочкам райцентра и, оставляя за собой разрастающийся шлейф пыли, вырвался на широкое, со щебеночным покрытием, шоссе. Только после этого сидевший рядом с шофером Чернышев обернулся к Антону и спросил:

— Значит, осуществил свою мечту?

— Какую? — не понял Антон.

— Рассказывал мне Игнат, что ты еще в детстве любил разные тайны разгадывать.

— А-а... — улыбнулся Антон. — Осуществил.

— Вот у нас тебе тайна и подвернулась. По порядку рассказывать или вопросы будешь задавать?

— По порядку.

— Не знаю, насколько мои предположения правильны, но, думаю, случай с нашим колодцем заслуживает внимания, — начал Чернышев. — Находится колодец в двух километрах не доезжая Ярского и метрах этак... в двадцати левее дороги, по которой сейчас едем. У нас в том месте культстан, как мы его называем. Небольшой домик. В страдную пору механизаторы живут в нем. Работают-то от зари до зари, каждый час дорог. Ну и, значит, чтобы не мотаться каждый раз домой да из дому, время экономят. Много лет из того колодца брали питьевую воду, пока однажды не вытащили дохлого кота. То ли по этому поводу, то ли по другому, не помню, колодец забросили, стали воду из родничка брать. Последние годы на культстане никто не жил, и о колодце вообще забыли. А нынче сенокос трудный.

12

То раздождится, как на пропасть, то жарища невозможная ударит.

Чернышев замолчал, полез в карман за папиросой. Медников не упустил случая «стрельнуть».

— Поэтому и решили колодец восстановить? — поторопил Антон.

— Да, решили вычистить его. Пригнали автокран с грейферным ковшом и… вместе с илом вытащили человеческие косточки, — Чернышев прикурил и передал коробок спичек Медникову. — Вот тут-то и самое интересное. Во-первых, если бы человек попал в колодец раньше кота, его сразу бы обнаружили, во-вторых, после кота случайное попадание в колодец исключено, так как он был прикрыт бревнами. Правильно?

— Вполне.

— Зря я не пошел в следователи. Загубил талант, — Чернышев повернулся к Медникову, подмигнул: — Правда, Боря?

— Абсолютно точно, — подхватил шутку Медников. — Я давно приметил в вас, Маркел Маркелович, детективную жилку.

— Ты тоже, как погляжу, детектив. Все с милицейскими разъезжаешь. На этот раз придется поломать голову. Что, к примеру, ты по останкам можешь определить, а?

— Многое…

— А вот доводилось мне в одной брошюрке читать, как наш ученый Герасимов портрет Ярослава Мудрого по черепу воспроизвел. Ты сможешь такое сделать?

— Чего не могу — того не могу. В этой области равных Герасимову нет.

— Жаль, — Чернышев разочарованно вздохнул, несколько раз затянулся папиросой. — Послали бы ему череп, поднятый из колодца, и…

— Порадовали бы его, — с улыбкой вставил Медников.

— Не улыбайся. Случай-то серьезный.

— Есть более серьезные, Маркел Маркелович.

— Оно, конечно, — согласился Чернышев и замолчал.

«Газик» вовсю пылил по шоссе. Щебенка дробно выщелкивала по днищу машины, в неукатанных местах зло шипела под колесами. Обдавая пылью, изредка проносились встречные грузовики. С обеих сторон дороги, насколько хватал глаз, беспечно зеленели набравшие силу всходы, кое-где темнели березовые колки. Проскочив поля, машина подкатила к густому хвойному лесу, окружавшему широким кольцом Потеряево озеро, и нырнула в узкую, как ущелье, просеку.

Стало сумрачно. Укрытая от солнца плотной кроной деревьев дорога была влажной. Машина поминутно вздрагивала на корневищах, словно ребра, выступавших из наезженной колеи. Около часу ехали молча, занятые каждый своими думами.

Лес кончился неожиданно. Солнце ослепительно ударило в глаза, и с обеих сторон проселочной дороги потянулась яркая, с бело-розовыми пятнами цветущего клевера, равнина. У самой ее кромки на фоне голубого неба показалась поднятая стрела автокрана. «Газик» перемахнул через неглубокий придорожный кювет и, продавив в клевере жирную колею, остановился у культстана.

— Вот и приехали, — устало погладив поясницу, сказал Чернышев, когда все вылезли из машины.

Звонко стрекотали кузнечики. Зависнув точкой в безоблачном голубом небе, протяжно тянул песню жаворонок. Густо пропитанный медово-клеверным настоем воздух рябил в глазах от знойного марева.

Антон огляделся. У колодца чернела расплывшаяся куча ила, успевшего сверху подсохнуть. Рядом с ней, на траве, что-то было прикрыто брезентом.

Чернышев приподнял край брезента. Антон увидел перемазанные илом кости и пожелтевший оскаленный человеческий череп.

Медников, надев резиновые перчатки, присел на корточки и взял одну из костей. Антон тоже было наклонился, но, почувствовав брезгливость и какой-то страх, быстро выпрямился и подошел к колодцу. Долго глядел на обвалившиеся края, на примятый вокруг колодца бурьян, сдвинутые в сторону почерневшие толстые бревна.

— Что задумался? — подойдя к нему, тихо спросил Чернышев. — С чего начинать будешь?

— Придется спуститься, — Антон показал рукой в колодец. — Веревка есть?

— Найдется, — Чернышев повернулся к шоферу, который с любопытством наблюдал за Медниковым. — Сеня, у тебя в багажнике веревка была. Неси-ка ее сюда.

— А к-комбинезон и резиновые с-сапоги надо? — заикаясь, спросил шофер.

Чернышев утвердительно кивнул и посоветовал Антону:

— Переоденься.

Пока Антон переодевался, Чернышев с шофером привязали веревку к крану и свободный конец ее сбросили в колодец. Для порядка попробовав, прочно ли привязана веревка, Антон поплевал на ладони и осторожно стал спускаться.

Бревна колодезного сруба прогнили. Чувствовалось, как они мягко сдают под ногами. Плотный, застоявшийся запах ударил в нос. Упершись ногами и спиной в противоположные стенки колодца, Антон слегка расслабился, стараясь пересилить подступившую к горлу тошноту.

— Ты жив там?! — заглянув в колодец, крикнул Чернышев.

Антон поднял голову — до поверхности было около трех метров. Он спустился еще на метр и почувствовал под ногами воду. В сумраке колодца смутно можно было различить густую жижу, ослизшие бревна сруба. Антон несколько минут внимательно осматривал стенки, но, кроме свежих борозд, оставленных на бревнах грейферным ковшом при чистке, ничего не увидел.

— Ну что там?! — снова крикнул Чернышев.

— Ничего! — громко ответил Антон и поразился, как глухо прозвучал его голос, — узкая горловина колодца словно не хотела выпустить его на волю.

Здесь, в глубине, стояла глухая тишина. Казалось, наверху замерла жизнь, насторожилась.

«Без веревки отсюда ни за что не выбраться», — подумал Антон и торопливо стал подниматься из колодца.

3. СВИДЕТЕЛЬ НОМЕР ОДИН

Он появился у колодца незаметно. Сняв старомодный картузишко, низко наклонил гладкую, как бильярдный шар, голову и заискивающе проговорил:

— Здрасьте, граждане-товарищи. Бог в помощь...

— Здорово, Кузьмич, — ответил Чернышев и смерил удивленным взглядом щуплую фигурку старика. — Ты что это сюда приплелся?

— Дак вот... — замялся старик. — Слышь-ка, Маркел Маркелыч, в деревне антересную историю сказывают: будто бы из колодца человека достали.

— Кто сказывает?

— Дак вся деревня говорит. А я к таким историям сызмальства антересом страдаю.

— Страдал бы себе на печке.

— Зря, Маркел Маркелыч, сердишься, — старик погладил макушку. — Я этот колодец очень хорошо знаю и свидетелем номер один могу стать.

— Когда понадобишься... — начал было Чернышев, но Антон перебил его:

— Извините, Маркел Маркелович. Мне интересно с дедом побеседовать.

— Интересно — беседуй. Только он тебе нагородит — семь верст до небес и все лесом. — Чернышев погрозил старику пальцем: — Смотри, Кузьмич! За ложные показания и пенсионеров судят.

Старик обиженно заморгал:

— Неужто я без понятия, Маркел Маркелыч?

— Ты и с понятием соврешь — дорого не возьмешь. Ладно, беседуйте. Пойду культстан погляжу.

— Давно колодец вырыт? — спросил старика Антон.

— Дак, слышь-ка, я тебе точно скажу, — старик посмотрел вслед Чернышеву. — И Маркел Маркелыч не даст соврать. Вырыт колодец в одна тысяча девятьсот тридцать восьмом году. Дата точная, потому как собственнолично принимал участие в его рытье. Из-за своего верткого роста в самой глуби рыл, здоровым мужикам трудно было там развернуться.

Антон хотел задать еще вопрос, но старик говорил не прерываясь:

— И опять же из-за своего любопытства рыл. Думал, антересное отрою. Тут, слышь-ка, такая история, — старик показал на клеверное поле: — Во-о-он там курганы... Видишь?

Антон посмотрел по направлению, указанному стариком, быстро насчитал на поле семь едва приметных холмиков.

— Дак вот, сказывают, в них захоронены воины Ермака Тимофеевича. В этих местах у него битва с татарами состоялась. Сейчас курганов ровно семь, а было ровно восемь. Один перед Отечественной войной разрыли. Из Новосибирска люди приезжали. Все лето рыли. Наши колхозники помогали, а я, можно сказать, помощником номер один был. Даже от Маркела Маркелыча неприятность поимел. Он до войны уже у нас председательствовал и при людях тогда меня оконфузил. Сказал: «Надо в колхозе, Кузьмич, работать, а не придуриваться. Ермака без тебя откопают». Только я не в обиде за эти слова. Молоденьким совсем тогда был Маркел Маркелыч...

Чтобы прервать словоохотливого деда, Антон спросил:

— Вас как зовут, дедушка?

— Меня-то? — растерялся старик. — Егором... Егор Кузьмич, по фамилии Стрельников.

— Так вот, Егор Кузьмич, насколько я знаю историю, Ермак до этих мест не доходил.

— Дак, слышь-ка, истории ведь люди пишут. Они очень легко ошибиться могут. Большие ученые мировых стран и те ошибаются, — старик надвинул картуз на пригретую солнцем лысину. — Вот в одном журнале было сообщение...

— Что же вы искали при рытье колодца? — опять прерван старика Антон.

— Остатки ермаковских воинов. Антересовало меня, здоровше или нет в те давние времена люди были.

— И что же?

— Ничего не нашел. Далеко от курганов рыли.

— Экспедиция из Новосибирска тоже ничего не нашла?

Старик поморщился и махнул рукой:

— Так кое-что... Глиняные черепушки разные.

— В каком году забросили колодец?

— В одна тысяча девятьсот шестьдесят шестом, — не задумываясь, ответил старик и уточнил: — Тринадцатого сентября.

— У вас отличная память, — поразился Антон.

— Вышло такое совпадение, что аккурат в эту дату я подался на пенсионный отдых.

— Шестьдесят лет исполнилось?

— Как тебе сказать... — старик замялся. — Шестьдесят-то годков мне раньше стукнуло, а в эту дату старуха настояла. По глупому женскому уму оконфузила меня перед начальством. Баба она у меня с норовом, об этом все Ярское знает.

— Отчего колодец забросили?

— Кот в нем утопился. На культстане обчественный такой здоровущий котина жил, по прозвищу Мономах. Вот он, должно быть, ночью и сбулькал в колодец.

— Как же его обнаружили?

Старик долго поправлял на голове картуз.

— Дак очень просто. Кажись, Витька Столбов поутрянке зацепил бадьей и выволок на свет Божий.

— Какой Столбов?

— Я ж говорю, Витька, тракторист нашенский, который на днях свадьбу гулять собирается. Парень, слышь-ка, работящий. Вот только, как жениться задумал, сладу не стало. Маркел Маркелыч который день уже его в соседний колхоз на помощь отправить не может. Бугаем уперся Витька и не едет, все канпрессию у трактора ремонтирует. Опять же и обвинять парня нельзя — за теперешними невестами глаз да глаз нужен...

— Кот в колодце долго лежал? — опять вынужден был прервать старика Антон.

— Вечером видели живого, а утром из колодца достали. Вот история, — старик кашлянул и без перехода спросил: — Неужто человека кто угробил?

Антон промолчал.

— Страсть любопытно, как человек в колодец попал, — не дождавшись ответа, снова заговорил старик. — Без вести у нас никто не терялся. Злодеев, которые могли из приезжих кого порешить, в нашенском селе нет. С Гражданской войны об убийствах не слыхали. Да и в Гражданскую особенных случаев у нас не было. Вот в Березовке, за Потеряевым озером, случались антересные случаи. Село там раньше бойкое было, на тракту стояло. Разный люд через него шел. Трактир опять же в Березовке имелся...

Егор Кузьмич Стрельников говорил не умолкая, но Антон почти не слушал его. Он старался найти хотя бы слабенькую зацепку, с которой можно начать следствие. Однако никакой зацепки не было. Подошел Медников, кое-как стянул с потных рук перепачканные илом перчатки, бросил их на траву.

— Дай заку... — начал было он и, посмотрев на Антона, махнул рукой: — Хотя... ты ведь не куришь.

— Что там разглядел? — спросил Антон.

— Все перемешано. Череп вроде проломлен. Такое впечатление, что кости отрыты из-под земли. Придется в Новосибирск на экспертизу их отправлять.

Антон невесело улыбнулся, пошутил:

— А что американские эксперты по данному поводу сказали бы? Помнится, ты как-то восторгался ими.

— Тут и хваленая японская разведка ни черта не разберет.

— Может, старое захоронение разрыли?

— Кто знает, — хмуро ответил Медников. — Вообще-то, похоже, кости пролежали в земле не больше десятка лет, хотя это только предположение всего-навсего.

Вернувшийся к колодцу Чернышев ругнул пытавшегося заглянуть под брезент Егора Кузьмича и решительно отправил его в деревню. Когда тот, сгорбившись от обиды, заковылял к дороге, Чернышев посмотрел на Антона и спросил:

— Что дальше будем делать?

Антон показал на кучу ила:

— Рыться в грязи. Может, выроем что-нибудь.

— Л-лопату надо? — подал голос шофер Чернышева и смущенно пригладил ладонью задорный белобрысый чуб.

Антон кивнул, и шофер пошел к машине.

В иле попадались иструхшие щепки колодезного сруба, погнутые ржавые гвозди, концы проволоки, битое стекло и основательно истлевшие клочья какого-то тряпья. Было непонятно, как весь этот хлам попал в колодец. Полностью перелопатив вынутый из колодца ил, нашли позеленевшую пряжку от флотского ремня и металлическую пуговицу с выдавленным на ней якорем.

4. НЕСБЫВШИЕСЯ НАДЕЖДЫ

Солнце уже прижималось к горизонту, когда председательский «газик», разогнав с дороги кур и гусей, пропылил по Ярскому и остановился у почерневшего дома-пятистенника с резным крыльцом. Над крыльцом — полинялая вывеска: «Правление колхоза». Длинная, вытянутая по сибирскому обычаю в одну линию, деревня казалась безлюдной. Только у конторы лениво урчал ярко-синий трактор «Беларусь». Откинув одну половину капота, в моторе копался плечистый русоволосый парень. Заметив

21

председательскую машину, он быстро опустил капот и с виноватым видом стал торопливо вытирать пучком сорванной травы перемазанные маслом руки.

— Столбов! Голубчик! — открыв дверку «газика», крикнул Чернышев. — Ты уедешь сегодня или нет?

— Я что? Я хоть сейчас... — насупившись, смутился парень. — Только хочется не на ремонт к соседям ехать, а работать. Сколько раз говорил вам, кольца в одном цилиндре поизносились, еле восстановил компрессию.

— Ну, теперь-то уедешь?

— Конечно.

— Это он собирается жениться? — спросил Чернышева Антон. — Мне узнать у него кое-что надо.

Чернышев вышел из машины и махнул Столбову рукой, чтобы тот зашел в контору. У Антона еще возле колодца наметился план предстоящего разговора со Столбовым, и, когда Чернышев оставил их в своем кабинете одних, он сразу приступил к делу. Усевшись за председательский стол и предложив сесть Столбову, спросил:

— Как вы обнаружили в колодце кота?

— В каком колодце? — Столбов нахмурился, достал из кармана пачку «Беломора». — Никакого кота я не обнаруживал.

— У культстана, — подсказал Антон.

— У культстана?.. — Столбов открыто посмотрел Антону в глаза, спокойно прикурил и, потупившись, стал сосредоточенно разглядывать свои новенькие кирзовые сапоги. — Сто лет я там не был. Не пойму, чего вы от меня хотите?

Сказал именно «хотите», а не «хочете», как говорят многие. «Кажется, грамотный парень», — подумал Антон и попросил:

— Не торопитесь с ответом, припомните.

— Нечего мне припоминать, никаких котов я не доставал.

«Соврал болтливый старик», — с неприязнью подумал Антон об Егоре Кузьмиче Стрельникове, но решил не отступать от намеченного плана.

— Мне известно, что осенью шестьдесят шестого года, точнее — тринадцатого сентября, вы достали из колодца у культстана дохлого кота, — упрямо повторил он.

— Осенью шестьдесят шестого?... — Столбов посмотрел исподлобья. — Я про то уж забыл. Думал, недавнее что пытаете. Ну, было такое.

Антон повеселел.

— Расскажите, как это произошло.

— Что тут рассказывать? Утром зачерпнул воды из колодца и вместе с ней дохлого кота вытащил.

— Видел это кто-нибудь из колхозников?

— Вроде все видели, кто на культстане был.

Столбов отвечал грубовато. Прежде чем ответить, жевал мундштук папиросы, думал, будто взвешивал каждое слово. Разговор явно ему не нравился. Антон подметил это и решил, что называется, «ударить напрямую».

— Вчера из колодца кости человека подняли...

«Удар» не произвел на Столбова ни малейшего впечатления. По-прежнему сосредоточенно рассматривая сапоги, он с ухмылкой равнодушно спросил:

— Ну а кот здесь при чем?

— Мог ли в колодце оказаться незамеченным труп человека, когда вы достали оттуда кота?

— Нет, конечно, — Столбов опять ухмыльнулся и пояснил: — Я бы тогда воды не зачерпнул, ее там с гулькин нос было.

— А сам колодец каким был?

— Колодец как колодец. В лопухах весь. Бадья деревянная всегда рядом стояла. Воды, говорю, в нем мало было, да и та для питья не годилась.

Для Антона это уже было новым.

— Почему? — быстро спросил он.

— Плесневелая была. Колодец-то еще при царе Горохе вырыли. С тех пор ни разу не чистили, вот вода и зацвела в нем. Брали ее только для заправки тракторов и машин да так... например, пол в культстане помыть или еще что-нибудь. А за питьевой водой уж сколько лет ходили к роднику.

— Вы для чего в тот раз воду доставали? — Антон нетерпеливо постучал по столу пальцами. — Припоминайте детали, подробности.

— Помню, с вечера дождь начался. Холод. Средина сентября стояла. Убирали пшеницу, помню...

— Там же клеверное поле, — перебил Антон.

— Клевер лет пять как высеяли, а в шестьдесят шестом, точно помню, пшеница была, — уточнил Столбов и, как ни в чем не бывало, продолжил: — Осень тогда дождила, из-за слякоти чуть не целыми днями простаивали. Сырую-то пшеницу жать не будешь. В то утро вроде прояснило. Все спали, а я поднялся часов в шесть. На стареньком самосвале тогда работал, радиатор у него подтекал. Хотел подремонтировать. Воду выпустил. Когда ремонт закончил, пошел за водой, чтобы в радиатор залить. Черпанул из колодца и... кота вместе с водой достал.

— Если воду из колодца для питья не применяли, зачем же после кота колодец потребовалось закрывать?

— Побоялись, что кто-нибудь из людей так же, как кот, в него сыграет.

— Такое могло случиться?

— Запросто. Особенно ночью. Колодец-то не огорожен был.

Антон насторожился — дело принимало другой оборот.

— Вы сказали, что, когда вытащили кота, в колодце труп человека находиться не мог. Сразу после случая с котом колодец закрыли бревнами. Когда же в него труп попал?

— Откуда я знаю, — Столбов осторожно стряхнул в ладонь папиросный пепел, помолчал. — Только колодец-то после кота закрыли не сразу, а, наверное, через неделю. Быть может, за это время кто и ухнул туда.

— Через неделю?

— Может, поменьше, но только не сразу. Помню, перед тем как закрыть бревнами, я в него самосвал земли ссылал.

— Земли? Откуда?

— Школу у нас строили, котлован под фундамент рыли. Бригадир приказал мне заехать на стройку, нагрузить экскаватором земли и засыпать колодец. Одну ездку сделал. Надо бы еще разок или два привезти, чтобы полностью засыпать, а у строителей, как на грех, экскаватор сломался. Тогда и решили бревнами сверху закрыть.

«Вот откуда в колодце всякий хлам. Но флотская пряжка, пуговица, кости человека?.. Попали они с землей от школы или...» — подумал Антон и спросил Столбова:

— Вместе с землей кости могли попасть в колодец?

Первый раз за время разговора Столбов улыбнулся, но улыбка эта получилась какой-то виноватой.

— Если бы знал, что через столько лет попаду на допрос, перерыл бы в кузове всю землю, которую мне насыпали, — сказал он. — Но я уж этого не знал ни сном ни духом. Ухнули в кузов пару ковшей

земли, привез ее к колодцу и шуранул туда. Самосвал ведь лопатой не разгружают.

— Постарайтесь хоть что-нибудь еще припомнить, — уже умоляюще попросил Антон.

— Я ж говорю, не рассчитывал попасть на допрос.

Антон поднялся из-за стола, подошел к окну и,
глядя в него, сказал:

— Это не допрос. Мне хочется узнать ваше предположение, как человеческие кости могли попасть в
колодец?

— Какое может быть предположение. Убивать у
нас некому. Разве, какой прохожий по пьянке сва-
лился... Только я, например, не помню, чтобы у
нас в округе кто-то бесследно терялся. — Столбов
отогнул рукав комбинезона, посмотрел на часы. —
Ехать вообще-то мне надо. Затянул с ремонтом,
председатель и так уж сердится.

Легок на помине, в кабинет заявился Чернышев.
Разведя руками, он с упреком уставился на Столбова:

— Витька, голубчик, ты уедешь сегодня или нет?

— Я что? Я хоть сейчас... — Столбов взглянул
на Антона.

— Все еще не переговорили? — Чернышев устало опустился на свое место за столом. — Ох, за-
ждались нашей помощи соседи. У вас еще надолго
разговор?

— У меня все, — сказал Антон. — Пусть едет.

Столбов быстро поднялся, подошел к двери и на
секунду задержался, будто хотел что-то сказать.

— Поехали, голубчик, поехали, — нетерпеливо
махнул ему Чернышев. — Да, смотри, не подведи
наших. Работай как дома!

— Когда я подводил? — хмуро проговорил Столбов и вышел.

— Толковый парень, — кивнул в сторону двери Чернышев. — Не вовремя только жениться надумал, сенокос на носу, а он свадьбу затевает.

— Уж очень неразговорчивый, — заметил Антон.

— Это точно. Разговор из него хоть клещами вытягивай. Еще один такой «говорун» у нас есть. Сенька Щелчков — шофер, который сегодня нас возил. Правда, тот, как испорченный электрозвонок: трезвого не включишь, пьяного не выключишь. Ну, Сенька понятно — на трезвую голову своего заикания стесняется, а этот складно говорить умеет. Как-то на общем собрании подзавелся. Так, скажу тебе, такую речугу закатил, что все рты пораскрывали! А пока не заведется, молчит. Хорошо — молчит, плохо — тоже молчит, — Чернышев устало потер виски. — Что вытянул из него?

— Воду, оказывается, из колодца для питья не брали...

— Как не брали?

— Плесневелая была, — словами Столбова ответил Антон и коротко пересказал содержание разговора.

Чернышев долго сидел молча, тер белые от седины виски, словно у него сильно болела голова.

— Это для меня новость, — наконец сказал он. — А кто давал команду землей колодец засыпать?

— Говорит, бригадир.

— Ведерников? Вот хрыч — мне ни слова об этом.

Чернышев задумался, и Антон услышал, как нудно бьется об оконное стекло крупная муха. Тяжесть несбывшейся надежды навалилась на Антона. Еще утром хотелось взяться за сложное дело, которого ждал с первого дня работы. Вспомнилось, как после разговора с подполковником радостно екнуло сердце, как боялся, что за расследование возьмется Кайров. Утром казалось, стоит приехать в Ярское, ухватиться за конец ниточки, и пойдет, и пойдет распутываться клубок забывшегося от времени преступления. Вместо этого — день проходит, а ни ниточки, ни клубка и в помине нет. Сплошной туман. Кости пожелтевшие, может, им сто лет в субботу будет. Упоминал же Кайров подобный случай. Опять же — флотская пряжка, пуговица с якорем...

— Маркел Маркелович, — Антон резко повернулся к Чернышеву. — У вас в селе есть бывшие моряки?

Чернышев задумался.

— Вроде бы нет. Танкисты есть, саперы, ракетчики, — начал перечислять он. — Пехоты — царицы полей полно. Даже летчик есть — сын бригадира Ведерникова, а моряков не могу припомнить. Нет у нас моряков.

— Значит, пряжка и пуговица не с землей от школы в колодец попали?

— Этого утверждать не могу. После Отечественной войны у нас каких только пряжек и пуговиц не было! Фронтовики этих сувениров полным-полно навезли. И не только пряжки да пуговицы. У Ведерникова, помнится, года четыре на огородном пугале эсэсовские мундир и фуражка при всех регалиях красовались, — Чернышев улыбнулся. — Все птицы ведерниковский огород стороной облетали.

Появившееся внезапно у Антона предположение отпало так же быстро, как возникло.

5. ГРАФ-БУЛОЧКИН

Рабочий день еще не начался, и, как всегда в такие часы, в райотделе было тихо и прохладно. «План следствия», — отчетливо написал на чистом листе

Антон, аккуратно подчеркнул заголовок и вспомнил где-то вычитанное, как один из маститых писателей, положив перед собою чистый лист бумаги для нового романа, испытывал ужас от предстоящей работы. «Писателю было проще, он мог писать свои романы десятилетиями, а расследование — душа винтом — надо закончить в установленный законом срок», — подумал Антон, вздохнул и, сняв телефонную трубку, набрал номер Бориса Медникова. Несмотря на ранний час, Медников был на работе, но утешить ничем не мог — заключение областной экспертизы раньше трех дней и ждать было нечего.

Без пяти девять позвонила секретарь начальника райотдела, пригласила на оперативное совещание. На всякий случай Антон завернул в бумагу пуговицу и пряжку, взял их с собой и вышел из кабинета. В коридоре столкнулся с инспектором уголовного розыска Славой Голубевым — он тоже спешил на совещание. Крепко пожав Антону руку, Голубев спросил:

— Говорят, серьезное дело получил?

— Зря не скажут...

— Ты вот вчера в отъезде был, а мы тут комсомольское собрание провели, — обычной своей скороговоркой зачастил Голубев. — Обсуждали вопрос солидарности. Постановили: в трудных делах помогать друг другу. Так сказать, коллективом трудные дела тянуть. Коллектив — это сила! Согласен? Так что ты давай, если помощь нужна, не стесняйся и говори.

— Пока ничего не надо.

— Смотри, как говорится... — Голубев весело подмигнул. — Чтобы после разговоров не было.

Народу в кабинете начальника райотдела набилось битком, собрались даже участковые. Сидели переговариваясь. Подполковник что-то сосредоточенно читал.

Найдя с трудом свободные стулья, Антон тихо шепнул Голубеву на ухо:

— Пора начинать, мы пришли.

Голубев не понял шутки, оглядел присутствующих и так же тихо ответил:

— Кайрова нет. Вот педант — ровно в девять явится.

Антон посмотрел на часы и стал следить, как минутная стрелка заканчивает свой круг. Едва она коснулась последнего деления, дверь тихо отворилась, и в кабинет вошел Кайров — чисто выбритый, щеголеватый. Прошел через кабинет, кивнул всем и молча сел на свое излюбленное место, у стола начальника. Подполковник оторвался от чтения, обвел собравшихся взглядом и заговорил:

— Я собрал вас ненадолго. Областное управление разыскивает одного залетного рецидивиста. Предполагают, что он причастен к убийству женщины, личность которой пока не установлена. Убийство совершено в Новосибирске. Подробную ориентировку на разыскиваемого пришлют завтра, а пока сообщаю вам основные приметы. Рост — метр семьдесят, сухощав, густые рыжие волосы, лицо горбоносое, смуглое, с признаками наркомании.

— Есть предположение, что появится у нас? — спросил Слава Голубев.

— Уже появился. Вчера в полночь был на квартире главврача районной больницы и требовал наркотика, — подполковник помолчал. — Учтите, рецидивист не районного масштаба. Прикатил не то из Одессы, не то из Ростова-на-Дону. По последним сведениям, имеет паспорт на фамилию Булочкина, кличка — Граф, — он заглянул в листок, который до этого читал. — Я распределил между всеми объекты для наблюдения.

Антону досталась городская аптека, Славе Голубеву — участок, прилегающий к железнодорожному вокзалу, и сам вокзал.

Перед тем как закончить оперативку, подполковник попросил Кайрова и Антона остаться. Когда они остались в кабинете втроем, спросил:

— Что вчера выездил, Бирюков?

— Почти ничего, товарищ подполковник.

— Почему не позвонил из Ярского? Я же просил тебя.

— Нечего было докладывать.

Антон покраснел. «Первое замечание уже схлопотал», — отметил он про себя, подал подполковнику завернутые в бумагу пряжку и пуговицу и стал рассказывать о проведенном в Ярском дне.

— Ведерникова следовало допросить, — разглядывая пряжку, сказал подполковник. — Почему он тянул с закрытием колодца? Это же явное нарушение техники безопасности, подсудное дело.

— Я полагал, что надо дождаться заключения медицинской экспертизы, и уж после того, если будут основания, возбуждать уголовное дело. Преждевременным допросом побоялся насторожить бригадира.

— М-мда... — густые брови подполковника хмуро сошлись у переносицы. — На будущее запомни, если я прошу информировать о ходе дела, то это вызвано не праздным любопытством или мелочной опекой. У меня нет привычки опекать следственное отделение и уголовный розыск, но чем занимаются мои сотрудники — я должен знать, — подполковник повернулся к Кайрову. — Так, капитан?

Кайров утвердительно наклонил голову. Подполковник показал ему пряжку:

— Что об этом думаешь?

— По всей вероятности, случай аналогичен тому, когда при раскорчевке поля в колхозе «Гранит» разрыли старую могилку. Помните?

— А если преднамеренное убийство?

— Надо расследовать, — пожав плечами, ответил Кайров.

— Кому поручим?

— Поручите мне, товарищ подполковник, — непроизвольно вырвалось у Антона.

— Вот оптимист! — Кайров засмеялся. — Строгача за просрочку схватишь — куда твоя бодрость денется.

Подполковник строго посмотрел на него:

— Не надо строгачами запугивать подчиненных, капитан.

— Я не запугиваю, Николай Сергеевич, — Кайров, будто подчеркивая перед Антоном близость отношений с подполковником, назвал его по имени-отчеству. — Я лишь хочу предупредить Бирюкова, чтобы не рассчитывал на легкий успех. Распутать такое дело даже опытному криминалисту нелегко, а Бирюкову тем более. Опыт у него не ахти какой.

— Да... Спустя рукава тут ничего не добьешься, — согласился подполковник, повертел в руках пряжку и вдруг ободряюще подмигнул Антону: — Что касается опыта, то это дело наживное. Кстати, — вдруг вспомнил он, — труп женщины, о которой я упоминал на оперативном совещании, был сброшен в канализационный колодец.

Подполковник аккуратно завернул в бумагу пуговицу и пряжку, передал их Антону и посоветовал:

— Сходи-ка в военкомат и выпиши там все адреса моряков, которые живут в нашем районе.

Из кабинета подполковника Кайров вышел первым. Пройдя по коридору несколько шагов, он обернулся к идущему следом Антону и сочувствующе сказал:

— Взял ты, родной мой, на себя обузу. Но это к лучшему: оскомину набьешь — поумнеешь.

С улыбкой сказал Кайров, вроде бы не в упрек, но на душе у Антона вдруг стало муторно, противно заворочалось сомнение. Захотелось вернуться к подполковнику и сказать, что, мол, сдуру напросился на непосильное дело. Однако тут же заговорило самолюбие: зря, что ли, в институте учился? Нет опыта... Опыт — дело наживное, как сказал подполковник. Правильно сказал! Надо гореть на работе в хорошем смысле этого слова, а не тлеть, как тлеет Кайров. Все у него без сучка, без задоринки — никакого интереса! «Нет, капитан, кровь из носа, а тайну старого колодца разгадаю», — упрямо решил Антон.

Он сел за свой стол и, энергично придвинув к себе телефон, стал звонить в аптеку — не появлялся ли там Граф-Булочкин?

Управляющий аптеки, узнав, что звонят из милиции, заволновался.

— Знаете, — не дослушав Антона, заговорил он, — вчера, перед самым закрытием, этот гражданин взял у нас по рецепту пять пробирок с таблетками мепробамата.

— Не заметили, куда он направился из аптеки? — спросил Антон, словно это имело какое-то значение.

— К сожалению, нет. Хотя посетитель сразу показался мне странным. Этакая неприятная рожа наркомана. Дрожащие руки, землистый цвет лица, глаза мутные и все такое...

— С какой целью применяют мепробамат?

— Это лекарство импортного производства. Рекомендуется для успокоения нервной системы при сильных волнениях. Доза: по одной-две таблетки на прием.

— Зачем же ему так много понадобилось?

— Видимо, глушит возбужденные нервы. Этим-то он и привлек мое внимание.

— Кем выписан рецепт?

— Областной поликлиникой. На фамилию... не то Бубликов, не то Булочкин.

Сомнений не оставалось. Попросив управляющего, если где-то встретит странного посетителя, немедленно сообщить дежурному милиции, Антон на всякий случай позвонил в больницу, затем переговорил со всеми заведующими медицинскими пунктами, номера телефонов которых были в справочнике. Ни к кому из них Граф-Булочкин не наведывался.

Незаметно промахнуло полдня. Перед обедом Антон заглянул к дежурному. У телефона скучающе сидел Слава Голубев.

— Ничего пока нет, — ответил он на вопрос. — Да и вряд ли этот «граф» днем объявится. Думаешь, он дурак? Кстати, знаешь, сколько было случаев, когда областные работники зевали преступников, а наши брали их как сусликов! Видел, как сегодня подполковник всех на ноги поднял? А коллектив — это сила! Согласен?

— Точно, Славочка, — Антон улыбнулся. — Ну, я пошел на обед, а потом — прямо в военкомат.

Военком — худощавый, с большими залысинами майор, выслушав Антона, спросил:

— И милицию что-то к морякам потянуло?

— Почему — и милицию? — сделав ударение на «и», в свою очередь, задал вопрос Антон. — Разве еще кто интересовался моряками?

— Вчера один гражданин моряка Юру искал.

— Что за гражданин?

— Кто его знает. Мы не милиция, паспорта не проверяем.

— Для чего ему этот Юра потребовался?

— Давние друзья, сказал. Только фамилию вспомнить не мог. Хотел его в вытрезвитель направить, да некогда было. Заявился — лыка не вяжет, — военком открыл картотеку. — Тебе всех моряков или тоже Юру?

— Всех.

— Всех так всех. У нас их не густо.

Военком пересчитал и подал Антону восемь учетных карточек. «Гаврилов Иннокентий Иванович. Воинское звание "мичман", — прочитал Антон в одной и заглянул в графу «Домашний адрес», чтобы убедиться, тот ли это Гаврилов, который «распечатывал» молокососам носы. Адрес совпадал. Антон вспомнил рослую фигуру Гаврилова с огненно-рыжей шевелюрой и усмехнулся тому, как иногда случай сводит людей.

Ни один из моряков не жил ни в Ярском, ни даже близко от него. Не было среди них и с именем Юра. Вздохнув, Антон отложил последнюю карточку, задумался, и вдруг, по необъяснимой ассоциации, рядом с Гавриловым возник рыжеволосый Граф-Булочкин, каким он представлялся по словесному портрету, сделанному подполковником на утреннем оперативном совещании.

— Скажите, товарищ майор, — обратился Антон к военкому, — как выглядел этот… который моряка Юру искал?

— Худой, длинный, — занимаясь своими делами, ответил военком. — Собственно, я к нему не приглядывался.

— А волосы у него какие?

— Густые... по-моему, рыжеватые, — военком не сдержал любопытства: — А что случилось?

— Областное управление разыскивает опасного рецидивиста. Похоже, он-то и наведывался к вам.

— Что ж вы раньше молчали?! — возмутился военком. — Милиция называется. Я бы его под пистолетом привел!

— Сами только сегодня утром узнали, — виновато сказал Антон.

— Плохо ваша служба работает, коль этот гастролер вас опережает, — военком досадливо рубанул рукой воздух. — Как сердце чувствовало! Уже было трубку телефона взял, чтобы вызвать патруль из вытрезвителя, а потом думаю, пусть катится на все четыре стороны, — и в сердцах ругнул себя: — Вот шляпа!

Весь остаток дня Антон пытался логически обосновать связь между Графом-Булочкиным, моряком Юрой, флотской пряжкой, пуговицей и колодцем. Раздумывая, чертил на бумаге кружки и стрелки. От кружка «Граф» стрелка упиралась в кружок «Юра», затем в «Пряжку, пуговицу» и ныряла в «Колодец».

Первый и последние кружки Антон обвел жирными линиями, а кружок «Юра» — пунктиром. Моряка с таким именем в районе не было, но он должен быть, коль его ищет Булочкин. Следовательно...

Резко звякнул телефон — подполковник срочно приглашал к себе. Едва Антон вошел в его кабинет, как он спросил:

— Предполагаешь, Булочкин был в военкомате?

— Так точно.

— Сейчас мне звонил военком. Оказывается, этот рыжий тип ищет в нашем районе какого-то моряка не первый раз. В прошлом или позапрошлом году — точно военком не помнит — он уже был у них с подобным же вопросом.

— Ребус какой-то, — сказал Антон.

— Уголовному розыску сплошь и рядом с подобными ребусами приходится сталкиваться. Иногда такая шарада подзакрутится... — подполковник открыл коробку «Казбека», постучал по ней папиросой и неторопливо прикурил. — Насколько мне известно, закоренелые наркоманы не употребляют спиртного. Булочкин — наркоман, а в военкомат пришел пьяным. Упускать его нельзя. Вполне возможно, что этот «граф» окажется необходимой для нас ниточкой от колодца. Настораживает меня флотская пряжка, пуговица и... моряк Юра.

— Я только что об этом думал, — опять сказал Антон и передал содержание разговора с управляющим аптекой.

— Выходит, неладно у Графа с нервами, — подполковник стряхнул с папиросы пепел, помолчал. — Хотя наркоманы, как и алкоголики, изобретательны до удивительности. Не глотает ли Булочкин мепробамат вместо наркотика?..

С работы Антон уходил поздно. В комнате дежурного у телефона подремывал Слава Голубев. О Булочкине новых сведений не поступило.

6. ЗАКЛЮЧЕНИЕ ЭКСПЕРТИЗЫ

Гаврилов явился в райотдел по повестке Славы Голубева, которому Кайров передал дело о «распечатанных» носах, но Антон, встретив его в коридоре, пригласил в свой кабинет, чтобы выяснить, не знает ли бывший мичман кого из моряков по имени Юра. От Гаврилова на три версты несло перегаром, и по кумачовому, с маслеными глазами лицу было видно, что, несмотря на раннее время, бывший моряк успел изрядно опохмелиться.

О флотской службе Гаврилов заговорил охотно. Знакомых моряков у него было «тысяча и один». Были среди них и Юры, но никакого отношения к району они не имели. На флоте, включая срочную службу, Гаврилов «оттрубил» пятнадцать лет, а после демобилизации уже четвертый год «тянул лямку» по снабженческой части в райпотребсоюзе. С пьяной откровенностью он признался, что демобилизовали его за «неумеренное употребление антигрустина».

— Судя по вашему поведению, урок, как говорится, не пошел вам впрок, — усмехнулся Антон и строго добавил: — Надо исправляться, мичман.

— Горбатого могила исправит, — басом прогудел Гаврилов и громко расхохотался, будто невесть как удачно сострил.

— В могиле исправляться поздно.

— А сейчас рано. У нас же, снабженцев, как? Не подмажешь — не достанешь. А когда мажешь, и сам намажешься.

— Это до поры до времени. Попадете на глаза начальству...

— Начальству что? Ему давай-давай! Мы ж, снабженцы, как шахтеры, — Гаврилов опять захохотал. — Можно сказать, из-под земли достаем.

Беседу прервал телефонный звонок — начальник райотдела приглашал к себе. Проводив Гаврилова, Антон подошел к окну и закрыл форточку. По стеклу барабанили крупные дождевые капли.

В кабинете начальника кроме подполковника Гладышева, сосредоточенно читающего какой-то листок, сидел Борис Медников.

— Испортилась погодка, — пожав его влажную от дождя руку, сказал Антон. — Не размок, пока к нам шел?

— Не сахарный, — равнодушно проговорил Медников и покосился на коробку «Казбека», лежащую у подполковника на столе. — У нас дождик, как слеза, чистый. А вот мне приходилось читать, что над Лондоном постоянно висит смог. Чуть Всевышний побрызгает, и на тебя будто ведро разведенной сажи вылили.

Подполковник дочитал обратную сторону листа и стал закуривать. Заметив просящий взгляд Медникова, подвинул к нему коробку «Казбека». Медников прижег папиросу, блаженно затянулся и, поперхнувшись дымом, надсадно закашлял.

— Не торопись, Боря, — посоветовал Антон.

— Угощают чем попало... — вытирая появившиеся от кашля слезы, с упреком сказал Медников. — Кто «Памир» подсунет, кто — «Казбек».

Подполковник засмеялся, опять взял бумагу, которую только что читал, и подал ее Антону. Уже мельком взглянув на текст, Антон понял, что это заключение медицинской экспертизы.

Большую часть текста занимали служебные титулы экспертов, перечисление представленного на экспертизу. Само же заключение было лаконичным. Найденные в колодце кости скелета принадлежали мужчине возраста двадцати пяти — тридцати лет, роста — приблизительно один метр семьдесят сантиметров, физически хорошо развитому. Из характерных примет указывались два вставных передних зуба и старая травма голеностопного сустава правой ноги, на которую при ходьбе мужчина должен был прихрамывать. Особо отмечался пролом черепа.

Но эксперты не смогли установить, произошел он до смерти или после. Кости пролежали в колодце около шести-семи лет. Труп был засыпан теплой влажной землей, поэтому быстро разложился.

Когда Антон дочитал заключение, Медников поднялся и мрачно сказал:

— Я ухожу. Мавр сделал свое дело, мавр может удалиться.

— Подожди в моем кабинете, — попросил Антон.

Вторично просмотрев заключение, подполковник отложил его в сторону и неторопливо заговорил, обращаясь к Антону:

— Завтра с утра поезжай в Ярское и займись-ка этим делом по-настоящему. Обстоятельно поговори со стариком Стрельниковым. Мне думается, если к нему найти подход, он припомнит многое из того, что другие давным-давно забыли. Со всей серьезностью отнесись к показаниям бригадира Ведерникова, который дал задание Столбову засыпать колодец. Учти, Ведерников, опасаясь ответственности за то, что поздно закрыл колодец, возможно, начнет крутить, сваливать на Столбова. Не каждое его слово принимай за чистую монету. Однако и не забывай, что предвзятость навредит расследованию еще больше, — подполковник опять взял листок с заключением экспертизы. — Настораживает земля в колодце. Будто умышленно ее туда засыпали...

— Как со Столбовым быть? — спросил Антон.

— Смотри по ходу дела. Потребуется, допроси официально, с протоколом. Прислушайся, что народ в деревне говорит, но сплетен не собирай. Словом, действуй как работник уголовного розыска. Время пока не ограничиваю, однако резину не тяни. Если преступник местный, нужно не дать ему времени опомниться, если залетный — оперативность и в этом случае не повредит. И еще одно: не настраивай себя, что это — непременно преступление. Иди от обратного. Жизнь полна случайностей.

Когда Антон вернулся в свой кабинет, по оконному стеклу все еще барабанил дождь. Не обратив внимания на хмурое замечание Медникова, что так долго заставляют себя ждать только короли, невоспитанные люди и милицейские, Антон стал собираться в Ярское. Складывая в папку чистые листы протоколов допроса, он спросил Медникова:

— Боря, ты знаком с таблетками мепробамата?

— Покейфовать хочешь? — усмехнулся тот.

— Понимаешь, один тип закупил в нашей аптеке тьму этих самых таблеток. Для чего ему столько могло потребоваться?

— Людские потребности безграничны, — философски изрек Медников. — Лекарство импортное, толком еще не изучено.

— В качестве наркотика его нельзя применять?

— Люди находят лекарствам самое невероятное применение, — с серьезным видом начал Медников. — Недавно приходит на прием ветхая такая старушенция и просит: «Сынок, пропиши каких ни есть противузачаточных таблеток от головной боли». Выпучил я на нее глаза, а она доверительно поясняет: «Внучка, сынок, на выданье, того и гляди принесет подарок в подоле. А с таблетками — милое дело. Дам ей перед вечеркой парочку, у меня и голова не болит».

— Ты анекдоты не рассказывай, — засмеялся Антон.

— Что анекдоты. Обрати внимание, как по осени старушки в аптеках аспирин чуть не килограммами покупают. Знаешь, для чего? В качестве антисептика применяют при мариновании разных там грибочков да огуречков.

— То аспирин, а то импортное лекарство. Не спекуляцией ли попахивает?

Медников небрежно махнул рукой:

— Уж очень ты подозрительно на всех смотришь. В каждом человеке готов потенциального преступника узреть. Мепробамат при употреблении в больших дозах может вызвать расслабление скелетной мускулатуры и состояние вроде шокового. В какой-то степени это заменяет, конечно, наркотик, — сказал он и поднялся, собираясь уходить.

— А что к заключению экспертизы можешь добавить? — задержал его Антон. — Так остроумно написали, что не поймешь, то ли от удара по черепу человек скончался, то ли его живого в колодец сбросили.

— На нашем месте ты не лучше бы состоил. Был бы труп, а то — разрозненные кости.

— Неважнецкие ваши дела, — шутливо посочувствовал Антон.

— Твои, по-моему, не лучше, — в тон ему сказал Медников.

7. МАТРОССКОЕ ПИСЬМО

— Гостиницы у нас нет, — встретив Антона, сказал Чернышев. — Жить у меня в доме будешь, места хватит. Для работы занимай председательский кабинет, все одно мне в нем засиживаться некогда. — И тут же спросил: — Видать, дело серьезное, а?

Антон рассказал об экспертизе. Чернышев долго молчал, по привычке тер седые виски, словно у него болела голова, и наконец задумчиво проговорил:

— Ну, голубчик, загадку наш колодец загадал. Ума не приложу, что там могло произойти. Народ у нас в селе добрый, порядочный. Трудно даже предположить, что кто-то из наших убийство мог совершить. Нет, тут что-то другое, что-то непонятное.

Первым Антон вызвал на допрос бригадира Ведерникова. Он почему-то представлял его важным полным мужчиной с властным характером. На самом же деле Ведерников был высоким худым стариком. Обвисшие с желтизной усы и сросшиеся на переносице два пучка бровей делали его похожим на одного из репинских запорожцев. Для полного сходства Ведерникову не хватало казацкой свитки и шаровар. Записывая в протокол допроса биографические данные, Антон задал стандартный вопрос:

— Раньше судимы были?

— Нет, — хмуро ответил Ведерников и, подумав, уточнил: — Гражданским судом не судим, а под трибуналом был.

— За что? — спросил Антон.

— Фашиста одного не вовремя прикончил.

Ведерников кашлянул и неторопливо стал рассказывать. Всю Отечественную он провел в снайперах. Девятого мая в сорок пятом году, когда война уже кончилась официально и поступил приказ применять оружие только по особому указанию, на его боевом счету не хватало одного фашиста до круглой цифры.

Эту цифру Ведерников не назвал, а сказал только, что он не стерпел такого «недокомплекта» и, несмотря на запрещение, израсходовал еще патрон. Под снайперскую пулю угодил эсэсовский генерал, которого, как потом оказалось, во что бы то ни стало надо было взять живым. За нарушение воинской дисциплины дело младшего лейтенанта Ведерникова разбирал военно-полевой суд.

О колодце Ведерников никаких новых сведений не сообщил. Вопреки предупреждению подполковника, он не стал «крутить» и честно сознался, что дал Столбову распоряжение засыпать колодец только через неделю — а, может, и позже — после того, как из него достали кота. На вопрос: «Мог ли за это время человек случайно упасть в колодец?» — ответил неопределенно:

— Кто его знает... — Задумчиво погладил усы и продолжил: — Сколько лет колодец существовал, никто не падал. Из наших деревенских даже вся ребятня его знала, а из приезжих... человек же не иголка, чтобы исчез и никто этого не заметил.

Держался во время допроса Ведерников спокойно, но порою в его глазах и жестах длинных костистых рук замечалась нервозность, свойственная очень вспыльчивым, несдержанным людям. Говорил он медленно, чуть хрипловато. Чувствовалось, что его настораживает ведение протокольной записи. О Столбове отозвался хорошо:

— Все бы такими работягами были, как Витька, колхоз бы наш по Союзу гремел. — И пояснил: — Я и распоряжение ему на засыпку колодца только потому дал, что Витька безотказный. Другого уговаривать надо, потом проверять — хорошо ли сделал. А этому только скажи — все на совесть сделает. Для примеру, такая штука: когда экскаватор сломался и землю грузить в самосвал стало нечем, Витька сам нагрузил бревен, привез и накрыл ими колодец. Другой бы трудодень за это попросил начислить, а Столбов даже не заикнулся.

— А вот на помощь к соседям съездить Маркел Маркелович еле уговорил его, — вспомнив прошлую встречу со Столбовым, сказал Антон.

— Свадьбу человек затевает, подготовиться надо. У него, кроме больной матери, никого нет. Все хозяйство на нем держится. В таком разе любой заартачится.

К концу допроса Антону стало как-то неловко. Сколько раз он слышал и читал о следовательской интуиции, о находчивости и наблюдательности работников уголовного розыска, сколько раз говорили ему, что толково и вовремя поставленный вопрос часто решает судьбу расследования. Антон всячески приглядывался к Ведерникову, мучительно искал этот самый вопрос, но так и не мог его найти.

Егора Кузьмича Стрельникова Антон решил не вызывать для допроса в контору, рассчитывая, что в домашней обстановке разговорчивый старик еще больше разоткровенничается. Жил Стрельников в небольшой крепенькой избенке, в самом конце села. Когда Антон, постучав, открыл дверь в избу, Егор Кузьмич помогал старухе — дородной, по комплекции раза в три солидней его — сматывать на клубок самодельную пряжу. Смутившись немужского занятия, он бросил пряжу на лавку и гостеприимно разулыбался, поглаживая при этом лысую макушку.

— Ты чой-то, старый, ощерился? — сурово спросила старуха. — Спутаешь моток, я ить и при чужом человеке веретеном по лысине огрею!

— Ну-ну! — запетушился Егор Кузьмич. — Человек пришел не иначе при исполнении обязанностей. Чем грубить; лучше оставь одних — служебный разговор, как понимаю, при посторонних не ведется.

— Это я тебе, старый, посторонняя?

— Андреевна, ты очень даже часто неправильно меня понимаешь. Пришел товарищ офицер из милиции, пришел, как понимаю, ко мне, и, возможно быть, у нас состоится очень даже серьезный разговор.

— Только бы и чесал язык, трепач старый, — проворчала старуха, но пряжу отложила. — Вы, товарищ милиционер, — обратилась она к Антону, —

шибко ему не верьте. Смолоду трепачом был, а к старости совсем рехнулся.

Старуха сердито ухмыльнулась, не спеша подошла к русской печи, взяла пустое ведро и, выходя из избы, будто сама себе проговорила:

— Сурьезный разговор у него, видишь ли, могет состояться. Трепач, ну трепач...

— С норовом баба, — смущенно поглаживая макушку, Стрельников кашлянул. — Никакого такту не знает, один конфуз от нее.

И захлопотал возле Антона, приглашая сесть на узенькую лавку у стола.

Антон повесил на вбитый в дверной косяк гвоздь фуражку.

— Я ведь, Егор Кузьмич, пришел насчет колодца. Кроме уже рассказанного, ничего не припомнили?

— Слышь-ка, а?.. — Стрельников пораженно развел руками. — Даже имя-отчество мое помнишь! Что ни говори, городской житель отличается от деревенского. Деревенский он иль без прозвищев не может. И худому человеку прозвище даст, и хорошему. До чего Маркел Маркелович — душевный председатель, а и его прозвали Головой. Голова — прозвище, ясно дело, не плохое, однако все ж таки есть прозвище.

Антон не перебивал старика, и тот говорил взахлеб. Только через несколько минут он вдруг осекся и смущенно сказал:

— Стало быть, антересует колодец. Дак, пожалуй, нового ничего сказать не могу. Прошлый раз, слышь-ка, всю правду-матку изложил, — Егор Кузьмич на секунду замялся, кашлянул: — Сбрехнул самую малую толику — по части ермаковских воинов. А почему сбрехнул? Опять же из-за любопытства своего. Меня ужас как антересует с умным

46

человеком говорю или с глупым. Умный сразу брехню определит. Вот прошлый раз ты приметил, что Ермак в нашенских местах не воевал. К тому же с первого раза запомнил мое имя-отчество. Стало быть, мужик ты — неглупый, хотя и молодой. С тобой по-серьезному надо вести разговор. А глупому подряд городи, он всему поверит. Так вот, чтобы тебя не заблуждать, скажу: которые перед Отечественной войной из Новосибирска были, искали в курганах не ермаковских воинов, а поселения древнего человека.

— Меня интересует, кто мог оказаться в колодце? — вставил Антон.

— Дак мне ж самому эта история никакого спокоя не дает! — воскликнул Егор Кузьмич. — Страсть любопытно, какого бедолагу туда занесло. Никто ж у нас в округе не терялся, Андреевна моя не даст соврать...

— Вы до пенсии в колхозе работали? — стараясь перевести разговор ближе к делу, спросил Антон.

— Нет, слышь-ка, не в колхозе, — с гордостью ответил Егор Кузьмич. — Трудился я два десятка годов в министерстве связи. По-деревенски говоря, письмоносцем был.

— Все новости знали?

— А то как же! Любая корреспонденция, — он с трудом выговорил это слово, — в Ярское через меня доставлялась. И хорошие сообщения, и плохие...

Упоминание о прежней работе вызвало у Егора Кузьмича грусть, и он опять отклонился от интересующей Антона темы.

— Бывалочи, принесешь весточку неграмотному, тот с просьбой: «Прочти, Кузьмич». Сообщение хорошее — чарку подаст, плохое — вместе погорюешь. Девчата, бывалочи, тоже встречают: «Письмишка нет, Кузьмич?» Передашь весточку от жениха, плясать перед тобой готовы. Нужный обчеству я человек был, за то и Кузьмичом величали. Сейчас же, кроме как Слышкой, никто не зовет.

— Не помните, в тот год, когда колодец закрыли, гостей в Ярском никто не ожидал? — ухватившись за неожиданную мысль, спросил Антон.

В избу вошла старуха, загремела у печки ведром. Она услышала вопрос и опередила гладившего в раздумье лысину Кузьмича:

— В нашем селе гостей со всех волостей. Летом у нас благодать, со всех городов родственники на отдых съезжаются.

— А такого не было, чтобы пообещал кто приехать и не приехал?

— К нам все приезжают. До райцентру едут поездом, а оттуда до Ярского на машинах. Правда, автобусы к нам не ездят, зато грузовиков и легковушек попутных полно. Чего к нам не приехать-то?..

— А к Агриппине Резкиной внук Юрка сколь годов обещал приехать? — ехидно ввинтил Егор Кузьмич. — И до этих пор не приехал.

— Эк чо, старый, вспомнил! Внук — отрезанный ломоть. Чего ему у старухи делать?

Узнав, что Резкина живет неподалеку от Стрельниковых, Антон собрался идти к ней, но Егор Кузьмич запротестовал. Ободренный разговорчивостью и, видимо, хорошим настроением своей старухи, он осмелел:

— На стол бы накрыла, Андреевна, что ли. Гостю, по сибирским обычаям, перекусить полагается.

Антон стал отказываться, но старуха обидчиво посмотрела на него:

— Или мы нелюди какие? Думаете, ежели старики-пенсионеры, то и на стол подать нечего?

Егор Кузьмич вскочил с места и засуетился по избе.

— Не стриги ногами! — прикрикнула на него старуха. — Сама управлюсь.

Из русской печи она быстро достала чугунок с наваристой похлебкой, выставила на стол большую миску мяса и крупно нарезанные ломти деревенского хлеба. Еда источала такой аромат, что у Антона засосало под ложечкой.

Старуха оглядела стол, откинула крышку окованного железом старинного сундука, порылась в его глубине и торжественно достала бутылку водки.

— С майских праздников казенка осталась, — сказала она и первый раз в присутствии Антона невесело улыбнулась. — К нам-то со старым никто не наезжает. Безродные мы, всю жизнь вдвоем мыкаемся.

— Андреевна у меня золото! — при виде бутылки воскликнул Егор Кузьмич.

— Ежели б не гость, я тебя озолотила бы, — проворчала старуха.

Антон хотел отказаться от водки, но побоялся обидеть «безродных стариков», к которым «никто не наезжает». От Стрельниковых он ушел под вечер. Хотел сразу пойти к Резкиной, но за околицей, у Потеряева озера, слышался звонкий разнобой ребячьих голосов. Чтобы проветриться, Антон пошел к озеру. Ребятишки, отчаянно брызгая друг на друга водой, купались. Озеро было широким и длинным. В его середине чернела низкая полоска острова, закрывая расположенную на противоположном берегу Березовку — деревню, в которой Антон родился и вырос. «Интересно, доплыл бы я сейчас до острова?» — подумал Антон и, расстегнув форменную тужурку, сел на пахнущий разнотравьем берег. Вспомнилось, как в детстве вот так же целыми днями не вылезал из озера, а мать, чтобы не плавал далеко от берега, почти каждый раз, уходя утром на работу, пугала холодными донными родниками, которые судороги сводят руки и ноги.

Антон лениво перебирал в памяти болтовню Егора Кузьмича. Пока сидели за столом, старик вспоминал что попало, но упорно избегал ответа на вопрос, почему именно тринадцатого сентября он ушел на пенсию. «Подожди, старый краснобай! Все расскажешь»... — самоуверенно подумал Антон, поднялся, застегнул тужурку и пошел к Агриппине Резкиной.

Резкина — низенькая, полная старушка — встретила настороженно, даже испуганно. Антон не раз замечал в людях затаенную робость при встрече с работниками милиции и всегда недоумевал — отчего эта робость возникает.

Почти полчаса толковал он со старушкой на различные житейские темы, прежде чем она прониклась к нему доверием. Мало-помалу Резкина разговорилась и рассказала, что «унучек Юрка служит коло самой Японии, на острове Сахалине».

— Письма от него часто получаете? — спросил Антон. — Приехать к вам внук не собирался?

— Денег я ему не дала, — призналась Резкина. — Шибко Юрка моциклет с люлькой хотел купить, а я пожадничала. Ругаю теперь себя за жадность, да что поделаешь. Обиделся унучек, с тех пор и писать перестал, и домой не едет. До армии-то со мной жил, родители его рано померли.

— У вас писем не сохранилось?

— Где-то на божничке последнее письмо лежало. Сама я неграмотная. Слышка каждый раз мне читал, он тогда письмоносцем у нас работал. Много уж годов с того времени минуло.

Старушка подошла к нахмурившейся в углу избы почерневшей иконе, достала из-за нее серый от пыли конверт и подала Антону.

— Вот такие все письма унучек слал. Наместо почтовой марки печатка трехугольничком поставлена, — пояснила Резкина. — А счас уж какой год ни слуху ни духу не подает. Хочу в розыск послать, да все не соберусь упросить кого, чтобы написали куда там следует.

«Матросское» — прочитал на треугольном штампе Антон, быстро взглянул на адрес отправителя и почувствовал, как от волнения кровь прилила к лицу.

«Резкин Юрий Михайлович», — было написано пониже номера воинской части.

Письмо, начинавшееся трафаретно «Во первых строках...», занимало тетрадную страничку. Резкин писал, что служба кончилась, и через несколько дней он уже полностью станет гражданским. Упоминался и мотоцикл: «А денег ты зря, бабуся, пожалела. Привез бы я отсюда новенький "Урал" с люлькой. В Ярском таких мотоциклов днем с огнем не сыщешь, а тут есть возможность купить. Ну да ладно — на бабку надейся, но сам не плошай. Заработаю, тогда и куплю».

Письмо было отправлено 1 сентября 1966 года. За тринадцать дней до того, как забросили культстановский колодец.

8. ЖЕНИХ-ЗАОЧНИК

Дом Чернышева стоял в центре села, рядом с клубом. Добротный, под шиферной крышей, он выделялся среди других таких же домов ярко-зелеными резными наличниками. Видимо, предупрежденная о приезде сотрудника милиции жена Чернышева —

полнеющая, но моложавая на вид, — встретила Антона гостеприимно, как давнего знакомого.

— Екатерина Григорьевна, — подавая руку, отрекомендовалась она и провела Антона в отведенную ему комнату.

Никелированная кровать, застеленная узорным покрывалом; письменный стол с высокой стопой фотоальбомов; этажерка, плотно забитая книгами, да крепкой работы стул составляли всю обстановку комнаты. Над столом в узкой черной раме висела почти метровая фотопанорама села, на переднем плане которой Антон сразу узнал дом Чернышева.

— Сын снимал, — пояснила Екатерина Григорьевна, заметив, как Антон с интересом разглядывает фотографию. — Институт недавно закончил, сейчас инженер.

Сам Чернышев, с утра мотавшийся на «газике» по колхозным полям, вернулся домой поздно. Гремя во дворе рукомойником и шумно фыркая, долго отмывался от пыли и так же долго растирал полотенцем обнаженное до пояса мускулистое тело. Пригладив ладонью седой ежик волос, он повернулся к вышедшему на крыльцо Антону и строго спросил:

— С выпивки следствие начал?

— Как с выпивки?.. — растерялся Антон.

Чернышев надел рубаху.

— У конторы Стрельников во всеуслышанье треплется, что с милицейским следователем бутылку казенки раздавил.

— Я не следователь, а инспектор уголовного розыска.

— Какая разница?

— Следователю положено вести допрос только официальным путем, инспектор же уголовного розыска имеет право... Как бы вам яснее сказать? Прощупывать почву, что ли...

— Щупать-то ты щупай, а водку все-таки с кем попало не пей. Сам рос в деревне, должен знать, что здесь все на виду.

— Не хотел отказом стариков обидеть.

— Ты работник милиции или сестра милосердия? — хмуро поинтересовался Чернышев, но тут же подобрел: — Ладно, пошли ужинать. На утренней зорьке сегодня окунишек добыл, Григорьевна приготовила. В озере у нас добрые окуни водятся.

После ужина Маркел Маркелович зашуршал свежими газетами. Выписывал он их много. Антон тоже развернул одну из газет, но желание поделиться своим успехом в отношении внука Агриппины Резкиной не давало покоя. Чтобы не отвлекать Чернышева, Антон ушел в отведенную ему комнату. Постояв у открытого окна, взял один из альбомов с фотографиями. «Работа сына Маркела Маркеловича», — догадался Антон, разглядывая хорошо отпечатанные любительские снимки. Все они были сделаны в школьные годы: ребятишки в классе за партами, купающиеся в озере, — вон даже полоска острова на горизонте видна, в поле с лошадьми, у трактора в каких-то механических мастерских, с рюкзаками, видимо, в туристическом походе. На одном из снимков на фоне дома с резными наличниками, чуть склонившись на правую ногу, позировал чубатый крепкий парень. Щурясь от солнца, он выставил в улыбке ровный, с едва приметной щербинкой, верхний ряд зубов. Антон впился взглядом в снимок — сквозь легкую, похоже, нейлоновую рубаху отчетливо просвечивали полоски флотской тельняшки.

— Кто это, Маркел Маркелович? — спросил Антон, показывая снимок Чернышеву.

— Сынов одноклассник, — взглянув на фотографию, ответил Чернышев, — Юрка Резкин.

— Вы знаете, что он своей бабушке с сентября шестьдесят шестого года ни одного письма не прислал?

— Он и до сентября шестьдесят шестого не особо баловал ее письмами. Баламут и шалопай Юрка отменный, потому и не пишет.

— Давно этот снимок сделан?

— Лет семь, наверное, назад. Может, побольше. Когда Юрка в отпуск из армии приезжал.

— Он на флоте служил? Тельняшка на снимке видна.

Чернышев отложил газету.

— Помнится, в тельняшке я его видел, а вот форма на нем сухопутная была. Мы же с тобой прошлый раз говорили, что среди ярских моряков нет. Юрка, должно быть, в береговой обороне служил или купил у кого-нибудь тельняшку.

— Куда он после армии делся?

— Кто его знает. Мы уж привыкли, что отслужившие солдаты редко возвращаются в село. И этот где-нибудь в городе пристроился.

— А не может быть такого, что он возвращался в Ярское и...

— Имеешь в виду колодец? — Чернышев задумался. — Такое даже трудно предположить. Хотя... чем черт не шутит, когда бог спит.

— Резкин прихрамывал на правую ногу, и у него два вставных передних зуба.

— Хромых в армию не берут, — серьезно сказал Чернышев и внимательно посмотрел на снимок. — А выбитый зуб у Юрки и на фотографии виден.

Антон мысленно ругнул себя за невнимательность, но уверенность в том, что в расследовании наконец-то появилась зацепка, не исчезла. В конце концов Резкин мог повредить ногу на службе, там же и зубы вставить.

Маркел Маркелович сложил газеты, устало потянулся.

— Давай-ка, следователь из уголовного розыска, — предложил он Антону, — срежемся в шахматишки на сон грядущий.

— Давайте.

Игра затянулась.

Из открытого окна тянуло ночной прохладой. У клуба громко наигрывала радиола. Затем джазовый гул умолк. Послышался веселый смех, неуверенно всхлипнул баян, и тотчас звонко плеснулся сильный женский голос:

В тихой роще, у ручья, целовалась с милым я,
И никто на белом свете мне, девчонке, не судья!

Несколько девичьих голосов дружно подхватили,

Ой-люли, ой-люли, у меня, Марины,
Губы алы от любви, словно от малины...

Голоса прозвучали так задористо и звонко, что, когда они неожиданно смолкли, Антону показалось, будто где-то у озера откликнулось эхо. Не отрывая взгляда от шахматной доски, Чернышев улыбнулся и сказал:

— Марина Зорькина.

— Звезда колхозной самодеятельности? — спросил Антон.

— Заведующая птицефермой. Красавица наша. Голос, что у Людмилы Зыкиной. На всех фестивалях первые места берет, — Чернышев переставил на шахматной доске коня. — К слову, бывшая любовь тракториста Витьки Столбова, а сейчас всех женихов отшивает.

— Почему?

— Еще до Витьки произошло у нее что-то. Кажется, нарвалась в молодости на непорядочность и до сих пор переживает.

— Сколько ж ей лет?

— Твоего возраста. Быть может, чуток постарше.

— Рано отчаиваться.

— Да она и не отчаивается. Только вот ухажеров не подпускает к себе, будто обет дала.

Чернышев пошел ферзем. Антон — пешкой. Чернышев ответил ходом слона.

— А ведь Юрка Резкин мальчишкой ломал ногу, — вдруг сказал он. — С лошади упал. Помнится, и зуб тогда выбил.

Антон оторвал взгляд от шахматной доски.

— Я же говорил...

— Неужели он?.. — Чернышев сделал очередной ход и тихо добавил: — Вы проиграли, следователь.

— Почему проиграл? — не понял Антон.

— Вам мат.

Ворочаясь в постели, Антон никак не мог заснуть — слишком много накопилось за день впечатлений. За стенкой, покашливая, о чем-то переговаривался с Екатериной Григорьевной Чернышев — видимо, и к нему не шел сон.

Молодежь у клуба стала расходиться. Баян и девичьи голоса приблизились к дому Чернышева. Антон прислушался.

День пролетел, месяц прошел — время растаяло.
Значит, и мной на берегу что-то оставлено...

Пела Зорькина, как и прежде, уверенно и сильно, только Антону показалось, что теперь в ее голосе сквозит тоска.

Кто же ты есть, как тебя звать?
Что ж ты скрываешься?..

Песня удалилась и затихла, а в памяти Антона, как на «заевшей» пластинке, все звучали одни и те же слова: «Кто же ты есть, как тебя звать? Что ж ты скрываешься?»

За стенкой громче, чем обычно, кашлянул Чернышев. Скрипнули половицы.

— Не спишь, Антон? Понимаешь, услышал сейчас песню и вспомнил: несколько лет назад переписывалась Марина Зорькина с каким-то женихом-заочником. Не то солдатом, не то моряком.

Антон рывком сбросил с себя простыню, сел на кровати. Чернышев помолчал, вздохнул:

— И приехать он к ней вроде бы обещался...

9. СОН В РУКУ

Заснул Антон только под утро. Но и короткий его сон был заполнен путаным кошмаром. Первым приснился бригадир Ведерников. Сердито прикусывая свои казацкие усы, он показывал снайперскую винтовку и объяснял, как из нее стреляют. Затем появилась старушка Резкина и просила помочь ей вытащить из грязи застрявший «Урал» с люлькой. «Унучику моциклет купила, не стала жадничать», — объясняла она. Антон, Ведерников и Резкина изо всех сил толкали мотоцикл, но тот — как в землю врос. Невесть откуда взявшийся старик Стрельников наливал всем по стакану водки и говорил: «Выпейте, не обижайте. Сил прибавится». Антон пить отказывался. Егор Кузьмич укоризненно качал головой: «А я, слышь-ка, считал тебя неглупым человеком. Хотел всю правду о колодце рассказать. Столбова и Зорькину заставил, чтобы на бумаге обрисовали эту антересную историю». Антон хмурился: «Опять, как с ермаковскими воинами, обманываешь. Столбов помогать соседям уехал. Как ты его мог заставить?» Стрельников гладил голую макушку, хитро подмигивал: «Обманул Витька Маркела Маркелыча. Трактор у колодца спрятал, а сам с Зорькиной уплыл на остров, что посередке Потеряева озера. Витьку Зорькина не отшивает. Не веришь? Пойдем, покажу». Антон шел за стариком к озеру. Егор Кузьмич подавал водочную бутылку: «Смотри, вон они на острове пишут тебе бумагу». Антон заглядывал в горлышко бутылки, будто в подзорную трубу, и почти рядом видел, как Столбов, махая рукой, звал к себе. «Ты плыви к ним, плыви, — подсказывал Егор Кузьмич. — Ежели доплывешь до острова, весь секрет будешь знать. Витька — мужик грамотный, поэтому его не отшивает Зорькина из женихов»... Антон медленно входил в теплую озерную воду, хотел плыть, но руки не подчинялись. На берегу появлялся Чернышев и с упреком говорил: «Опять старому трепачу поверил. Хоть ты и инспектор уголовного розыска, но мне больше нравится называть тебя следователем. Я сделал последний ход. Вы проиграли, следователь. Пора вставать»...

— Что?! — вскрикнул Антон и проснулся.

Около кровати стоял Маркел Маркелович Чернышев — усталый, под глазами мешки.

— Пора вставать, говорю.

Антон облегченно вздохнул, потряс головой и виновато сказал:

— Кошмар какой-то снился.

— От духоты это, — Чернышев зевнул. — На градуснике с утра к тридцати подбирается. Горячий денек будет.

Завтракали молча. И только когда допивали чай, Чернышев посмотрел на Антона, хмуро проговорил:

— Серьезное дело, по-моему, складывается. С чего сегодняшний день намерен начать?

— Пойду к Зорькиной.

Чернышев кивнул головой, будто соглашаясь.

— Только смотри... Девица она на язык острая. Чуть что не так, оконфузит, как говорит у нас Слышка, запросто.

Зорькину Антон отыскал на птицеферме. Она стояла в кругу птичниц и, энергично размахивая рукой, что-то объясняла. Дожидаясь, пока кончится разговор, Антон исподтишка приглядывался к Зорькиной. Чернышев не зря назвал ее красавицей. На редкость правильные черты лица, высоко взбитые белокурые волосы, повязанные легкой голубой косынкой, и розовые от лака ногти заметно выделяли Зорькину среди других девушек, а белый халат и черные, несколько старомодные, как отметил Антон, туфли-лакировки делали ее похожей на медицинскую сестру. Казалось, она случайно забежала на птицеферму, чтобы минуту-другую поболтать с подругами.

— Я из уголовного розыска, — сказал Антон, когда Зорькина подошла к нему, и назвал свою фамилию.

— Марина Васильевна. Заведующая птицефермой, — в тон ему ответила Зорькина. — Очень приятно познакомиться. — И улыбнулась так, что нельзя было понять, шутит она или говорит серьезно.

Антон замялся:

— Надо переговорить с вами по одному щепетильному вопросу.

Голубые глаза Зорькиной вдруг сделались синими. Около них сбежались едва приметные лукавые паутинки, а на губах застыл готовый вот-вот сорваться смех. Но она не засмеялась, оглядела насторожившихся птичниц и удивленно приподняла подведенные брови:

— Что это за вопрос?

— Он касается вашего бывшего жениха.

— Столбова?

— Нет.

— Не иначе, вашей маме невестка потребовалась?

— Я вполне серьезно, — как можно строже проговорил Антон, чувствуя, что краснеет от смущения.

— Слышите, девчонки! — Зорькина обернулась к птичницам. — Товарищ из уголовного розыска вполне серьезно интересуется моим женихом. О котором ему рассказать? Подтвердите, что с уголовниками я не дружу.

Птичницы прыснули так заразительно, что Антон совсем смутился, поправил и без того ровно надетую фуражку и неожиданно для себя тоже расхохотался.

Зорькина смеялась звонче всех. Трудно было поверить, что это она вчера вечером изливала грусть в песне о старом причале.

— У меня, честное слово, женихов косой десяток. Который из них вас интересует?

— Моряк, — напрямую сказал Антон.

— А летчики, танкисты не интересуют? — как ни в чем не бывало спросила Зорькина.

— К сожалению, нет. Только моряк меня интересует.

— А у меня, к сожалению... — Зорькина притворно вздохнула. — Из моряков никого не было.

Из других родов войск были, а из моряков нет, — она опять чуть не прыснула, но сдержалась. — Может, вы Витьку Столбова имеете в виду? Он отлично плавает и ныряет тоже. Только Витьку у меня уж который год пошел, как отбила Ниночка Бровцева, — Зорькина погрозила наманикюренным пальцем маленькой плотной птичнице: — У-у, разлучница! — И все-таки засмеялась — естественно, звонко, словно ей было очень-преочень весело.

Антон не знал, как продолжить разговор.

— Мне сказали... — неуверенно начал он.

— Соврали вам, товарищ из уголовного розыска, соврали! У нас же деревня. Здесь из мухи слона делают, а потом слоновую кость продают. Честное слово!

— А если по-серьезному говорить?

— Одинаково получается.

— В самом деле?

— Нет, немножко в стороне.

Настороженно слушающие разговор птичницы опять засмеялись. Ссылаться на Чернышева было преждевременно, и Антон развел руками:

— В таком случае, извините. Все ясно.

— Пожалуйста, — Зорькина смело глянула Антону в глаза. — С умным человеком приятно и поговорить. Сразу все ясным становится. Только вы на меня не сердитесь, ради бога, что так быстро разговор кончился. Тут такие женихи подкатываются, умереть можно.

— До свидания, — сухо произнес Антон.

— Счастливо, — небрежно бросила Зорькина, отвела ладонью со лба завиток волос, улыбнулась. — Вы, чем интересоваться бывшими женихами, приходите лучше сегодня вечером в клуб. У нас девчонок полно, а ребят не хватает.

— А что?.. — вдруг осмелел Антон. — Возьму и приду!

— Ловлю на слове!

Зорькина по-мальчишески протянула руку, словно заключая пари. Антон быстро чуть-чуть пожал ее и, чтобы не нарваться на очередную остроту, заторопился к конторе, как будто у него были там неотложные дела.

В кабинете Чернышева Антон расстегнул тужурку и долго ходил из угла в угол. Ругал себя за внезапную дурацкую растерянность перед Зорькиной, пытался разобраться, в чем допустил ошибку, начиная с ней разговор. «Надо было официально вызвать в контору, заполнить протокол допроса, а я второй день пижоню, как детектив-любитель. Идиот! Пять лет дурака учили, римское право впихивали, криминалистику по полочкам раскладывали. Научили! С болтуном Слышкой чокаться стопкой, как с лучшим другом, потянулся; перед заведующей птицефермой раскис, на вечерку с ней собрался... А вообще, что она за человек, Зорькина? Шуточкой отделалась, увильнула от ответа, похихикала. И тут же подала руку. Что за этим кроется: женское кокетство или извинение за необдуманный шаг? С Кайровым так бы не хохотнула. Тот бы в момент поставил на место»...

Антон подошел к телефону и стал звонить в райотдел, чтобы доложить подполковнику или Кайрову о своих невеселых делах и попросить срочно сделать запрос в воинскую часть, где служил Юрий Резкин. Как назло телефонная линия с райцентром оказалась поврежденной. «С утра не повезет — весь день кувырком», — Антон зло положил телефонную трубку и решил пойти выспаться — до приезда Чернышева все равно делать было нечего.

Выходя из кабинета, чуть не столкнулся с маленькой плотной девушкой. Узнав Ниночку-разлучницу, извинился и машинально спросил:

— Столбов не вернулся домой?

— Сегодня обещал вернуться, — прощебетала девушка и скрылась в бухгалтерии, откуда доносился громкий стук костяшек на счетах.

«Надо будет сразу его допросить. Не так, как тогда, при первой встрече, или как сегодня Зорькину, а со всей официальной строгостью», — твердо решил Антон, выходя из конторы.

День, как предсказал утром Чернышев, оказался по-настоящему жарким. Деревня словно вымерла. Екатерина Григорьевна спросила встревоженно:

— Не заболел ли? Вид усталый, да и вернулся что-то рано.

— Не выспался ночью, — успокоил ее Антон.

В комнате было прохладней, чем на улице. Из распахнутого настежь окна пахло разогретым малинником, слышалось ленивое чириканье воробьев.

Раздевшись, Антон лег на кровать, но спать совсем расхотелось. Из головы не выходила встреча с Зорькиной. «Экстравагантная особа. В белом халате, туфлях-лакировках, с маникюром... — рядом с Зорькиной Антон мысленно ставил приземистую Ниночку-разлучницу и скептически улыбался. — Неприметная Ниночка отбила Столбова у красавицы-певуньи, которая на всех фестивалях берет первые места... Бред! Назвав Ниночку разлучницей, Зорькина, конечно, шутила, но это была злая шутка. Отчего эта злость? Отчего Зорькина так нарядилась на работу? Птицеферма, конечно, не свинарник, но лакированные туфли... А туфельки хотя и новые, но старомодные. Такой фасон был в моде лет пять или семь тому назад. Почему она сейчас их носит?

Берегла до тех пор, пока устарели? Чтобы совсем не пропали, решила на работе добить?..»

Антон представлял сейчас Зорькину так отчетливо, будто видел ее наяву — жесты, улыбку, одежду, слышал интонации голоса. Чем больше копался в воспоминаниях, тем стыднее становилось за свое поведение — ну, честное слово, растерялся как мальчишка, впервые увидевший красивую девушку. От стыда поморщился и вдруг хлопнул ладонью по лбу — в уголках голубой косынки Зорькиной были маленькие белые якорьки. «Пижон! Такую деталь упустил. Косынка с якорьками, наверняка память о моряке. Девчата ведь тают от такой сентиментальщины... Но почему она его скрывает, моряка этого? Кто он такой, жених-заочник? Как они познакомились? А может, Маркел Маркелович ошибся, что Зорькина с моряком переписывалась? Может быть, с каким-нибудь летчиком или танкистом?»

Лежать стало невмоготу. Антон оделся и вышел во двор. Под карнизом крыльца увидел длинные бамбуковые удилища и вспомнил, что прошлым вечером Маркел Маркелович хвалился: «В озере у нас добрые окуни водятся». Вспомнилось, как в детстве целыми днями мог торчать на берегу с удочкой.

Вместе с Екатериной Григорьевной разыскал под крыльцом банку с червями, выбрал самое длинное удилище и тропкой, через огород, пошел к озеру.

По дороге вдоль берега изредка пылили автомашины, высоко нагруженные тюками прессованного сена. Колхозники, видимо, воспользовались вёдром и старались не упустить ни одного погожего дня.

В озере с визгом бултыхалась ребятня. В деревне, как обычно в сенокосную пору, было тихо. Только в одном дворе, неподалеку от Чернышевых, басовито орал плачущий ребенок и надсадный женский голос кого-то костерил на чем свет стоит:

— Пронька! Ох, Пронька, оглоблей тебя по макушке, сколько можно вдалбливать, чтоб глядел за дитем?! И что ты за человек уродился, даже к своему кровному дитю никакого сочувствия не имеешь! Да за какие грехи послал Боженька тебя на мою голову?!

— Чо расшумелась?... — огрызнулся заспанный мужской голос.

— Оглоблю через плечо! Степка на раскаленные угли сел, а тебе хоть бы хны!

— Пусть смотрит, поносник, куда садится... Откель там угли очутились?

— Щас только утюг опростала, не успела отвернуться, а он уж мигом — тут как тут. Ну надо же так — все штаны наскрозь пропалил, хоть выбрасывай теперь...

Ребенок на одной ноте сипло кричал.

— Да не вопи ты, несчастье! Ничего твоей заднице не сделается, куда ты только ее не совал, горе мое луковое, — одним духом выпалила женщина и без передыха снова принялась за Проньку: — Да я ж завтра пойду к председателю с заявлением, чтоб он выпер тебя с бульдозера, это ж надо — в разгар сенокоса совсем заспался мужик. Ох, Проня, Проня, кончится мое терпение, вот увидишь...

Антон перешел дорогу, облюбовал место на берегу озера, наживил крючок и забросил леску. То ли время для клева было неподходящее, то ли оттого, что плескались и громко кричали купающиеся неподалеку дети, но поплавок ни разу не дернулся.

Морила духота. Солнце даже через рубашку немилосердно палило спину. Антон смотал леску и решил искупаться.

Вода у берега была теплой, как парное молоко. Размеренными крупными саженками поплыл к острову. Легко отмахал почти половину расстояния, оглянулся и подумал, что так далеко еще ни разу не заплывал. Отдохнув на спине, развернулся и поплыл к булатхающейся, визжащей детворе. Заметив его, дети перестали брызгаться водой и что-то кричали, размахивая руками.

«Дяденька... там родники...» — только было разобрал Антон и почувствовал, как все тело словно кипятком ошпарила ледяная вода. Не раздумывая, рванулся в сторону, но вдруг ноги свело от холода. Изо всех сил стал грести руками — берег придвинулся заметнее, но судорога теперь уже сводила все тело. Антон перевернулся на спину, надеясь отдохнуть, однако стянутые режущей болью мышцы не расслаблялись. Попробовал достать дно, не рассчитал вдоха и хлебнул воды. Тотчас вода стала заливать нос, уши, захлестывать глаза. Из последних сил греб стопудовыми непослушными руками, а берег почти не приближался.

«Дотяну... Дотяну... Дотяну...» — упрямо стал твердить про себя. Старался приподнять из воды лицо, чтобы глубже вдохнуть, но вместо воздуха широко открытым ртом хватал воду. «Сон в руку!.. Сон в руку!..» — набатом загудело в голове. Мучительно старался вспомнить, от кого и по какому поводу слышал эти слова. Память не подчинялась, но он напрягал и напрягал ее, словно от этого зависело спасение. «Это мама говорила, когда сон сбывался», — наконец вспомнил со странным равнодушием и почувствовал такое облегчение, будто глубоко вдохнул спасительного воздуха...

Антон не видел, как от озера к деревне брызнули перепуганные ребятишки. В его сознании последним отпечаталось пылившее по дороге синее пятно трактора «Беларусь». Пятно уже приблизилось к самому озеру и вдруг взорвалось, ударив по глазам невыносимо ярким голубым светом. Антон лихорадочно пытался сообразить, что произошло, но так и не понял: то ли к его лицу вплотную приблизились смеющиеся глаза Зорькиной, то ли обрушилось на землю небо.

10. В РЕСТОРАНЕ «СОСНОВЫЙ БОР»

Младший лейтенант милиции Голубев пришел работать в райотдел после службы на границе. Пришел по призванию и относился к своим обязанностям инспектора уголовного розыска со всей добросовестностью.

Получив от подполковника на оперативном совещании по делу Графа-Булочкина задание контролировать привокзальный участок, Голубев в первую очередь прикинул, у кого в этом районе Граф может найти приют. Среди тех, с кем мог бы познакомиться рецидивист, числился и пенсионер Лапиков.

Милицейская служба сводила Голубева с Лапиковым уже не один раз. Жил Лапиков в старенькой избенке, неподалеку от железнодорожного вокзала, на отшибе, один-одинешенек. Каждую первую неделю месяца регулярно пропивал небольшую пенсию, а оставшиеся три недели перебивался тем, «что бог на душу пошлет».

Бог посылал не густо, и Лапиков до очередной пенсии удовлетворял свои потребности в алкоголе политурой, пустырником и прочими жидкостями, предназначенными вовсе не для увеселительных целей.

И вдруг Лапиков широко закутил среди месяца. Слава Голубев сразу приметил необычное поведение пенсионера и под предлогом проверки домовой книги рано утром навестил старика. Лапиков долго не открывал, а когда открыл, то Голубев, увидев выставленную из окна раму, понял, что, пока он ждал у дверей, через окно ушел неизвестный, явно не хотевший встречи с сотрудником милиции. Слава поинтересовался, кто в последние дни жил у старика. Лапиков наивно начал крутить. Голубев решил сразу, что называется, взять быка за рога.

— Мне, дед, сказки не нужны. Собирайте быстренько одежонку, я сейчас отправлю вас туда, где пьяниц перевоспитывают большим коллективом. А коллектив — это сила! Ясно?

Старик растерянно захлопал опухшими веками.

— Давайте собирайтесь, собирайтесь! — поторопил Слава. — Некогда мне тут с вами прохлаждаться. Два года даже запаха спиртного не услышите!

— Э-э-э... А-а-а... что я плохого сделал?

— Преступника скрываете и тем самым нарушаете закон. За это в тюрьму можно попасть, а не только в больницу для алкоголиков.

Старик перепугался и рассказал, что несколько дней назад в вокзальном буфете случайно встретил рыжего парня, которому негде было переночевать. Рассчитывая на выпивку, Лапиков предложил свои услуги, сказал, что живет один совсем рядом с вокзалом, хотя и на отшибе. Рыжему это понравилось, он уговорил буфетчицу достать бутылку водки. Сам не пил. Сказал, болеет. Зато часто глотал какие-то белые таблетки. Денег у Рыжего была тьма! Каждый день он давал Лапикову по десятке на еду и на водку. Но сам почти ничего не ел.

Из дома Рыжий выходил за все прожитое время три раза: раз ночью и два днем. Куда и зачем ходил, Лапиков не знал, так же как не знал ни имени, ни фамилии постояльца. Голубев показал старику фотографию Булочкина, недавно присланную из областного управления.

— Он?

— Ага, — испуганно подтвердил Лапиков.

Все это подробно было изложено в рапорте Славы Голубева. Подполковник Гладышев провел оперативное совещание и, отпустив остальных сотрудников, беседовал с Кайровым. Кайров сидел на своем излюбленном месте, у стола, и, положив ногу на ногу, внимательно смотрел на подполковника живыми черными глазами.

Беседу прервал робкий, словно заикнувшийся телефонный звонок. Подполковник снял трубку.

— Гладышев слушает... Да... Милиция.

По тому, как напрягалось и хмурилось лицо подполковника, Кайров понял, что слышимость в телефоне плохая, а сообщение не из приятных.

— Понял, что из Ярского! — почти закричал подполковник. — При каких обстоятельствах утонул? Купался?.. Почему купался? Кто это говорит?.. Алло!..

В трубке захрипело, щелкнуло и разом замолчало, словно кто-то обрубил провода. Подполковник какое-то время подождал. Медленно, очень медленно положил телефонную трубку. Почти целую минуту сидел молча, будто не веря в то, что ему сейчас сообщили, и не замечая настороженного взгляда Кайрова.

— Бирюков утонул, — наконец сказал он.

Кайров не проронил ни слова. Только его пальцы чуть вздрогнули, дернулась полоска усов, а в глазах появилась еще большая настороженность.

— Говорят, купался — и утонул, — подполковник хмуро посмотрел на телефон. — Связь отвратительная... Не понял, кто звонил: не то Слышкин, не то Слышко.

— Купаться в рабочее время? — лицо Кайрова стало суровым. — Мальчишка! Я знал, что это дело добром не кончится, предчувствовал.

Подполковник посмотрел на него не то осуждающе, не то удивленно. Скорее даже взгляд его спросил: «Разве это имеет теперь значение?»

— Бери, капитан, машину и срочно — в Ярское. Разберись самым тщательным образом. — Заметив на лице Кайрова вопрос, добавил: — Что по задержанию Булочкина планировалось тебе, сделаю сам.

Кайров медленно поднялся со стула, плотно сжал тонкие губы, и подполковник догадался, что ехать в Ярское старшему инспектору уголовного розыска не хочется. Но Кайров не высказал этого. Только подчеркнуто официально спросил:

— Разрешите идти, товарищ подполковник?

— Да, — сухо обронил Гладышев, потер ладонями виски и, доставая из коробки папиросу, сказал: — Этого еще не хватало.

Оставшись в кабинете один, он, сильно затягиваясь табачным дымом, вспоминал Бирюкова; казалось, даже слышал его голос — голос молодого здорового парня, немного глуховатый, иногда чуточку ироничный, будто подтрунивающий над самим собою.

— Нелепость! Ему бы жить да жить... — вслух произнес подполковник и погасил папиросу. Открыл папку с текущими делами. Переложил несколько листков, взял ориентировку, присланную областным управлением, на Графа-Булочкина. Ориентировка была знакома наизусть, но сейчас она явилась поводом для размышлений. Гладышев был уверен, что приезд Графа в райцентр не случаен. Об этом подполковнику говорил его опыт двух десятков лет работы в милиции. Знал Гладышев и то, как много усилий и смекалки потребуется, чтобы нащупать хотя бы тоненькую нить, которая впоследствии позволит размотать преступный клубок.

Пока такой нитью мог быть только визит Графа в военкомат. Увидев фотографию Булочкина, военком уверенно подтвердил, что именно этот человек интересовался моряком Юрой. И опять вспомнился Бирюков — это он высказал мысль, что до него в военкомате побывал Булочкин. Но что заставило Графа искать моряка Юру, даже фамилии которого он не знает? Есть ли какая связь между флотской пряжкой, найденной в колодце, Юрой и Графом? Кто этот загадочный Юра? Кажущаяся на первый взгляд связь может стать чистой случайностью, и тогда...

Зазвонил телефон. Гладышев с неприязнью посмотрел на него и снял трубку.

— Товарищ подполковник, появился Граф, — раздался в трубке голос Славы Голубева. — На железнодорожном вокзале долго изучал расписание поездов, затем пытался попасть в буфет, но буфет оказался закрытым на перерыв. Похоже, крепко пьян. Сейчас направился к ресторану «Сосновый бор». Я звонил Кайрову — это его участок для наблюдения, но телефон Кайрова не отвечает.

— Не упускай Графа, — распорядился Гладышев. — Задерживать только в крайнем случае. Посмотрим, с кем он встретится в ресторане, если только он действительно туда пошел.

— Больше некуда, так как, судя по всему, он есть хочет.

— Следи за ним, — опять сказал Гладышев и, положив трубку, быстро взглянул на часы.

До открытия ресторана оставалось полчаса. Раньше этого времени Булочкин туда не попадет. Подполковник, чтобы не привлекать внимание посетителей ресторана, снял китель, поправил ворот рубашки и, достав из сейфа пистолет, положил его в карман брюк.

Ресторан «Сосновый бор» занимал второй этаж небольшого, со светлыми витражами здания, выходящего фасадом на главную улицу райцентра. Рядом блестел стеклами универмаг, за ним гастроном. Народу на улице почти не было, но вот-вот закончится рабочий день, и, конечно, к магазинам потянутся люди. Тогда уследить за Графом будет сложнее.

На крыльце ресторана, дожидаясь открытия, толклась группа модно одетых парней и девиц в коротких юбчонках. Один из парней, с портативным магнитофоном на ремне через плечо, стоя спиной к дверям, флегматично стучал ногою о дверь. Подполковник через служебный вход прошел к директору «Соснового бора» и через несколько минут уже сидел в отдельном зале, на дверях которого предусмотрительно появилась табличка «Не работает». Отсюда сквозь стеклянную перегородку, прикрытую легкой шторой, можно было видеть зал ресторана, а через окно просматривалась и вся площадка перед входом.

Первой в ресторан ввалилась толпившаяся на крыльце молодежь. Шумно сдвинув два стола, они включили магнитофон и подозвали официантку. Перебивая друг друга, парни стали делать заказ, словно хотели как можно скорее избавиться от имеющихся у них денег. Девушки без всякой причины громко смеялись. Затем вошли двое мужчин с портфелями, похоже, командированные.

Появился какой-то верткий, заметно выпивший, мужичок. Покрутился около официантки, что-то пошептал ей на ухо, и та, улыбаясь, понесла от буфета к его столу около десятка бутылок пива.

Подполковник следил из-за отвернутого чуточку края шторы за посетителями, терпеливо ожидая появления Булочкина. Но увидел его не в зале, а на улице. Низко склонив рыжую голову, Граф тяжелой походкой медленно шел к ресторану. С его появлением на противоположной стороне улицы показался Слава Голубев.

Войдя в ресторанный зал, Булочкин выбрал стол рядом со стеклянной перегородкой, за которой сидел подполковник. Отсюда было видно всех посетителей. Гладышев вблизи увидел рыжие волосы и темный профиль горбоносого лица. Тонкие худые руки Графа были сцеплены в пальцах и лежали на столе. Он не выказывал никаких признаков поспешности. Спокойно дождался, когда официантка взяла заказ, и, не шевельнувшись, просидел до тех пор, пока она появилась с подносом. Спиртного на подносе не было, но по тому, как тяжело Граф поднял руку с ложкой, как медленно подносил ее ко рту, подполковник решил, что Граф крепко пьян.

В ресторане появлялись все новые и новые посетители. Они занимали свободные столики, которых в «Сосновом бору» было с избытком. Неожиданно внимание подполковника привлек верткий мужичок, расправлявшийся с целой батареей пивных бутылок. Повернувшись к входу, он зазывно махнул рукой и крикнул на весь зал:

— Кешка! Гаврилов, плыви к моему причалу!

— Момент! Я, кажись, кирюху встретил, — отозвался ему грубоватый голос, и тотчас у стола Булочкина появился рослый мужчина с такой же рыжей, как у Графа, шевелюрой.

Подполковник сразу узнал нового посетителя. Буквально несколько дней назад он видел его в кабинете Голубева по делу, как сказал Бирюков, «о распечатанных носах». Граф снизу вверх посмотрел на остановившегося у его стола Гаврилова и равнодушно продолжал есть. Гаврилов сел на свободный стул и что-то заговорил. Граф слушал молча. Не прерывая еды, он несколько раз вроде бы отрицательно крутнул головой. Гаврилов заговорил резче.

Подполковник напряг слух, чтобы уловить хоть слово, но стеклянная перегородка, хрипящий магнитофон и громкий смех захмелевших девиц, беспрерывно дымящих сигаретами, заглушали голос Гаврилова. Неожиданно Граф положил ложку, медленно достал из кармана десятирублевую купюру и, что-то сказав, бросил ее на стол перед Гавриловым. И без того красное лицо Гаврилова побагровело. Он оттолкнул деньги, судя по выражению лица, зло выругался и, зацепившись за угол стола, за которым сидели парни и девицы с магнитофоном, торопливо пошел к верткому мужичку, выглядывающему из-за пивных бутылок. В тот же момент Граф тоже поднялся и, не взяв со стола деньги, слегка шатаясь, пошел к выходу из зала.

Выждав несколько минут, чтобы не привлечь внимания, подполковник вышел из укрытия и последовал за Графом. Тот стоял на улице у входа в ресторан. Ломая непослушными пальцами спички, старался прикурить сигарету.

— Ваша фамилия Булочкин? — подойдя к нему, спросил подполковник и почувствовал, что за спиной появился Голубев.

Граф, будто не поняв вопроса, несколько секунд молча смотрел на подполковника, скомкал сигарету, которую так и не прикурил, и кивнул головой.

— Пройдемте с нами.

— Я спешу на электричку, — глухо сказал Граф.

— Сегодня вам ехать не придется.

На лице Графа появилось нескрываемое удивление. Он долго разглядывал милицейскую форму Голубева и, когда подполковник взял его под локоть, пошел без всякого сопротивления, тяжело волоча ноги и чуть покачиваясь. Его состояние походило на сильное опьянение крепкого, умеющего держаться человека.

При обыске у Графа был обнаружен паспорт с одесской пропиской на имя Булочкина Юрия Сергеевича, пятьсот восемьдесят рублей денег десятирублевыми купюрами, несколько незаполненных бланков со штампом Новосибирской областной поликлиники и две стеклянные пробирки с таблетками мепробамата. Во время обыска Граф не проронил ни слова. Только когда обыск был закончен и Голубев стал писать протокол, он без разрешения устало сел, сжал ладонями лицо и отчетливо, почти по слогам, проговорил:

— Я хочу спать.

Начинать его допрос в таком состоянии не имело смысла. Голубев повел Графа в камеру предварительного заключения. Через некоторое время он заглянул в кабинет и тревожно сказал:

— Товарищ подполковник, от этого самого... Графа водкой не пахнет.

— Заел какой-нибудь гадостью, — ответил подполковник. Склонившись над столом, Гладышев перекинул листок откидного календаря и красным карандашом записал: «Вызвать Гаврилова».

11. «КИНА НЕ БУДЕТ»

Кто-то с силой ритмично давил на грудь и каждый раз, когда боль начинала отдаваться в ребрах, резко отпускал. Антону показалось, что именно от этой боли он и пришел в сознание.

Тело и голова будто налились свинцом. Стоило больших усилий догадаться, что ему делают искусственное дыхание. С трудом открыв глаза, он пытался разглядеть склонившегося над ним человека и не скоро узнал Столбова. В мокром комбинезоне, босиком, со спутанными волосами, прилипшими к крупному выпуклому лбу, Столбов казался сердитым и страшным.

— Не надо… — морщась от боли, попросил Антон.

Столбов испуганно отпрянул и медленно опустился на траву. Сунул в карман руку, вытащил оттуда размокшую пачку «Беломора», сожалеючи стал ее разглядывать.

— Напугал ты меня, — сказал он каким-то дрожащим, хриплым голосом. — Думал, сам с тобою концы отдам.

— Откуда ты взялся? — тихо спросил Антон.

— Домой ехал. Смотрю, ребятишки от озера сиганули. Думаю, что за чудо там объявилось? Газанул, подъезжаю, а ты уж и… пузыри пускаешь.

Столбов хрипло засмеялся, сжал в кулаке папиросную пачку так, что из нее ручейком побежала вода, размахнулся и кинул в озеро. Антон тяжело поднялся, сел. Сами того не замечая, они перешли на «ты».

— Спасибо тебе.

— За спасибо шубу не сошьешь. С тебя бутылка, — Столбов поглядел на свои босые ноги. — Сапоги, жалко, утопил. Новые кирзухи, подошва на медных шпильках. Перед поездкой первый раз обул.

— Я рассчитаюсь, — виновато сказал Антон.

Столбов удивленно посмотрел на него.

— Чудак ты... Давай одевайся по-быстрому, пока народ не собрался. Да это... не рассказывай никому, а то разговоров на всю деревню будет.

— Мне безразлично.

— А мне нет. Расспросами надоедят. — Он подождал, пока Антон оделся, открыл дверцу кабины трактора. — Садись, лучше, чем на такси, прокачу.

Трактор фыркнул мотором и запылил к деревне. У крайних домов ошалело мчалась навстречу ватага ребятни. Чуть поодаль, будто догоняя их, бежало с десяток девчат.

— Сборная птицефермы, — показав на них, ухмыльнулся Столбов и, скрежетнув рычагом, прибавил скорость.

Антон сообразил, что это бегут его спасать. Обдав бегущих поднятой с дороги пылью, трактор протарахтел мимо. Видимо, заметив рядом со Столбовым Антона, девчата растерянно остановились. Рядом с Зорькиной Антон успел разглядеть Ниночку-разлучницу и сказал:

— Ты б хоть с невестой поздоровался. Обидится.

Столбов угрюмо нахмурился, равнодушно бросил:

— Кина не будет.

— Что?

— Свадьбы, говорю, не будет.

— Почему? — удивленно спросил Антон, но Столбов промолчал, будто не услышал вопроса.

Через всю деревню он гнал трактор на повышенной скорости и остановил его у своего дома. Вышедшая из дома женщина, увидев мокрую одежду Столбова, всплеснула руками.

— Ну что? — Столбов недовольно глянул на нее. — Давай по-быстрому во что переодеться. Да на стол собери. С утра не ел, да и с гостем приехал.

— Испужал ты меня до смерти, — женщина покачала головой. — Мокрый, босой. А тут только что Слышка побег до конторы в район звонить. Сказывает, следователь в озере утоп.

— Ты и уши развесила? Слышка наговорит...

Столбов открыл дверь в дом и пригласил Антона. Переодевшись, он расчесал волосы, помог матери нарезать хлеб и достал из буфета бутылку водки. Будто оправдываясь, посмотрел на Антона, сказал:

— Нервную нагрузку хорошо снимает. Садись, перекусим.

— Не могу, — отказался Антон. — И так, как пьяный.

Столбов уговаривать не стал. Рывком сдернул с бутылки пробку и налил полный стакан. Выпил его крупными глотками. Не поморщившись, сунул в рот большой пучок зеленых луковых перьев, предварительно обмакнув их в соль. Громко швыркая, опорожнил миску щей, поглядел на оставшуюся в бутылке водку, но пить больше не стал. Отложив ложку, достал из буфета папиросы, неторопливо закурил и вдруг, не глядя на Антона, спросил:

— Не узнали еще, кто в колодец сыграл?

— Нет, — быстро ответил Антон, обрадовавшись, что кончилось неловкое молчание.

— Так и останется неизвестным?

— Почему же... Ты Юрку Резкина знал?

— И теперь знаю. В Томске живет.

— Как живет в Томске? — растерянно спросил Антон.

— Как все. После армии устроился на завод, получил благоустроенную квартиру, женился. Как-то письмо от него получал. Приглашает тоже перебраться в город. С работой и квартирой обещал утрясти — он там в каких-то мастерах уже ходит.

Умотал бы я к нему, мать вот только не на кого оставить. Меня из-за нее и в армию не взяли, сердце у нее барахлит.

Антон слушал Столбова и не верил, что это тот самый неразговорчивый, мрачный парень, из которого он прошлый раз, в кабинете Чернышева, буквально вытягивал каждое слово. И Столбов, будто уловив его мысль, вдруг осекся:

— Ну да это к делу не относится, — и улыбнулся: — Растрепался, как дед Слышка.

— В каких войсках Резкин служил? — спросил Антон. — Томский адрес его у тебя сохранился?

— В войсках береговой обороны, — ответил Столбов. — Был где-то и адрес.

Он подошел к этажерке, которую Антон сразу приметил — такие были почти в каждой крестьянской избе, — долго перекладывал книги, наконец взял одну из них и, достав из нее пустой распечатанный конверт, подал его Антону. «Томск, Набережная Томи, 27, квартира 7. Резкин Ю.М.» — прочитал Антон обратный адрес, внимательно изучил недавние почтовые штемпеля и, все еще сомневаясь, спросил:

— Это Агриппины Резкиной внук?

— Ее. Чей же больше... — Столбов положил книгу на стол. — Мы в одном классе учились.

— Почему он после армии ни одного письма бабке не прислал?

— Он и из армии столько же ей присылал. Только, когда деньжонки цыганил на мотоцикл, и писал. Бабка не дала денег, писать перестал. Юрка еще тот писарь!

— Тебе же написал.

— Понадобился я ему, потому и написал. У него в бригаде толковых слесарей не хватает. А я в этом деле кое-что шуруплю. Вот он и вспомнил обо мне. Пишет, приезжай, мол, по триста рубликов каждый месяц зашибать будешь и квартирку с теплым туалетом и ванной заимеешь.

Антон слушал и в душе усмехался своей наивности, с которой ухватился у Агриппины Резкиной за матросское письмо. Думал: «Не заведи сейчас Столбов этот разговор, сколько бы пустой работы пришлось переделать!». На глаза попалась положенная на стол Столбовым книга. «Старый знакомый» — прочитал на обложке и вспомнил, с каким увлечением читал в студенческие годы детективы Льва Шейнина. И опять Столбов словно угадал его мысль.

— В райцентре как-то купил. Здорово пишет, — он взял книгу в руки. — Неужели все написанное правда?

— Конечно.

Водка все-таки подействовала. Столбов раскраснелся, потрогал ворот рубахи, словно тот давил горло, и, казалось, готов был вступить в спор.

— Вот есть тут, как преступники с повинной приходили. За это наказание им смягчали. А какая разница, с повинной преступник придет или следователь его вину докопает? Скажем, убили человека. Тут хоть как убийца винись, а человек-то не оживет. По-моему, это следователи, чтобы облегчить себе работу, пыль в глаза пускают: приходите, мол, преступнички, сами, помилуем. А клюнет на приманку какой чудак, его за хобот... и на всю катушку!

Глаза Столбова возбужденно блестели. Он придвинулся к Антону и, казалось, даже забыл о дымящей в руке папиросе. Антон возразил:

— Если преступник явился с повинной, значит, в его сознании что-то произошло. Может, он понял всю глубину преступления и сам ужаснулся. Хитрецы обычно с повинной не идут, а вот преступники, даже закоренелые, бывает иной раз, задумываются над смыслом жизни.

Столбов недоверчиво хмыкнул, несколько раз глубоко затянулся папиросным дымом.

— Это ж силу воли надо иметь, чтобы самому голову в петлю сунуть.

— Почему же в петлю?

— Если воровство или халатность, — продолжал Столбов, — тут еще куда ни шло. А убийство? За него ж расстрел приклепать могут! Нет, у меня бы воли не хватило. Я бы с повинной — дудки! Докажи, следователь, мою вину, тогда и петлю набрасывай.

— Видишь, как ты рассуждаешь: «Докажи мою вину». А положением предусмотрено, что чистосердечное признание является основанием для смягчения наказания.

Столбов закурил свежую папиросу, ухмыльнулся:

— В позапрошлом году я чистосердечно признался на свою шею. Есть у нас в Ярском один хмырь, Проня Тодырев. Лодырь несусветный, сутками спит. А как подопьет — откуда энергия берется. Ну точно бодучий бык куражится. Особо женщин да ребятню обижает. Не стерпел я однажды его куража, прицыкнул. Он — в пузырь. Вытаскивает из кармана складной ножичек и на меня. Я вроде и обижать не хотел — всего один раз легонько дал ему — а у Прони и… юшка из носа. Дело было принародно, в клубе. Все видели, что Проня хоть и с детским, но все-таки с ножом на меня пер. Поддержали: «Правильно, Витька, давно рога обломать надо было». А через несколько дней приезжает из вашей милиции Кайров и спрашивает: «Бил Проню Тодырева?» — «Врезал, — отвечаю, — один разок. Жалею, мало. Еще надо было дураку поддать». — «Значит, не отрицаешь? Так и запишем», — Кайров в момент настрочил протокол, показал, где мне расписаться, сунул его в портфельчик и говорит: «Если Тодырев не заберет свое заявление, будешь отвечать перед судом за мелкое хулиганство». Чернышев вступился за меня, а Кайров руками разводит: «Превышение обороны. У Прони хоть и дурная кровь, но отвечать за нее придется как за полноценную. Пусть договариваются мирным путем. Договорятся, дело прекратим». Вызвал Маркел Маркелович Проню, и так с ним, и сяк. А Проня ни в какую: «Полста рублей наличными, тогда заберу заявление. Мне сейчас сладкого много надо есть, чтобы восполнить кровь, утраченную из-за хулиганства Столбова. А в связи с малым дитем средствов на сладости у меня нет». Плюнул Маркел Маркелович и говорит мне: «Отдай дерьму полсотни, чтоб не вонял. Я тебе премию на эту сумму выпишу». От премии я, конечно, отказался, свои отдал. А Проне того и надо было: закупил в сельмаге весь запас «Раковых шеек» и недели две сорил по деревне конфетными обертками, хвалился каждому встречному: «Во, за счет Витьки Столбова кровь восстанавливаю!» — Столбов помолчал, будто думал, говорить ли дальше. — Прошлый раз, когда ты меня допрашивал, хотел кое-какие предположения высказать по колодцу, да вспомнил вот этот случай. Думаю, опять чистосердечно нарвусь на свою шею. А зачем мне это надо?

— И зря суда испугался, — сказал Антон. — Свидетели подтвердили бы твою невиновность, и схватил бы по своему заявлению Проня как миленький.

— Зря! Это для милицейских суд не страшен. Вы все законы знаете, с судьями — по имени-отчеству. А мы в этом отношении люди темные. Только секретарь объявит: «Встать. Суд идет!» — у нас коленки затряслись. И свидетели дома храбрятся, а как за дачу ложных показаний распишутся, так в рот судье начинают заглядывать, чтоб ответом угодить. По себе знаю. Был один раз в свидетелях. Судья задает вопрос, а я глазами хлопаю, боюсь лишнее слово сказать. Кое-как оклемался. После самому смешно было.

За разговором незаметно прошло больше часа. В избу заглянула мать Столбова, тревожно сказала:

— Витька, а и впрямь, должно быть, следователь утоп. Милицейская машина сейчас по деревне промелькнула. У конторы остановилась.

— Чокнулись вы со Слышкой, что ли? — Столбов сердито взглянул на нее и показал на Антона: — Вот он, следователь! А ты: «Утоп, утоп!»

«Кто там приехал?» — удивленно подумал Антон и предложил Столбову:

— Пошли со мной. Дорогой расскажешь о колодце.

— Что о нем рассказывать? — словно испугался Столбов. — Это я спьяна сегодня разболтался. Нервы, что ли... после купания.

Антон не стал настаивать. После озера он еще не пришел толком в себя: ломило от боли виски, тело было тяжелым, непослушным. Шли молча. У колхозной конторы, рядом со служебной машиной, стояли Кайров, молоденький милицейский шофер и старик Стрельников.

— Я, слышь-ка, как увидел его на тракторе с Витькой Столбовым, стал звонить сызнова. Дак опять же телефон отказал, — гладя макушку, виновато оправдывался Егор Кузьмич.

Столбов раньше Антона сообразил, о чем идет разговор, и вмешался:

— Ты, Слышка, как всегда: слышал звон, да не знаешь, где он.

Кайров, уловив от Столбова запах водки, строго посмотрел на него, сурово бросил:

— А ты шел бы спать, пока пятнадцать суток не схлопотал.

— Это вы можете, — обронил Столбов и медленно отошел к конторе, на дверях которой висела свежая клубная афиша.

Кайрова будто током ударило.

— Что ты сказал?

Столбов обернулся:

— Что слышали.

— А ну вернись!

— А иди ты... — Столбов махнул рукой и спокойно стал разглядывать афишу.

Лицо Кайрова побагровело, глаза расширились. Он словно удивился смелости Столбова — очень уж небрежно тракторист от него отмахнулся. Антон, молча наблюдавший эту сцену, с упреком проговорил:

— Нельзя же так, товарищ капитан.

— Что?.. — Кайров уставился на Антона. Полоска усов ощетинилась: — Заступник?! В рабочее время купаешься, водку с кем попало глушишь, а я должен бросать все дела и разбираться. Мальчишка!

— Не пил я, — нахмурившись, сказал Антон.

— Оправдываться вздумал? Что, я по лицу твоему не вижу? Стоишь, как рак вареный!

Антона как будто ударили. Ударили больно, неожиданно. В какой-то очень короткий миг он почувствовал на себе любопытный взгляд старика Слышки, увидел лукавую улыбку милицейского молоденького шофера, растерянное лицо Столбова, удивленно отвернувшегося от афиши. И, не отдавая отчета своим словам, неожиданно ляпнул:

— Не городите глупость, товарищ капитан.

Кайров опешил:

— Оскорбление?..

— Нет, диагноз, — по инерции съязвил Антон и только теперь отчетливо представил, каких дров только что наломал.

Кайров буквально был обескуражен, но, как у боксера, случайно ударившего противника ниже пояса, у Антона не было удовлетворения от победы. Виновато оглядевшись, он увидел растерянно открывшего рот Слышку, испуганное лицо шофера. Во взгляде Столбова прочитал удивление: «Зачем ты так?» — и, не зная, что ответить на этот немой вопрос, пожал плечами.

Кайров, как говорится, рвал и метал, но Антон почти не слышал угроз. С трудом сообразив, что ему приказывают садиться в машину, вспомнил о ключе от кабинета Чернышева. Подошел к Столбову, передал ключ, подумал, что мог бы отдать его Екатерине Григорьевне, к которой все равно надо заехать за оставленными вещами. В голову почему-то пришла фраза Столбова о свадьбе. Антон улыбнулся и с наигранной веселостью сказал:

— Кина не будет, Витя.

Уже из машины увидел, как к Столбову подошла Зорькина. Она была в белой кофточке и короткой черной юбке. Так же, как утром, блестели туфли-лакировки. Но вместо голубой косынки с якорьком на плечи небрежно был накинут прозрачный желтый шарф.

12. МУТНОЕ ДЕЛО

Подполковник Гладышев пришел на работу в хорошем настроении. Где-то около полуночи ему на квартиру звонил вернувшийся из Ярского Кайров и доложил, что Бирюков отделался легким испугом, жив и здоров. Правда, старший инспектор уголовного розыска не преминул заметить, что расследование случая с колодцем не продвинулось ни на йоту, но после хорошего сообщения о Бирюкове это ничуть не расстроило подполковника.

Неприятности начались на работе, когда из Ярского позвонил Чернышев. Слышимость, как всегда, была отвратительной. Из всего разговора подполковник понял только, что Кайров, будучи в Ярском, на какого-то выпившего тракториста оформил какой-то материал, и Чернышеву уже звонили из районного суда, требуя направить парня в райцентр не то для разбора, не то для отсиживания пятнадцати суток.

— Не хулиган Витька! Понимаешь, не хулиган! — рассерженно хрипел Чернышев через телефонную трубку. — У меня свидетель есть, который присутствовал...

— Я разберусь, Маркел Маркелович. Разберусь! — успокоил Чернышева подполковник и, положив трубку вызвал к себе Кайрова.

Кайров выслушал подполковника:

— Узнаю Маркела Маркеловича. За каждого своего колхозника разъяренным тигром поднимается.

— Что там у вас произошло?

— Пустяки, немного погорячился я. Сейчас позвоню в суд, чтобы не вызывали Столбова. Вот с Бирюковым серьезней... — Кайров достал из кармана сложенный вчетверо лист бумаги и подал его подполковнику: — Это мой рапорт.

Подполковник быстро прочитал, с недоумением поднял глаза на Кайрова.

— Все правда?

— У вас нет оснований мне не верить.

— Сейчас я приглашу Бирюкова.

Кайров поправил на своей тужурке и без того ровный лацкан.

— Мое присутствие будет Бирюкова смущать. Лучше, если вы переговорите с ним один на один.

Подполковник нахмурился и, отпустив Кайрова, стал перечитывать рапорт. Зная горячий характер старшего инспектора уголовного розыска, он не мог вот так сразу поверить в его безгрешность и хотел найти зацепку, из-за которой разгорелся сыр-бор. Но ничего не нашел — поведение Кайрова, судя по рапорту, было безупречным. Вызвал Бирюкова, подал ему рапорт, сердито сказал:

— Читай!

Антон уставшими глазами внимательно прочитал кайровскую писанину, сильно покраснел и еле слышным голосом виновато проговорил:

— За исключением мелочей, все правильно.

— Каких мелочей?!

— Я не был пьян, — сухо сказал Антон.

— Ничего себе мелочь! Кайров обманывает?

— Нет. Он ошибся. Столбов, можно сказать, с того света меня вытащил. Естественно, вид у меня был не совсем нормальный.

Оттого, что Бирюков говорил, не выкручиваясь и не бравируя, раздражение подполковника стало проходить.

— У тебя понятие о дисциплине есть? Ты в уголовном розыске работаешь или в шарашкиной конторе? — все еще строго, но уже с отцовским упреком спросил он Антона.

— Наказывайте. Вину свою понимаю.

«Ни черта ты не понимаешь, — подумал подполковник. — Видно, допек чем-то тебя Кайров, коль ты...»

Зазвонил телефон. Дежурный медвытрезвителя спрашивал, как поступить с одним из «клиентов», учинившим вчера вечером драку в ресторане «Сосновый бор».

— Вы что, первый день работаете? — сердито спросил подполковник.

Дежурный действительно работал в вытрезвителе чуть ли не первый день и толком не знал порядка оформления дел за хулиганство. Подполковник вдруг подумал о Гаврилове, которого вчера видел в ресторане, и спросил:

— Как фамилия этого драчуна? Гаврилов? Давай его немедленно ко мне, давай.

— Разрешите мне присутствовать, — попросил Антон.

Подполковник, словно раздумывая, помолчал и кивнул головой.

Гаврилов явился в кабинет измятый, с опухшим похмельным лицом. Не глядя ни на кого, сел на предложенный ему стул, уставился в пол. Подполковник немного выждал и сказал:

— Часто к нам наведываться стали.

— Не добровольно иду. Приводят, — недовольно проговорил Гаврилов и вдруг бурно стал возмущаться: — Я ж этих молокососов попугать хотел. Кто им дал право в общественное место дурацкую музыку тащить? Может, я в ресторан не пьянствовать пришел, а отдохнуть после трудового дня. Может, мне с товарищем задушевно побеседовать хочется, а они мне в самое ухо весь вечер магнитофонную муру наяривают! Кто такое право им дал?! Разве это порядок?

— С кем встречались в ресторане? — строго спросил подполковник.

— Как с кем? — удивился Гаврилов. — Петьку Ширямова встретил. Служили когда-то вместе. Пивка малость попили. Только деловой разговор начался, а эти зануды своей музыкой все заглушают.

— До Петьки с кем разговаривали?

— Ни с кем.

— Рыжего «кирюху» забыли?

— А-а-а... — Гаврилов поморщился. — Отказался, зараза, признать меня.

— Кто он?

Гаврилов насторожился. На его лице мелькнула растерянность. Он словно сообразил, что болтнул лишнее.

— Откуда я знаю? Показалось, будто встречал.

— Где? — быстро спросил подполковник.

— Во Владивостоке.

— При каких обстоятельствах?

— Это давно было. Наверно, я спутал.

— С кем спутали?

Гаврилов совсем растерялся:

— Может, это сволочь, бандюга какой...

— Вы не философствуйте, рассказывайте.

— Я ж сказал, давно это было. Демобилизовавшихся ребят со своего корабля провожал. Дружок закадычный среди них был, Гошка Зорькин...

Антон от неожиданности чуть не открыл рот. Позабыв, что допрос ведет подполковник, он быстро спросил:

— В Ярском у Зорькина родственники есть?

— Нет. Если вы имеете в виду Зорькиных из Ярского, то это фамилия моей старшей сестры по мужу?

— А Марина Зорькина кем вам доводится?

— Племянницей.

Гаврилов немного успокоился, достал из кармана портсигар и попросил разрешения закурить. Подполковник кивнул головой. Внимание Антона привлек гавриловский портсигар, массивный, из потемневшего серебра, с рисунком крейсера «Аврора» на крышке. Заинтересовал портсигар и подполковника.

Гаврилов заметил это.

— Гошкин подарок, — сказал он и протянул портсигар подполковнику. — Тут даже надпись есть. Перед демобилизацией он мне подарил, а я такой же ему.

Антон заглянул через плечо подполковника и на внутренней стороне верхней крышки портсигара прочитал витиеватую вязь, сделанную гравером: «Иннокентию на память от Георгия. Сентябрь. 1966 г.».

— Тут такое дело, — заговорил Гаврилов. — Дружили мы с Гошкой с первого года службы. Парень он детдомовский, родных нет. Даже в отпуск ехать некуда было. А у меня родни хоть отбавляй. Ну я и уговорил его однажды махнуть со мной. Тут у него любовный роман произошел. Врюхался Гошка в мою племянницу, Маришку. И она вроде к нему неравнодушна была. Переписку вели. Я уж рассчитывал на свадьбе гульнуть, только свадьба не состоялась. Прислал кто-то из Ярского Гошке письмо, будто Марина с Витькой Столбовым любовь закрутила. Гошка ей упрек закатил по такому поводу, а она ему — отходную. Не веришь, мол, моей честности — катись на все четыре стороны! Пробовал я их мирить, но нашла коса на камень, — Гаврилов помолчал, разглядывая папиросу. — А рыжего, о котором спрашиваете, Гошка на вокзале встретил. Тот вроде геологом был. Деньжонки то ли прокутил, то ли украли у него. Короче говоря, даже билет из Владика не на что было купить. Гошка — парень добрейший, предложил сброситься кирюхе на билет. Так рыжий с ними и уехал. В один вагон к ним еще

Юрка Резкин подсел, знакомый парень из Ярского. Тоже демобилизовался.

— Как Резкин оказался во Владивостоке? — спросил Антон. — Он же на Сахалине служил.

Осведомленность, казалось, сбила с толку Гаврилова. Туго соображая, он посмотрел на Антона.

— Отвечайте, — поторопил подполковник.

— Солдаты же с Сахалина все через Владик в то время ездили. На вокзале, можно сказать, случайно встретились. Я Гошку с Резкиным познакомил.

— Резкин в Ярское ехал? — опять спросил Антон.

— Нет. Проездные у него были до Томска. Решил после армии в город перемахнуть. В Томске у Резкина кореш какой-то жил, раньше его демобилизовался. Ну, они списались, тот ему работу вроде на каком-то крупном заводе подыскал.

— Когда это было? — теперь уже задал вопрос подполковник.

— В шестьдесят шестом, в начале сентября.

— Внешность Зорькина можете описать?

Гаврилов пожал плечами, посмотрел на Антона:

— Вроде на него похож. Даже лицом такой же, только немного потемнее.

— У него вставные зубы были?

— Были, — Гаврилов показал пальцем. — Эти вот. Помню, боезапас грузили. Накат сильный шел. Ящик краном застропили, корабль накренился. Гошка хотел ящик удержать, но неудачно. Зубы выбило и ногу, кажется, правую помяло. С полгода в госпитале лежал, там и зубы вставил.

— Он прихрамывал после этого?

— Нет. Врачи сами удивлялись, как удачно кость срослась.

Антон, чтобы скрыть волнение, отвернулся к окну. Приметы, указанные Гавриловым, совпадали с теми, что дала медицинская экспертиза. Об этом же подумал и подполковник, но голос его ничуть не изменился.

— До какого пункта у Зорькина были оформлены проездные докуменгы? — продолжал спрашивать он.

— До города Ивдель, который на Урале. Гошка там до службы работал, туда и после службы уехал.

— Попутно не заезжал к вашей племяннице?

— Нет.

— Письма вам присылал с Урала?

— Тоже нет. Видно, из-за Маришки и на меня обиделся. Вообще-то глупо Маришка с ним поступила. Такого парня ей в жизни не найти. Интересно то, что и фамилии даже одинаковые были. На корабле над Гошкой, помню, подтрунивали: «Жена на твою фамилию перейдет при регистрации или ты на ее?».

Подполковник не давал Гаврилову слишком отвлекаться.

— Почему вы решили, что владивостокский геолог и вчерашний рыжий — одно и то же лицо?

— Приметная больно рожа у него. К тому же цвет волос у нас одинаковый. Только я не утверждаю, что это он.

— Какие он вам деньги в ресторане предлагал?

Гаврилов побагровел.

— Это ж он, зараза, чтоб от меня отвязаться. «Первый раз, — говорит, — тебя вижу. Если выпить хочешь, на червонец». Он, можно сказать, этим мне в душу плюнул. Оттого я и на молокососов с музыкой попер.

— У вас фотография Зорькина есть?

— Была где-то. На вокзале всей оравой перед отъездом снимались.

— И геолог на снимок попал?

Гаврилов задумался.

— Нет. Он, по-моему, щелкал нас. А карточку мне прислал Юрка Резкин. Фотоаппарат его был.

— Вот что, Гаврилов, — строго сказал подполковник, — идите сейчас домой и принесите нам эту фотографию.

Гаврилов поднялся,

— А как же это... ресторан?

— Все будет по закону.

— Пятнадцать суток или штраф?

— Это уж как суд решит.

Гаврилов ушел. Подполковник откинулся к спинке кресла, посмотрел на Антона и спросил:

— Что скажешь?

— Судя по приметам, в колодце найдены останки Зорькина, — быстро ответил Антон. — Только как он попал в наш район, если на Урал ехал? Туман какой-то...

Подполковник вздохнул.

— Да-а... Мутное дело. Очень мутное, но... Послушаем, что Граф-Булочкин скажет.

13. ЖЕЛЕЗНОЕ АЛИБИ

Слава Голубев был прав, когда говорил подполковнику, что от Булочкина не пахнет водкой. Медицинская экспертиза, проведенная перед допросом, установила, что Булочкин клинически трезв, но от злоупотребления мепробаматом находится в сильном шоке. В этом подполковник с Антоном убедились и сами, как только конвоир доставил Графа в кабинет. Обхватив ладонями локти рук, Булочкин трясся, как в сильном приступе лихорадки. Не дожидаясь разрешения, сел, попросил воды. Выпил подряд два стакана, крупными, жадными глотками. Несколько секунд просидел сгорбившись, уткнув лицо в ладони рук. Подполковник с Антоном молчали.

— Могу я узнать, чем заинтересовал районную милицию? — медленно приходя в себя, спросил Булочкин.

— Вопросы будем задавать мы, — сказал подполковник.

— Тем лучше.

— Что вас привело в наш город?

— Разве в него без визы МВД нельзя въезжать? — губы Графа иронически дернулись. — Или мы живем в Германии, где существуют два государства и въезд из одного в другое представляет определенные трудности?

— Бросьте паясничать! — оборвал подполковник.

Булочкин высокомерно вскинул голову. Сухое горбоносое лицо его было невозмутимым, только в глазах затаилась плохо скрываемая настороженность.

— В вашем паспорте одесская прописка. Что вас занесло из Одессы в такую даль?

— Вы видите мое скверное здоровье, — не меняя тона, продолжал Граф, — а у вас тишина, нет копоти заводов и столичной суеты.

Говорил Булочкин медленно, лениво. Казалось, язык с трудом подчиняется ему и не успевает за мыслью.

— С кем вчера встречались в «Сосновом бору»?

— Гражданин начальник, я повторяю, что приехал к вам отдохнуть, а не работать. Поэтому никаких деловых встреч не назначал.

— С кем встречались в ресторане и какие предлагали деньги? — требовательно повторил подполковник.

Булочкин попытался изобразить еще большее равнодушие, но это ему не удалось. Сильнее задрожали руки, и он крепко сжал ладони.

— Небольшое уточнение. Я не предлагал денег, а подавал их так, как подаю нищим, один вид которых у меня вызывает сострадание... — Булочкин наигранно вздохнул. — Вы, конечно, хотите знать, кому именно я подавал? Охотно отвечаю. Какой-то местный алкоголик узнал во мне друга детства, рассчитывая, что брошусь к нему на шею и стану угощать болгарским коньяком. Увы!... К его разочарованию, этого не произошло.

— Какого Юру вы искали в военкомате?

Булочкин удивленно посмотрел на подполковника.

— Вот тут уже я хотел увидеть друга, но тоже неудачно... У вас грубый военком, мою болезнь он посчитал за опьянение и не захотел со мной разговаривать.

— Кто этот друг и почему вы ищете его в нашем районе?

— К моему стыду, фамилии друга не знаю, но я, как сейчас, слышу приятный баритон: «Юра, если тебе захочется меня обнять, приезжай в этот чудесный сибирский уголок».

— И вы уже не первый раз приезжаете к нам?

— Да. Повидать Юру — цель моей жизни. К сожалению, до сих пор не могу напасть на его след. Но я умею добиваться цели, и наша встреча с Юрой рано или поздно состоится. Мне надо вернуть ему долг.

Подполковник, заметив, что Антону не терпится что-то сказать, кивнул головой. Антон посмотрел на Графа.

— Первый раз вы были в нашем районе вместе с другом тринадцатого сентября шестьдесят шестого года.

— В это может поверить только ребенок, — Булочкин вяло ухмыльнулся. — И то, если он не из Одессы.

— У вас есть алиби? — быстро спросил подполковник.

— Железное. Накануне той даты, которую только что упомянул этот молодой лейтенант, я, проводив друга Юру на электричке в ваш район, скучал на Новосибирском вокзале, ожидая, когда на табло вспыхнут часы отправления одесского поезда. Еще не миновала полночь, как ко мне подошел невзрачный милицейский сержант и с упреком сказал: «Булочкин, ты раньше времени уехал с Сахалина. Наши ребята истоптали весь остров, отыскивая тебя». Что я мог сказать сержанту в свое оправдание? Пришлось вернуться на Сахалин, обнять соскучившихся телохранителей и сверх того срока, который я так нелепо пытался укоротить, пробыть с ними еще пять лет. В прошлом году я наконец распрощался с сахалинскими друзьями по всем джентльменским обычаям. Возвращаясь на родину, в Новосибирске отчетливо вспомнил Юру, доброту которого даже годы не затерли в моей памяти. Вспомнил, как в сентябре шестьдесят шестого, расставаясь с ним на этом неуютном перроне, взял у него взаимообразно незначительную сумму презренных денег и поклялся сединами своей несчастной матери, что верну долг. На этот раз я был при деньгах. Не раздумывая, тут же попытался отыскать Юру. Но, как говорят спортивные комментаторы, попытка не увенчалась успехом, — Булочкин тяжело вздохнул. — Пришлось продолжать путь на родину. Приехав туда, я не узнал милой Одессы. Вдобавок меня не полюбила одесская милиция. Я ответил ей тем же. А жить с нелюбимой милицией, скажу вам, труднее, чем с нелюбимой женщиной.

По мере того как Булочкин говорил, сонливость его проходила, речь становилась оживленней, витиеватей. Теперь он уже, казалось, сдерживал язык, чтобы тот не опережал мысль.

Подполковник достал из стола фотографию, принесенную Гавриловым, и показал ее Булочкину.

— Вам знаком этот снимок?

Граф глянул на фото рассеянным взглядом.

— Работа явно принадлежит неквалифицированному фотографу.

— Никого на ней не узнаете?

Булочкин долго вглядывался в снимок и вдруг всплеснул руками:

— Ба-а! Я вижу Юру! — и посмотрел на подполковника. — Вы снимали о нем короткометражный фильм?

— Покажите его, — потребовал подполковник.

Граф ткнул пальцем в Зорькина, еще несколько секунд посмотрел на фотографию и опять удивился:

— Да тут и другой Юра, — ткнул в Резкина. — Какой букет благородных людей!

— Которого из них вы искали?

Булочкин показал на Зорькина.

— Имя его не путаете?

— Я не могу этого сделать уже потому, что мы с ним тезки.

— Итак... — подполковник внимательно посмотрел не Булочкина. — Давайте уточним детали: вы ищете в нашем районе Георгия Зорькина, который в шестьдесят шестом году помог вам, назвавшему себя геологом, уехать из Владивостока. С вами ехал еще один знакомый, Юрий Резкин. Он сошел на станции Тайга, чтобы пересесть на поезд, идущий в Томск. Вы с Зорькиным расстались двенадцатого сентября в Новосибирске, а через сутки он был убит. Вам не кажется странным финал дружбы?..

Булочкин слушал внимательно. На его лице, когда подполковник сказал об убийстве, отразилось такое удивление, что Антон подумал: «Для Графа, видимо, это неожиданность». Булочкин кулаком потер лоб.

— Я давно заметил, что работники милиции на редкость не умеют шутить. Ваша шутка, гражданин начальник, по поводу смерти Юры, которого вы почему-то называете Георгием да еще и Зорькиным, в Одессе не вызвала бы улыбки даже у дошкольника. В остальном вы правы, и если проанализируете мои ответы, то придете к выводу, что я не темнил перед вами.

— Остается выяснить последнее, — продолжал подполковник. — Что же все-таки побудило вас столько лет спустя искать Георгия Зорькина?

— Никакого Георгия Зорькина я не знаю, — твердо сказал Булочкин. — Искал я Юру, фамилию которого не удосужился спросить, чтобы вернуть ему долг. Это вопрос моей чести.

Подполковник внимательно посмотрел на него.

— Мы разберемся во всем этом. И с убийством женщины, труп которой нашли в канализационном колодце, разберемся.

— Гражданин начальник! — Булочкин приложил трясущиеся ладони к груди. — Не шейте мне канализационный колодец. Это не мое дело. Пусть им занимается новосибирский уголовный розыск.

— Откуда вам известно, что это произошло в Новосибирске? — быстро спросил Антон, и по тому, как ободряюще взглянул на него подполковник, понял, что угодил в точку.

Булочкин болезненно поморщился.

— Несмотря на отвратительное здоровье, я не утратил чутья и, едва появился в Новосибирске, заметил, что одесситы успели накапать сибирякам о моей популярности. Вдобавок в Новосибирске я имел неосторожность встретиться с человеком, на хвосту которого уже висел уголовный розыск. Поверьте, отвечать за чужие грехи тяжелее, чем за свои. И я — человек спокойный — заметался по Новосибирску, как незадачливый композитор, премьера оперы которого с треском провалилась. В период этого отчаяния и пришла светлая мысль — сделать еще одну попытку отыскать Юру. Буду с вами более откровенен — я хотел отсидеться у Юры, пока уголовный розыск размотает дело с канализационным колодцем и воздаст должное подлинному убийце.

К концу допроса Булочкин опять обхватил ладонями локти, заметно стал ежиться, вздрагивать. Подполковник вызвал конвойного, и Графа увели.

Просматривая записи, сделанные при допросе, подполковник насупил густые брови. Наконец посмотрел на Антона.

— Похоже, говорил правду. Но почему он Георгия Зорькина упорно называет Юрой?

— Товарищ подполковник! — вырвалось у Антона. — Георгий и Юрий — это же имена-синонимы.

— Я давно об этом уже подумал, но тут одна неувязочка есть. Гаврилов называет Зорькина Георгием, Гошкой, а Булочкин — Юрием. Обычно принято называть человека каким-то одним именем, хотя бы у него и синонимы были. Если уж Георгий так Георгий, если Юрий так Юрий. Согласен?

Антон утвердительно кивнул головой.

— И еще одно: как Зорькин оказался в нашем районе? Почему? Он же не собирался заезжать в Ярское.

— Может, Резкин ясность внесет?

Подполковник задумался, долго разглядывал фотографию.

— Давай сделаем так, — он повернулся к Антону, — запроси воинскую часть, где служил Зорькин, до какого пункта при демобилизации он получил проездные документы. Потом дай телеграмму в тот пункт, куда должен был приехать Зорькин. Узнай, становился ли он там на воинский учет, и одновременно запроси адресный стол. Если никаких сведений о Зорькине не окажется, заказывай междугородный разговор с Резкиным. Предложи ему приехать к бабушке. И обрати внимание, как он на это откликнется.

— Ясно, товарищ подполковник.

— И потом вот еще что: надо проверить алиби Булочкина. Если он в самом деле двенадцатого сентября шестьдесят шестого года был задержан в Новосибирске за побег, то алиби его действительно железное.

Антон ушел, и почти тотчас в кабинет заявился Кайров. Как всегда, сел к столу подполковника, спросил:

— Вы тоже, Николай Сергеевич, заразились этим делом? Смотрю, допрос сами проводите...

Подполковник улыбнулся.

— Вспоминаю молодость. Я ведь пятнадцать лет в уголовном розыске проработал, — чуточку помолчал. — А дело это, кажется, очень запутанное и серьезное. Думаю, и тебе придется им заразиться.

— А прокуратура не заинтересуется этим делом?

— Случай, как по заказу, для уголовного розыска. Никаких доказательств о насильственной смерти нет. Ты же знаешь положение: пока факт преднамеренного убийства не станет очевидным, ни о какой передаче дела в прокуратуру не может быть и речи.

Кайров слушал спокойно. На его лице не было видно даже тени недовольства или обиды. Когда подполковник замолчал, он только улыбнулся.

— Я все распоряжения выполняю добросовестно. Выполню и это, если вам так угодно.

— Это угодно не мне, а общему делу. Если хочешь, это касается чести милиции. А честь милиции — и твоя честь, капитан. Бирюков молод. Тыкается, как слепой котенок. Наша с тобой задача — не дать ему на первых шагах разбить нос.

— Я вас понял, — четко, по-уставному, произнес Кайров. Собираясь уходить, поднялся и спросил: — Кстати, по моему рапорту с Бирюковым говорили?

— Да. Ты только за этим ко мне пришел?

— Не только. Хотел узнать, в каком состоянии дело с расследованием колодца. Как-никак я все-таки старший инспектор уголовного розыска.

— Тогда садись, поговорим по душам.

Кайров вернулся на свое место. Подполковник достал из стола рапорт, еще раз прочитал его и, глядя Кайрову в глаза, заговорил:

— Понимаешь, не указан в твоем рапорте тот импульс, который вывел Бирюкова из равновесия. Вот я с тобой разговариваю, не кричу на тебя, не унижаю твоего достоинства. Скажи, можешь ты в такой ситуации, ни с того ни с сего, нагрубить мне?

Кайров нахмурился.

— Там ситуация была иная. Увидев Бирюкова пьяным, я вспылил, но это не дает ему права...

— Вот видишь! — живо перебил подполковник. — Бирюкову это не дает права. А кто нам с тобой дал право вспылить? Не обижайся, и себя имею в виду. Бывает, тоже срываюсь, а когда одумаюсь, стыдно становится. Понимаешь, сами того не замечая, привыкаем мы к этакому барскому тону в обращении с подчиненными. А те, в свою очередь, становясь руководителями, будут копировать нас. Плохо это, капитан, ой плохо...

— Вас не устраивает моя работа? — насторожился Кайров.

— Зачем так ставить вопрос? Ты исполнителен, дело знаешь свое. Скажу больше: мне легко с тобою работать. А вот подчиненным... твоим подчиненным, видишь ли, трудно.

— Не красное солнышко, всех не обогреешь.

— На нашей работе греть и не надо. Надо требовать, но без крика и топанья ногами.

Прервал подполковника Борис Медников. Торопливо ворвавшись в кабинет, он сел против Кайрова, отдышался и, заметив, что Кайров с подполковником молчат, спросил:

— Я помешал? Серьезный разговор был?

— Нет, Боря, не помешал, — ответил подполковник. — Толкуем вот о взаимоотношениях руководителей с подчиненными.

— О-о! Интересная тема. По-моему, здесь все должно строиться на доверии. Есть интересный пример. Во время Второй мировой войны в Америке создали два завода по выпуску нового оружия. Поскольку специалистов-рабочих в этой области не было, решили укомплектовать штат молодыми девушками и обучить их мастерству. Решено — сделано. И вот что интересно. На одном заводе девушки уже через месяц освоили производство и стали перевыполнять план, а на другом дело застопорилось. Стали искать причину. Оказывается, там, где не получалось, девушек запугали ответственностью. Им говорили примерно так: «Малейшая ваша ошибка приведет к катастрофе!» На первом же заводе тоже предупредили об ответственности, но постоянно подбадривали: «Осторожность соблюдайте, но работайте смелее. Не будет получаться, спрашивайте. Подскажем, научим». И дело совсем по-иному пошло. Вот такие пироги. Разные подходы — разные результаты. А возьмите творческий подход к делу... — Медников посмотрел на подполковника: — Собственно, я к вам, Николай Сергеевич, на минутку забежал. Вы читали что-нибудь о восстановлении портрета по черепу?

— Конечно, читал.

— Так вот. В Москве живет один мой знакомый, учились вместе. Он у Герасимова кандидатскую защищал. На днях я еду в Москву в командировку. Хочу увезти череп, найденный в колодце, и попросить хотя бы ориентировочный портрет вылепить. Поможет это вам?

— Конечно, Боря! — подполковник улыбнулся. — Смотри только, чтобы в дороге чемодан у тебя не украли, а то станет какой-нибудь жулик заикой.

Медников засмеялся и направился к двери. Проводив его взглядом, подполковник живо повернулся к Кайрову:

— Слышал, капитан? Новое оружие лично нам изобретать и осваивать не нужно, бездельников у нас нет, все работают с полной отдачей. А что касается создания у сотрудников творческого настроя, полета мысли — нам с тобою крепко надо подумать... Вот тебе характерный пример — Медников. Что ему до наших забот? А ведь думает! Интересом к делу человек живет.

Коротко звякнул телефон. Гладышев снял трубку. Бирюков доложил, что из областного управления подтвердили: Булочкин был задержан за побег в Новосибирске 12 сентября шестьдесят шестого года.

— Значит, непосредственного участия в истории Зорькина он принимать не мог, — сказал подполковник и положил трубку.

— Вы уже знаете фамилию погибшего? — удивленно спросил Кайров.

— Пока ориентировочно, но узнаем и точно. Уверяю тебя… — подполковник встал из-за стола, прошелся по кабинету. — Нет безнадежных дел, капитан.

14. «ДОПРОС» ПОД ЗВЕЗДАМИ

Из воинской части сообщили, что старшина второй статьи Зорькин Георгий Иванович демобилизовался 6 сентября 1966 г. и получил проездные документы до станции Ивдель Свердловской железной дороги. Никаких сведений о нем после демобилизации в часть не поступало. Антон запросил адресный стол Ивделя, городской и областной военкоматы. Из всех трех мест пришли одинаковые ответы. Зорькин в 1966 и в последующие годы в области на воинском учете не состоял и прописан не был.

Показания Графа-Булочкина подтверждались — Зорькин до Урала не доехал. Но по-прежнему оставалось невыясненным: почему вдруг он решил свернуть в район. По нелепой случайности попал в колодец или был убит? Ясность по первому вопросу мог внести внук Агриппины Резкиной. Он ехал с Зорькиным до станции Тайга, и если тот надумал вдруг заехать в Ярское к своей невесте, то не в один же миг принял такое решение. Надо было срочно звонить в Томск.

Разговор состоялся через сутки после того, как Антон сделал заказ на междугородной. Поведение Резкина после демобилизации казалось странным: ни разу не приехал в Ярское, совершенно забыл о своей бабушке. Поэтому на всякий случай Антон отрекомендовался работником райсобеса и с упреком спросил Резкина:

— Что ж вы, Юрий Михайлович, о своей бабушке забыли?

— Забыл? — удивился Резкин, какое-то время помолчал и выпалил бойкой скороговоркой: — Ничего я не забыл. Всегда бабусю помню. Как-то вот недавно другу письмо писал в Ярское, привет ей передавал.

— Почему вы ей самой не пишете?

— Она ж неграмотная, все равно не прочитает.

— Считаете, это оправдывает вас?

— Да ну какое там, елки с палками, может быть оправдание.

— Вы о ее здоровье знаете?

— Нет... — растерянно ответил Резкин и тревожно спросил: — Что с бабусей?

— Пока ничего страшного, — стараясь не переиграть, успокоил Антон, — но прибаливать часто стала. Переживает за своего внука.

— Вы передайте ей, — заторопился Резкин, — что я на днях ее навещу. Откровенно говоря, давно хочется в Ярском побывать. Как-никак родные места там. Да вот разные дела засосали: то квартиру ждал, то к родственникам жены ездил. В общем, елки с палками, не оправдание, конечно.

— А не получится это пустым обещанием?

— Ну, елки с палками! Капитально приеду.

И Резкин сдержал слово. О его приезде Антон узнал от Чернышева и сразу же выехал в Ярское. Выехал с каким-то смутным, тревожным настроением, мучаясь различными предположениями, что-то даст эта, третья по счету, поездка. Чернышев по-настоящему обрадовался встрече, будто сына родного увидел.

— Жив, голубчик? Здоров? Ну и слава богу. Ужинал?

— Спасибо.

— Все равно садись к столу. Не станем нарушать наш обычай: хочешь не хочешь, гость, а с дороги — за стол.

После ужина Маркел Маркелович по привычке взялся за газеты, но быстро отложил их.

— Что Зорькина насчет моряка прошлый раз сказала? — неожиданно спросил он Антона. Выслушав, покачал головой: — Я тебя предупреждал, палец ей в рот не клади. Остра, хитра и... умом не обижена. Работу на птицеферме ведет — разлюли малина! По области в передовиках ходит. Птичницы к ней с уважением: «Наша Марина Васильевна». Уверен, поставь председателем, за милую душу колхоз потянет, не каждый мужик с ней потягается, — Чернышев ладонью взъерошил свой седой ежик. — Неужто напутал я с женихом? Может, и не из моряков он вовсе...

— Из моряков. В райцентре живет дядя Зорькиной, Гаврилов...

— Вспомнил! — Чернышев хлопнул по коленке. — Кешка Гаврилов! Моряк же с ним в отпуск приезжал, — и улыбнулся. — Склероз старческий, совсем забыл. Хорошо, про Кешку напомнил. Знаю Иннокентия, знаю. Говорят, запился последнее время?

— Из милиции почти не вылазит.

— Ишь ты... Деньги мужика сгубили. Он же долго на сверхсрочной служил, получал крепко. Бывало, в отпуск приедет — всю деревню упоит. А такие, как Проня Тодырев, кроме выпивки еще и в долг без отдачи у него деньжонок прихватывали.

— Это не тот Проня, который у Столбова на восстановление здоровья пятьдесят рублей взял? — улыбнулся Антон.

— Он самый. Ходячий анекдот, а не мужик.

— Зря вы тогда суда испугались. Ничего бы Столбову не было, Проня на него с ножом лез.

— Кто тебе сказал, что я испугался? Не хотел волокиту затевать. Это ж надо в райцентр людей на суд везти, а они мне на работе нужны. На суде день пропадет, да пока следствие будет. Хорошо, ты вот уже который раз сюда приезжаешь разбираться. А у вашего Кайрова, к примеру, другая метода: один раз побывает, а потом повесточку в зубы — и здоров будь к нему являться... К слову пришлось, не везет Столбову с Кайровым. Прошлый раз возьми. Хорошо, что Гладышев мне верит. Позвонил ему, разобрался — дело заглохло. А то, чего доброго, упекли бы парня на пятнадцать суток. Под горячую руку он Кайрову попадается, что ли? — Чернышев потер ладонью подбородок и снова заговорил о Зорькиной: — Не пойму, отчего она моряка скрывает? Видимо, не так ты с ней начал. А может, девичья гордость, а?

Антон пожал плечами, прислушался к голосам девчат, остановившихся у самого дома Чернышева. Послышался разговор на крыльце. Екатерина Григорьевна кому-то сказала: «Да ты проходи, проходи в избу. Там он». По веранде стукнули каблучки, и, к удивлению Антона, в комнату вошла Зорькина. Бойко поздоровалась:

— Добрый вечер, Маркел Маркелович, — и, заметив Антона, смутилась. — У вас гости?

— Милости просим, — ответил Чернышев, хотел что-то добавить, но Зорькина опередила его:

— Знаете, зачем я к вам пришла?

— Знаю, — с самым серьезным видом сказал Чернышев и наклонил голову в сторону Антона. — Жених у меня какой нынче гостит, а? Молодой, симпатичный — и, вдобавок, холост, как выстреленный патрон...

Зорькина засмеялась:

— Где уж нам уж выйти замуж, мы и в девках проживем.

— Да ты что, Марина Васильевна! — Чернышев шутливо протянул к ней руки. — Личное обязательство беру: в будущем году, а то и раньше, выдать тебя замуж.

— Ох, всыплют вам за невыполнение личных обязательств! — в тон ему ответила Зорькина и сразу стала серьезной: — Мне, Маркел Маркелович, завтра до зарезу надо Витьку Столбова на ферму. Пусть он нам бульдозером площадку разровняет.

— У нас же на бульдозере Проня числится.

— Вот именно, числится. Витька за час сделает, а Проня неделю прокочевряжится. А чего доброго, еще и птицеферму снесет. У него же бульдозер то не заводится, то не останавливается. Пошлете завтра Столбова или мне самой с ним договариваться?

— Что ж сразу не договорилась?

— Субординацию соблюдаю. Откажете, тогда инициативу проявлю.

— Как тебе, голуба моя, откажешь? Будет завтра у тебя на ферме Столбов, но... — Чернышев хитро подмигнул: — За это ты должна моего гостя сегодня в клуб сводить. Согласна?

— Сегодня там интересного ничего не будет. В магазин пиво привезли. Любимчик ваш Сенечка Щелчков весь вечер будет анекдоты рассказывать. А кроме него, на баяне никто не играет.

— Пригрози Сеньке, завтра к рулю не допущу!

— Ему хоть загрозись, — Зорькина отбросила со лба прядку волос, улыбнувшись, посмотрела на Антона: — Идемте, если хотите. Вы ведь как-то уже обещали.

В клубе и в самом деле было невесело. Несколько девичьих пар танцевали под радиолу что-то непонятное, скорее не танцевали, а толклись на месте. Четверо парней, поочередно передавая друг другу кий, гоняли шары на бильярде. Возле них толпились болельщики, среди которых Антон сразу узнал шофера председательского «газика». Шофер был навеселе. Увидев Зорькину с Антоном, он так обрадовался, будто ждал их весь вечер.

— М-марина, слышала п-последнюю хохму с Проней? — заикнувшись, спросил он.

— Как бульдозером хату свою чуть не снес?

— С-старо! Сегодня сама Фроська новый с-случай рассказывала. З-значит, пришла она на днях с работы, Степка-пацан с-сметаны запросил. Фроська — в погреб, развязывает одну молочную кринку, другую, третью, а там с-сметаной и не пахнет, во всех — одна п-простокваша. Степка в погреб с-спускаться мал еще. Кто с-сметану снял? Кроме Прони, некому. Ну, Фроська и давай его к-костерить! Проня христом-богом клянется, отпирается. Прошло несколько дней, все нормально. А вчера вечером приходит Фроська с работы, Проня, как м-министр, сидит в хате, показывает под стол: «Смотри!» Фроська заглядывает — под столом кот. Вся м-морда в сметане, облизывается. Фроська в погреб: кринки развязаны, и с-сметану — как корова языком слизнула. Спрашивает: «Ты в погребе был?» Проня: «Нет. Кот оттуда выскочил». — «А кто научил кота кринки развязывать?» Проня к-кулаком по с-столу: «И тут на меня прешь! Кто я?! Дрессировщик?!».

— Значит, с-сегодня баяна не будет? — засмеявшись, спросила Зорькина.

— А да ну его! — шофер махнул рукой. — Не дразнись. П-поговорить охота.

— Я вот передам Маркелу Маркеловичу.

— Н-не вздумай! З-завтра как огурчик буду.

— Придется домой идти, — Зорькина посмотрела на Антона: — Вы останетесь?

— Нет, — торопливо ответил Антон.

Они вышли из клуба и молча пошли вдоль сумеречной засыпающей деревни.

Поравнявшись с домом Чернышева, Антон хотел проститься, но Зорькина шла так, будто была уверена, что он не оставит ее одну до тех пор, пока сама она этого не захочет. И Антон подчинился, хотя все время, находясь рядом с ней, чувствовал непривычную скованность. Казалось, Зорькина вот-вот отпустит, как в прошлый раз, какую-нибудь злую остроту. И она действительно сказала:

— Вы удивительный собеседник. Вот бы вас со Столбовым одних оставить. Было бы выразительнейшее молчание.

Антон улыбнулся:

— Не такой уж Столбов молчун.

— В сравнении с вами — да, — Зорькина вздохнула. — Что-то происходит с Витькой в последнее время. Будто совсем язык проглотил.

— Раньше не таким был?

— Особой разговорчивостью не отличался, но с девушками, бывало, чесал язык. Одно время мы дружбу водили, так мне, например, скучно с ним не было.

— Как это Нина умудрилась отбить его у вас?

— Вы любопытный, как я погляжу.

— Профессиональная привычка.

— Вы следователь?

— Инспектор уголовного розыска.

— Это страшнее?

— Смотря для кого.

Зорькина засмеялась:

— Например, для меня. Не напрасно же вы моими женихами прошлый раз интересовались. Все с колодцем разбираетесь?

— Откуда вам известно, что с колодцем?

— Господи... — Зорькина усмехнулась. — В деревне все известно. В открытую говорят, что убитый был землей засыпан. И убийцу даже знают. Удивляются, что он до сих пор не арестован.

— Кто же этот убийца?

— Так я вам и скажу — кто... В деревне трепачей полно.

— А все же...

— Надо самим разбираться, а не деревенские сплетни собирать. Тут у нас есть говорунчики, наговорят, только слушай.

Не спеша вышли к околице, остановились у озера. В вечерних сумерках вода походила на темное зеркало с вкрапленными в него мерцающими точками звезд. Изредка зеркало всплескивало — видимо, шальная щука или окунь хватали задремавшую рыбешку. Вспыхнувшие от всплеска круги быстро исчезали, и звездные крапинки опять мерцали на своих местах. Теплый воздух крепко отдавал настоем полевых цветов. Нарушая тишину, однотонно скрипел коростель. В приозерных кустах с ним перекликалась какая-то одинокая всхлипывающая птица.

— Красота, как в сказке... — задумчиво сказал Антон и показал на белеющее у края обрыва бревно: — Присядем?

Не дожидаясь согласия, он подошел к бревну и сел. Зорькина осторожно, стараясь не помять юбку, села рядом и, обхватив ладонями колени, стала глядеть на озеро. Антон чувствовал, что ей хочется о чем-то спросить, что она ждет, чтобы он заговорил первым. Но он умышленно молчал. И Зорькина не вытерпела, спросила:

— Почему вы прошлый раз спрашивали меня о моряке?

Антон словно ждал этого вопроса. Сейчас, после показаний Гаврилова, у него в руках был крупный козырь, но из осторожности он не стал раскрывать карты и ответил вопросом:

— Почему прошлый раз вы скрыли, что у вас был знакомый моряк?

— Это допрос? — Зорькина настороженно взглянула на Антона, но тут же лукаво-насмешливо улыбнулась и посмотрела на звездное небо. — Шикарное название для детективного рассказа... «Допрос под звездами». Не правда ли?

— Увлекаетесь детективами?

— Нет. Ими у нас ребята увлекаются. А мы больше про любовь читаем. Толстого, Мопассана, Флобера...

— Классическая любовь, судя по авторам.

— Современные писатели скучно о любви пишут. Вот разве только... который «Алкины песни» написал. Скажите... вы верите в настоящую любовь?

Антон засмеялся и подумал: «Почему она сменила тему?»

Зорькина продолжала смотреть на озеро.

— Я вполне серьезно. Вы должны знать это. Наверняка, в институте изучали преступления, совершенные на любовной почве. Так это у юристов называется? К тому же в городе жили, там народу больше.

— В городе я только учился, а жил в Березовке, — Антон показал на озеро: — Вон на той стороне, за островом.

— Ваша фамилия Бирюков? — она всем корпусом повернулась к Антону. — Фу ты, господи! Вы ж на своего отца, как две капли воды, похожи. Мы с ним на областное совещание недавно ездили. В президиуме рядом сидели, — и засмеялась. — А я-то считала тебя, вроде Кайрова, издалека залетевшим в наши края.

— У вас тут все Кайрова знают? — спросил Антон, отметив, как Зорькина легко перешла на «ты».

— Он же давно в милиции работает. Одно время ухаживать за мной пытался. Духи дарил. Сказал, французские, за десять пятьдесят. Красивый такой флакончик, маленький. Жалко мне стало его денег. Духи с благодарностью вернула, показала на Витьку Столбова и говорю: «Этот парень французских духов не дарит, но из ревности усы, даже и милицейские, подпортить может». Терпеть не могу усатых кавалеров. Вот когда у стариков усы или борода, приятно посмотреть, а пижонских усиков не терпит моя душа, что хочешь с ней делай. Как увижу молодого усача, так и хочется шпильку запустить.

«Вот откуда "невезучесть" Столбова с Кайровым началась», — подумал Антон и засмеялся.

— Так мы земляки, оказывается, — опять сказала Зорькина, помолчала и вдруг заявила: — Был у меня знакомый моряк.

— Я знаю, — Антон решил, что пришла пора открыть карты. — Иннокентий Иванович Гаврилов, ваш дядя, все рассказал. За исключением... Почему оборвалась ваша дружба с Георгием?

Зорькина долго молчала. Антон чувствовал рядом ее плечо, казалось, даже слышал дыхание, видел ладони, обхватившие коленки. Наконец она повернулась к Антону и заговорила:

— Во всем виновата я. Решила проверить, любит ли Зорькин меня. Попросила подружку, чтобы она написала Георгию, будто бы я стала встречаться с Витькой Столбовым. Интересно было, что Георгий ответит. Ждала, ждала, но так и не дождалась.

— После этого вы не переписывались?

— Нет. Зорькин оказался парнем с характером. Только позднее я поняла свою глупость.

— Юрием он себя никогда не называл?

— Нет. Он не стеснялся своего имени и не подстраивался ни под кого.

Зорькина съежилась, опять долго молчала, глядя на озеро.

— Осенью, помню, было, в сентябре, — тихо заговорила она. — Дед Слышка — он тогда почтальоном работал — приносит мне телеграмму: «Приеду двенадцатого вечером. Георгий». Обрадовалась, бегу к подружке, которая по моей просьбе письмо писала. Подружка посмотрела на телеграмму и говорит: «Она ж фальшивая». Тут только я сообразила, что нет на телеграмме: ни откуда послана, ни когда послана и — ни одной печати. Просто, на бланке рукой Слышки написана записка, и все. Я — к нему. Старик клянется, что такую ему дали в райцентре на почте. Ждала я Георгия двенадцатого, тринадцатого, неделю, месяц... И по сей день его нет.

— В деревне не знают, почему Слышка на пенсию ушел? — спросил Антон. — Годы пенсионные раньше подошли, но он работал...

— Выгнали, наверное. Был слушок, чужие письма читал. У него какое-то болезненное любопытство.

— Столбов знал, что к вам моряк едет?

— Да, когда я с ним заговорила о Георгии, Столбов понял, что у меня к нему, к Столбову то есть, ответной настоящей любви нет. А без настоящей любви... Витька парень сильный, ему подачки не нужны. Он никогда не будет домогаться любви, зная, что девушка к нему равнодушна.

— Жалеешь, что такого парня, как Виктор Столбов, упустила? — впервые обращаясь к Зорькиной на «ты», спросил Антон.

— Как сказать... — Зорькина убрала руки с колен и обхватила ладонями локти. — Ухаживал Витька за мной, я была к нему равнодушна. Стоило ему подружиться с Ниночкой Бровцевой, во мне заговорило уязвленное бабье самолюбие: стала напоказ носить подаренные Витькой лакировки и косынку. Пять лет туфли лежали, фасон уже устарел, а я все равно в них щеголяю. Глупо, конечно... Порою самой даже смешно.

По небу яркой полоской чиркнул метеор, и Антону показалось, что след его погас в озере.

— Скажи, Бирюков, — с трудом выговорила Зорькина, — это Георгия нашли в колодце?

— Не знаю, Марина, — ответил он, помолчал и добавил: — Пока не знаю.

Давно утих скрип коростеля. Только в приозерных кустах по-прежнему тоскливо всхлипывала одинокая птица.

15. РЕЗКИН НАВЕЩАЕТ БАБУШКУ

Проснулся Антон от горластого петушиного крика. Во дворе Маркел Маркелович загремел рукомойником. Было слышно, как он громко фыркает, умываясь остывшей за ночь водой. Хлопнула дверь, глуховатый со сна голос сказал:

— Подъем, следователь! Пора завтракать.

Завтракали вдвоем с Маркелом Маркеловичем. Прихлебывая горячий чай, Чернышев слушал Антона. Отставил пустой стакан, усмехнулся:

— Я сразу сообразил, не за бульдозером она ко мне забежала. Распоряжение председателя, видишь ли, потребовалось. Наболело на душе, не вытерпела — сама пришла к следователю.

— Правда, что в деревне уже кого-то подозревают? — спросил Антон.

Чернышев нахмурился и, почти как Зорькина, ответил:

— Деревенские сплетни не собирай, тут наговорят семь бочек арестантов. Сам разматывай клубок, на то тебя и в институте учили.

Антон поднялся из-за стола:

— Пойду к Стрельникову, надо с телеграммой разобраться.

Чернышев посоветовал:

— Больше по истории с ним беседуй, это ему для затравки нужно. Болтун Слышка, конечно, изрядный, но в хронологии большой дока. Память имеет — дай бог каждому! Когда какой царь правил, когда какие события произошли, дни рождения выдающихся людей — назубок, как отче наш, чеканит. А в своей деревне — всех наперечет. Как-то мужики экзамен ему учинили. Не поверишь, ходячая энциклопедия — и только! Смешно сказать, день рождения Степки — самого младшего Прониного сына — и то вспомнил.

Егора Кузьмича Антон застал за необычным занятием. Сидя перед палисадником своей избы на скамеечке, старик увлеченно скоблил ножом старый осколок чугунка. Обрадовавшись неожиданному собеседнику, он усадил Антона рядом с собой и с самым серьезным видом, будто только что сделал интересное открытие, заговорил:

— Вот старики сказывают, раньше люди здоровше были. К примеру, мой дед, которого я очень даже хорошо помню, переносил на своем собственном загорбке по десять пудов весу. И очень даже просто переносил. Откуда такая силища в человеке бралась? Затрудняешься ответить. А я вот тебе очень точно могу сказать. Пищу тогда люди в какой посуде приготовляли? В глиняных горшках и в настоящих чугунных чугунках. А сейчас что с этим делом получается? Понаделали разной алюмениевой посуды, миски из каких-то матерьялов, как резиновые, стали в обиходе. Опять же про деревянные ложки давным-давно позабыли, стальными да алюмениевыми обжигаются. Это в самый раз и сказывается на человеческом организме. Вот доводилось мне читать в медицинском журнале одну завлекательную статью... — старик помолчал немного и начал почти дословно пересказывать прочитанное.

— У вас феноменальная память, — похвалил Антон.

— Какая? — Егор Кузьмич насторожился.

— Хорошая, говорю, память. Слышал от людей, что вы даже дни рождения всех в Ярском помните.

— Всех, пожалуй, не помню, а большинство, слышь-ка, назову. Кого, к примеру, хочешь знать?

— Ну, скажем, когда Пронин Степка родился?

— Самый младшой, стало быть? — Егор Кузьмич задумался. — Дак это очень даже простая для меня дата. Степка Прони Тодырева родился семнадцатого апреля и аккурат в тот год, когда забросили культстановский колодец. Стало быть, в одна тысяча девятьсот шестьдесят шестом. Арифметика тут очень даже простая, потому как этого же числа апреля, только в одна тысяча девятьсот восемнадцатом году, была создана в молодом Советском государстве пожарная охрана, и мне собственноручно было доверено организовать таковую охрану в Ярском, хотя я молоденьким совсем тогда был. Вот такая тут арифметика. Потому, как дата совпадает, вполне может стать Пронин Степка пожарным. А сам Проня Тодырев родился, если хочешь знать, девятого сентября одна тысяча девятьсот двадцать восьмого года, аккурат через сто лет после большого писателя Толстого, какой написал очень большую книгу про войну и мир, — Егор Кузьмич снял картуз, погладил макушку. — Антересная штука получается: в одинаковые числа люди родятся, а ума дается каждому по-разному. Возьми того же Проню...

Антон уже знал, что Стрельникова можно остановить только вопросом.

— Егор Кузьмич, вы помните, в сентябре шестьдесят шестого года Зорькиной была телеграмма от жениха?

— Марине? — уточнил старик. — Дак, слышь-ка, я за свою почтальонскую жизнь столько телеграмм доставил в Ярское, что все и не упомнишь.

— Эта телеграмма была за несколько дней до того, как вы ушли на пенсию, и написана была она вашей рукой.

Старик опять погладил макушку:

— Кажись, припоминаю. Доставлял такую телеграмму.

— Почему она была написана вашим почерком?

— Потому, что сам ее писал. История, слышь-ка, такая вышла. Телеграмму эту я точно получил в узле связи в райцентре. Положил вместе с прочей корреспонденцией — так по-ученому называется почта. Потом оказалось, что телеграммы нет. Или обронил где, или спер кто, не скажу. А дело серьезное, я понимаю. Взял телеграммную бланку и собственноручно написал, как было в настоящей телеграмме. Имя жениха помню. Георгий — так по-грузинскому

Егорий называется, стало быть, тезка мой. — Егор Кузьмич вздохнул. — Только жених не приехал. Для обману прислал сообщение или для испугу, потому как Марина в то время с Витькой Столбовым любовь крутила. За двумя зайцами погналась и ни одного не поймала.

— И еще одно, Егор Кузьмич, меня интересует. Почему вы ушли на пенсию как раз в тот день, когда забросили культстановский колодец? Совпадение это или какая-то причина была?

Стрельников опустил глаза, подумавши, вздохнул и неторопливо поправил картуз.

— Гляжу, у тебя вылитый мой характер. Страсть любопытный. И хорошо это, и опять же плохо. Сколько я неприятностей из-за своего любопытства поимел — не счесть! А с пенсией у меня, слышь-ка, неантересная история. Но поскольку с любопытством ты, как и я... К тому же полюбился мне. Опять же, за что полюбился? За правильность характера, за уважение ко мне. Так вот, стало быть, из уважения к тебе расскажу историю про пенсию, — Стрельников передохнул, виновато поморщился. — Я, слышь-ка, сказывал, что старуха оконфузила. Показалось ей по глупому уму, что я любовные письма чужие читаю. Баба, ежели она даже самая умная, все одно остается бабой. А моя Андреевна и умом не отличается, стало быть, вдвойне баба. Раззвонила всей деревне об моем любопытстве. Слух до начальства дошел... Как сейчас помню, тринадцатого сентября шестьдесят шестого года последний раз газеты на культстан привез... Не прояснилось еще, кто в колодце оказался?

— В деревне больше меня знают, — уклонился от ответа Антон.

— Дак, слышь-ка, деревенским верить сильно нельзя. Тут кто на кого злость имеет, тот на того и бочку катит. К примеру, послушай того же Проню Тодырева. У него самый плохой человек — Витька Столбов. Опять же, почему Витька? Потому что сопатку Проне начистил принародно. Так вот Проня до сей поры не может этого забыть, хотя сам виноватый был — с кинджалом на Витьку набросился.

— С каким кинджалом?

Егор Кузьмич смущенно опустил глаза.

— Ну, могет быть, и не с кинджалом, с ножиком. Сам я не присутствовал при этой истории, только скажу тебе: по пьянке Проня жуковатый мужик — так на рожон и лезет. Вот Витька и дал ему мялку для памяти.

Антон заметил, что даже болтун Слышка и тот не хочет передать слух, который распространился по деревне, — это разжигало любопытство. «Кого и почему они скрывают? Боятся или, как говорил Столбов, не хотят попасть в свидетели?»

На следующий день в Ярском наконец появился Резкин. Бабка Агриппина прямо-таки помолодела от радости. Уставила стол допотопными бутылками с самодельной настойкой, успела сбегать в сельмаг за «казенкой», вытащила на свет Божий из погреба маринованные «грибочки-огурочки» и, повязав праздничный цветастый передник, лихо принялась разбивать яйца о край вместительной шкворчащей салом сковороды.

Суетясь, то и дело всплескивала руками и благодарила Антона:

— Уж и не знаю, какое тебе говорить спасибо за унучика! И как ты только, сынок, его отыскал?! Последний разок хучь погляжу на Юрку. Когда он теперь ко мне соберется? Ай, Юрка! Ай, барсук этакий! Сколь годов ни слуху ни духу не подавал...

Юрка — коренастый парень, в белой нейлоновой рубахе нараспашку, по-модному длинногривый — поблескивал вставным зубом и хохотал:

— Бабуся, чтобы наполнить этот Ноев ковчег яичницей, колхозной птицефермы не хватит!

— Хватит, унучик, хватит. Они у меня непокупные. Куда их девать? На базар в раивонный центр я не езжу, а здесь продавать некому, — приканчивая второй десяток, отвечала старушка.

Вспоминая телефонный разговор с Антоном, Резкин покатывался:

— Ну, разыграл ты меня, елки с палками! Чесслово, разыграл! «Из собеса говорят»... Перепугал насмерть. Думаю, или долго жить бабуся приказала, или на алименты подала, — и тут же начинал ругать себя: — Пижон самый последний. Думаю, хозяйство бабуся имеет, пенсию получает, деньжонок в чулке хватит. В нем, если покопать, керенки, наверное, еще припрятаны. Что старухе еще надо? Приеду, только чулок растрясу, — налил по стакану водки. — Давай за знакомство врежем! Я, елки с палками, давно уже не прикладывался к беленькой, работа замотала.

Антон накрыл свой стакан ладонью

— Мне нельзя, Юра. Я и сейчас на работе.

— Какая у тебя тут работа! Магазин обчистили, что ли?

Узнав, что интересует Антона, Резкин задумался и скороговоркой стал припоминать, как ехал из Владивостока после демобилизации. Его рассказ почти слово в слово подтверждал показания Гаврилова на допросе у подполковника. Подтвердил он и предположение, что Георгий и Юрий — одно лицо.

— Тут вот как получилось, елки с палками. Рыжего, как и меня, звали Юркой. Когда мы все трое знакомились, Зорькин сказал: «Я в некотором роде тоже Юрка, так что давайте будем называться одинаково».

— Рыжий на самом деле геологом был?

— Каким геологом? — Резкин махнул рукой. — Шарамыга какой-то. Из Владивостока мы еле тепленькие выехали — друзья, проводы и все такое, елки с палками. Деньжонки были, а он без рубля оказался, стал заискивать перед нами, обещал рассчитаться. Настроение наше после демобилизации на высоте было, готовы весь мир одарить, ну и увезли его с собою. Подумаешь, там сотнягу-другую на него потратить! Все равно в дороге пропили бы.

— В Ярское Зорькин не собирался заехать? У него, кажется, со здешней заведующей птицефермой роман был.

— Тут так, это самое... Вначале я думал, что он родня Марине Зорькиной. Оказалось, однофамильцы всего-навсего. Ну, он стал Мариной интересоваться. Плохого мне сказать нечего было — Марина мировецкая деваха. В Красноярске, только поезд остановился, Зорькин говорит: «Знаешь, я заеду к ней, кое-что уточнить надо. Побежали, подарок купим». Ну, выскочили у вокзала, в один магазин, в другой — хоть шаром покати — подходящего ничего нет. Поезд вот-вот отправится. Рыжий подскакивает: «Туфли дамские лотошница продает!» Мы — к ней! Зорькин размер спросил — примерно подходит. Деньги — на кон. У лотошницы сдачи нет. Подсказываю: «Бери на сдачу косынку!» Голубенькая такая, с якорьками. Схватили и — к поезду. Только впрыгнули в вагон, поезд тронулся. А на следующей станции, название не помню, Зорькин бегал телеграмму Марине отбивать. Ну а в Тайге я с Зорькиным и Рыжим расстался, — Резкин внимательно посмотрел на Антона: — Слушай, елки с палками, почему тебя это интересует?

— Есть предположение, что через сутки после того, как вы расстались, Зорькин был убит.

— Не может быть... — почти шепотом проговорил Резкин.

Антон давно замечал, что самые серьезные догадки и решения к нему приходят внезапно. Так случилось и на этот раз. «Конечно, и Зорькина, и Чернышев, и разговорчивый Егор Кузьмич Стрельников отводили подозрение от Столбова... Столбов достал из колодца дохлого кота, Столбов засыпал колодец землей, Столбов... подарил Зорькиной туфли-лакировки и голубую косынку с якорьками. А не в Красноярске ли эти лакировки и косынка куплены?...» Еще толком не веря мелькнувшей догадке, скорее ради уточнения спросил:

— Юра, а какие туфли купили?

— Дорогие. Черные, кажется, лакированные.

Антону стало не по себе. Он расстегнул ворот рубашки и, сам не ожидая того, произнес вслух:

— Нет, не может быть...

— Я ж и говорю, елки с палками! — подхватил Резкин. — За что Зорькина убивать? Добрейшей души парень. Если грабеж, так у него, кроме матросского обмундирования, взять было нечего.

— А Рыжий?... — как за спасительную соломинку ухватился Антон. — Рыжий-то без копейки ехал...

— Не. Мы всю дорогу как братья были. К тому же Рыжий знал, что Зорькин ему почти последние деньги отдал. Рыжему еще до Одессы пилить надо было.

— Тебе что-нибудь известно об отношениях Марины и Столбова?

— Присылал Витька как-то письмишко в армию. Вроде — подруживали они в то время.

— Что за человек Столбов? Не вспыльчивый?

— Имеешь в виду на почве ревности?.. — мигом догадался Резкин, покрутил пальцем у виска и даже, как показалось Антону, испугался: — Ты чокнулся? Столбов!.. Ты выкинь это из головы, не вздумай кому-нибудь сказать!

Бабка Агриппина давно уже взгромоздила на стол шкворчащую сковородку с яичницей, еще несколько раз сныряла в погреб, а Антон с Резкиным все заняты были своим разговором.

«Если туфли и косынка, подаренные Столбовым Зорькиной, действительно те, что куплены в Красноярске, то как они попали к Столбову? Не соврала ли Зорькина, что именно Столбов подарил их ей?» — с этими вопросами ушел Антон от Резкина. Шел задумавшись, низко опустив голову, обочиной пыльной улицы, у самых палисадников.

— Доброе здоровьице, товарищ следователь.

Антон удивленно повернулся на голос. У невзрачной старенькой избушки, облокотившись на полузавалившийся плетень, стоял щуплый мужичок, на вид ему можно было дать и сорок, и пятьдесят лет. Небритый, с взлохмаченными волосами. Длинная, чуть не до колен, капитально застиранная матросская тельняшка с обрезанными на манер футболки рукавами мешком свисала с худых узких плеч. Под крючковатым облупившимся от загара носом дымила толщиной с палец махорочная самокрутка. Заспанными покрасневшими глазами мужичок смотрел на Антона и, вынув изо рта самокрутку, повторил:

— Доброе здоровьице, товарищ следователь.

— Здравствуйте, — ответил Антон.

— В гостях у Резкиных были или с колодцем все пурхаетесь?

Антон остановился — мужичок явно вызывал на разговор.

— Это ж надо, такую козу заделать, а? Испокон веков такого в Ярском не случалось. Убийцу-то скоро арестовывать будете? Или ждете, когда он тягу даст?

— Когда надо будет, тогда и арестуем, — ответил Антон.

— Оно, конечно... — мужичок повертел в заскорузлых пальцах самокрутку. — Милиции видней, кого в каталажку садить. А народу глаза не закроешь, язык не привяжешь. Народ-то, он знает, что зазря колодец засыпать не станут.

Из-за избы выбежал, похоже, пятилетний карапуз в одной коротенькой, до пупка, майке-безрукавке. Подбежал к мужичку, шмыгнул таким же, как у него, облупившимся носом, потерся об его ногу, выпятил живот и чуть не на штанину пустил струйку.

— П-пшел отсель! — шикнул на него мужичок и пригрозил: — Погашу об задницу цигарку, будешь знать, где мочиться.

Карапуз, вычерчивая струйкой зигзаги, отбежал в сторону, покружился по ограде и исчез за избой.

Антон сделал вид, что не понял намека о колодце, равнодушно сказал:

— Из деревенских на такое никто не решится.

— Не скажи, товарищ следователь. Есть и в деревне ухорезы, только морду подставляй. Хотя бы тот, кто колодец засыпал. Он быка одним ударом может ухайдакать. Сила бульдозерная...

Мужичок не успел договорить. За избой басом взвыл ребенок, чуток спустя запричитал женский голос:

— Пронька! Провались сквозь землю, и куда ты только глядишь?! Я ж тебя, лодырюгу непутевого, просила доглядеть за дитем. И что это за чуду-юду на мою голову бог послал! К своему кровному дитю и то никакого сочувствия у него нету!..

— Чо там стряслось?! — не оборачиваясь и не отрываясь от плетня, крикнул мужичок.

— Через плечо оглоблей тебя по макушке! Степка нагишом в крапиву сел! — одним духом выплеснула женщина.

— Пусть смотрит, поносник, куда садится, — огрызнулся мужичок и как ни в чем не бывало стал рассказывать Антону: — Во неугомонный пацан. Зачастил на двор, штаны не успеваешь на него одевать. А на днях и в штанах учудил. Только баба красные угли из утюга выкинула, и что ты думаешь? Он моментом на них и припаялся. Не веришь, штаны дымом взялись, наскрозь прогорели, а заднице хоть бы хны. Так, малость волдырями взялась... — помолчал, прислушиваясь к хрипящему детскому крику, ухмыльнулся: — Во базлает! Должно быть, как скипидаром жгет.

— Пронька! — опять послышался из-за избы женский голос. — С кем ты там лясы точишь? Возьмешься ты сегодня глядеть за дитем или нет? У меня молоко на печке сбежало, пока я тут с непутевым отродьем вожусь!

Мужичок заплевал окурок, недовольно поморщился, будто сожалел, что его отрывают от разговора, сказал многозначительно:

— Свидетели понадобятся, можете рассчитывать. Кое-какими сведениями по колодцу располагаю, — и лениво поплелся за избу.

«Так вот ты какой, Проня Тодырев — ходячий анекдот... — Антон посмотрел вслед мужичку и вдруг мысленно спросил: — Откуда у тебя такая «безразмерная» старая тельняшка?»

16. БУТЫЛКА ПИВА И ТЕЛЬНЯШКА

Проня не дождался, когда Антон его пригласит. Пришел сам. Приоткрыл осторожно дверь председательского кабинета, сунул в образовавшуюся щель небритую, с припухшими покрасневшими глазами физиономию, заспанным голосом спросил:

— По следствию об колодце принимаете?

— Проходите, — без особого энтузиазма пригласил Антон.

Он прошел, поддернул сползающую с плеча «безразмерную» тельняшку, неторопливо сел на указанный Антоном стул, кашлянул.

— Тодырев моя фамилия, Прокопий Иванович. Тысяча девятьсот двадцать восьмого года рождения, — помолчал. — Записывать будете или как?

Антон вспомнил Пронину историю с котом, рассказанную в клубе заикающимся шофером Щелчковым, с трудом сдержал улыбку:

— Давайте «или как».

— Правильно, — Проня удовлетворенно кивнул головой. — Чо тут писать. Все как ясный день. В обчем, вскорости, как засыпали колодец, человек, возивший туда землю, требовал с меня разводной ключ. Навроде я тот ключ украл у него.

— Говорите ясней. Какой человек? Какой ключ?

Проня, недоумевая, пожал плечами:

— Не ясно?.. Землю в колодец возил Столбов. Ключ, каким гайки откручивают. Большой ключ, железный.

— Дальше что? — поторопил Антон.

— Все как ясный день. Ключом ухайдакали человека, сбросили в колодец и землей засыпали. Чтоб концы скрыть, ключ затырили, а для отвода глаз Проня, мол, Тодырев ключ стибрил. Бывало дело, иной раз брал у мужиков ключи взаймы, но, когда хозяева спрашивали, всегда отдавал. А столбовский ключ где я отдам, когда в глаза его не видел.

— Еще что?

— А чо еще надо? — удивился Проня, поцарапал щетинистый подбородок. — Столбов специально ключ затырил, чтоб доказательств не было.

— Напишите все это и оставьте мне, — для порядка сказал Антон.

Проня замялся, кашлянул.

— Самому, что ль, писать?

Антон кивнул головой.

— Подчерк у меня некрасивый.

— Какой есть, таким и пишите.

— Дома можно?

— Что?

— Написать. Пацан у меня, Степка, на улице без пригляду остался.

— Напишите дома, к вечеру принесите.

Проня замялся, вроде бы хотел еще что-то спросить, но не решился и, опять поправив на плече тельняшку, вышел из кабинета.

Антон задумчиво поглядел в окно. Против конторы в дорожной пыли дремали куры. Здоровенный серый гусак, высокомерно вытягивая шею, охранял щиплющий траву выводок. Мысли у Антона были невеселые. Все нити сходились к Столбову. Сомнений почти не оставалось — в колодце обнаружены останки Зорькина, но... Как он попал туда? Какие туфли и косынку подарил Марине Столбов?

Вот-вот должен был подойти Резкин. Антон вчера просил его сходить в клуб и, если Марина Зорькина будет там в черных лакировках и голубой косынке, обратить внимание: те или нет это вещи, которые покупал с Зорькиным в Красноярске.

Резкин пришел хмурый, поздоровался с Антоном за руку, сел у окна и задумчиво стал смотреть на улицу.

— Что молчишь? — спросил Антон.

— Не вовремя я приехал, — уклончиво ответил Резкин. — В деревне кроме Прони Тодырева да деда Слышки все на сенокосе. Стыдно без дела слоняться. Завтра попрошусь у Маркела Маркеловича в бригаду, вспомню молодость. Знаешь, как раньше мы сено метали?

— Знаю. Сам из Березовки.

— Серьезно? — лицо Резкина оживилось. — Так мы, оказывается, земляки, елки с палками!

Мимо конторы, разогнав с дороги кур, протарахтел трактор «Беларусь». Резкин выглянул в окно, посмотрел ему вслед и словно обрадовался.

— Витька Столбов в мастерскую поехал, — повернувшись к Антону, сообщил он. — Знаешь, какой это мировецкий парень? — и показал большой палец. — Я в детстве ногу ломал. Зимой ахнулся на твердый наст, кость пополам, впридачу — зуба как не бывало! У местного фельдшера для обезболивающего укола чего-то там не оказалось. Надо срочно ехать в райцентр. Трескун под сорок заворачивает, кому охота сопли морозить? Витьке сказали, что я от боли сознание потерял. Он записку от фельдшера в зубы, на Аплодисмента — резвый у нас такой племенной жеребец был — и вершим туда почти тридцать километров, да обратно столько же. Обморозился, а нужное привез. Ему говорят: «Надо было в санях ехать, теплее»... А он: «Верхом быстрей. Юрке же без уколов больно». Понял? — Резкин посмотрел в окно, помолчал и опять повернулся к Антону: — И друзьями особыми мы с ним никогда не были. Учились в одном классе, и только. Он меня всегда шалопаем считал, а вот пожалел ведь...

— Столбов самому мне жизнь спас, — признался Антон.

— Выходит, это правда? — удивился Резкин. — А я вчера услышал от ребят, спрашиваю Витьку, он говорит: «Врут все».

Антон догадался, что неспроста Резкин завел разговор о Столбове, и с недобрым предчувствием сказал:

— Говори, Юра, откровенно. Что еще вчера услышал?

Резкин какое-то время колебался, словно решал, стоит ли идти на откровенность, но все-таки решился и скороговоркой выпалил:

— Проня Витьке какой-то ключ примазывает. Ты, наверное, уже знаешь об этом. Только прошу тебя как человека: не верь Проне. Паскуда Проня, самая последняя! Понимаешь, елки с палками, не может Витька такое сделать! Голову даю на отсечение.

— А Проня?.. — вдруг спросил Антон.

Резкин посмотрел так, будто Антон сообщил ему что-то необычайно интересное.

— Зорькин Проню бы щелчком перешиб. Да и трус Проня несусветный. Подопьет когда, духарится, а так — заяц, каких мир не видал. Вот злопамятный он, паскуда, это точно. Сколько времени прошло, как Витька его в клубе успокоил, а все еще помнит. Ребята мне об этом вчера рассказали. Ты, елки с палками, если хочешь у Прони правду узнать, припугни его покрепче — сразу слезу пустит. Только пьяного не трогай. Пьяный он духарной, будет куражиться и врать до потери сознания, до посинения.

— Зорькину видел?

— Видел.

— Ну и что, насчет туфель и косынки?

— Косынка похожа, якорьки запомнил. Про туфли ничего не могу сказать. Шесть лет почти прошло. Может, те, что покупали, может, другие, не помню.

Антон поднялся из-за стола. Резкин тоже встал, посмотрел на Антона просящим взглядом:

— Не дави на Витьку, а? Он знает, что Проня на него грязь льет. Знаешь, как Витьке сейчас тошно? Разберись с ним по-человечески. Тут какая-то дикая случайность. Знаешь, как иногда по случайности можно влипнуть. На службе со мной был случай. Командир роты — потешная такая фамилия Ныркин — лишил меня на месяц увольнения. А я шалопаистый, как Витька говорит, был. Рванул в самоволку. Подвыпил с ребятами, подружку, елки с палками, решил сыскать. На Сахалине, скажу тебе, не густо их, а тут, смотрю, на ловца и зверь бежит. Пупырышечка такая каблучками цокает. Мозги девицам туманить я умел. Пристраиваюсь к ней: куры-гуси, конфеты-пряники, печки-лавочки. Улыбается. Ходим-прогуливаемся. Время за полночь. На грех попадается телефон-автомат, квартирный номер командира роты помню, и двушка в кармане есть. Минут десять протяжные гудки в трубке басили. Поднял все-таки командира из теплой постели, слышу: «Алло. Ныркин» — «Привет. Дыркин», — говорю и спокойненько вешаю трубку. «Вот так, милая, — улыбаюсь пупырышечке, — начальству надо мстить, культурно и остроумно». В часть вернулся — как надо, опыт был. Все тики-так. А утром ни с того ни с сего командир требует к себе. Улыбается: «Как спалось, Дыркин?» Я — куры-гуси, конфеты-пряники, я не я, и лошадь не моя. Смотрю — взбеленился. Ох, и дал же он мне чертей! И не за то, что сон его нарушил, — мужик с юмором оказался — а за то, что выкручиваться начал. Неделю на губе просидел.

А случайность вот какая: пупырышечка оказалась родной дочерью командира. Когда я номерок набирал, она рядом стояла, смикитила — что к чему. Понял, какие шутки черт отмачивает, когда бог храповицкого задает? — Резкин улыбнулся. — После этой случайности зарок дал: поймали с поличным, не крути, Юра! Вот сегодня шел к тебе с намерением сказать, что косынка не та. А потом подумал-подумал: тебя запутаю, сам запутаюсь и Витьке, может, вместо добра в сто раз хуже натворю.

— Правильно сделал, что так решил.

— Так ты поможешь Витьке выкарабкаться из беды?

— Легкомысленных обещаний, Юра, я не даю, — Антон помолчал. — Но могу дать честное слово, что буду искать правду до конца. Заверяю тебя, никаких компромиссов не будет, только правда.

— И на том спасибо, — сказал Резкин.

Столбова Антон разыскал у колхозной мастерской. Тот колдовал у своего трактора. Увидев Антона, он вроде и обрадовался, и в то же время смутился. Протянув для рукопожатия ладонь, спохватился, что она испачкана маслом, и отвел в сторону. Антон пожал его локоть, как водится обычно, спросил, кивнув в сторону трактора:

— Ремонтируешь?

— Да нет. Мыслишка одна пришла, хочу под стогомет переоборудовать, — вытирая пучком сорванной травы промасленные ладони, ответил Столбов. — Маркел Маркелович до утра разрешил потехничить, надо управиться за ночь.

— Мне, Виктор, необходимо серьезно с тобой поговорить. Найдется у тебя с полчасика времени?

Столбов бросил под ноги измятую в руках траву и достал из кармана комбинезона пачку «Беломора».

Закуривая, искоса взглянул на Антона, видимо, догадавшись, о чем пойдет речь, проговорил:

— Какой разговор может быть о времени. Я думал, в контору вызовешь, а ты сам пришел. — И усмехнулся так, что Антон не понял, хорошо это, что сам к нему пришел, или плохо.

Взгляды их встретились. Спокойный, доброжелательный взгляд Антона и настороженный, серьезный — Столбова.

— Ты дарил Зорькиной туфли и голубую косынку с якорьками? — спросил Антон.

На лице Столбова не появилось ни растерянности, ни удивления. Во всяком случае, Антон этого не заметил. Прежде чем ответить, Столбов огляделся, увидел неподалеку от трактора ящик из-под каких-то деталей, показал на него, предлагая сесть. Подошли, сели рядом. Столбов несколько раз медленно, будто выигрывал время, затянулся папиросой и только после этого ответил:

— Дарил.

— Где ты их взял?

— Можно сказать, купил.

Антон, досадуя, что вторично не может найти к Столбову подхода, спросил:

— У кого купил? Когда?

— Когда — помню. В шестьдесят шестом году, вскоре после засыпки колодца. А вот у кого? Если бы я знал — у кого... — невесело, но удивительно спокойно проговорил Столбов.

— Туфли и косынку, что ты подарил Зорькиной, вез ей знакомый моряк, который не доехал до Ярского.

Первый раз на лице Столбова появилась растерянность, будто его внезапно оглушили. Он раздавил каблуком сапога окурок, тут же закурил новую папиросу и тихо сказал:

— Всякие предположения в голове крутились, но такого не предполагал. Вот это влип...

Антон выжидательно молчал. Столбов курил, и трудно было понять, вспоминает он или о чем-то думает.

— Вот это влип, — повторил Столбов и посмотрел на Антона. — Шесть лет почти прошло с тех пор. Через несколько дней, как колодец забросили, помог одному шоферу. Погода осенняя была, слякотная. Засадил он свой ЗИЛ в кювет по самую кабину. Если бы не я с груженым самосвалом — в жизнь бы ему самому не выбраться. Часа полтора с ним возился. Выволок из грязи. Он угощать начал, сам крепко подтурахом был. Я за рулем никогда не пью, отказался. А он, как это по пьянке бывает, расчувствовался чуть не до слез, благодарить стал. Достает газетный сверток, сует: «Возьми, бабе отдашь, пусть носит. Своей купил, но не стоит этого. Пока здесь в командировке вкалываю, сельскому хозяйству помогаю, она закрутилась в городе». Я отказываюсь, он силком толкает: «Бери!» Ну, думаю, черт с тобой, протрезвишься — сам назад попросишь. Правда, он тут же в долг червонец стал цыганить. У меня деньги были с собой, не жалко. Набралась десятка, отдал. Вот и все. С тех пор этого шофера ни разу не видел.

— А до этого не приходилось с ним встречаться?

— Нет.

— Номер машины или хотя бы буквенный индекс не запомнил?

— Черт бы там запоминал, в грязи по уши все было.

— Хоть что-то во внешности шофера ты запомнил?

— Мордастый такой дядька, лет под сорок. Помню, бутылку с пивом зубами открывал. Первый раз такое видел, удивился, как он зубы себе не выворотил.

— Сейчас не удивляешься?

— Сейчас у нас Сенька Щелчков, который Маркела Маркеловича на «газике» возит, таким манером с бутылками пивными расправляется. — Столбов помолчал. — Наверное, из приезжих тот шофер был. К нам же каждую осень со всей страны на уборку съезжаются помощники. Кто от души помогает, а иной кантуется, абы время провести.

— Постарайся, Виктор, подробности вспомнить, — Антон почти умоляюще посмотрел на Столбова: — В таком деле иногда второстепенная деталь может все, как прожектором, осветить.

Столбов сплюнул на землю отжеванный кончик папиросного мундштука.

— Так уговариваешь, как будто я враг себе. Еще тогда, как он всучил мне сверток, предчувствие было: не иначе — ворованное. Затем прошло. Сто лет бы эти туфли с косынкой у меня провалялись, если б Марина их не увидела. Понравились они ей, померила и говорит: «Витьк, ты как на меня купил. Продай». — «Бери так и носи на здоровье», — ответил, а рассказывать, как они ко мне попали, не стал. — Столбов вопросительно посмотрел на Антона. — Неужели Марининого моряка в колодце нашли?

— Трудно сейчас сказать.

— Я ведь знал, что он должен приехать...

— От кого?

— Сначала Слышка рассказал. В деревне все почему-то тогда считали, что я влюбился в Марину. Потом сама Марина говорила, что морячок к ней вот-вот приедет.

— О колодце нового ничего не вспомнил?

— Что о нем вспомнишь нового? Вот разве... бадья обычно у колодца на земле стояла, а в тот раз, утром, оказалась в колодце. Вода зачерпнута была, и кот в ней. То ли прыгнул и загремел с бадьей в колодец, то ли его туда кто швырнул. И голова у кота вроде разбита была, ну да я к нему особо и не приглядывался.

— Как ты бадью достал, если она в колодце была?

— От нее веревка к стояку была привязана, чтоб от колодца бадью никуда не утаскивали, — Столбов опять закурил. — И еще в ту ночь у меня из кабины самосвала утащили разводной ключ. Я грешил на Проню Тодырева. У него такая замашка есть — прибрать, что плохо лежит. Только, похоже, не брал он. До сих пор не знаю, куда ключ сгинул. А Проня сейчас по деревне вякает: Столбов, мол, этим ключом «ухайдакал» человека. До меня же разговоры доносятся.

— А сам Проня не мог этого сделать?

— Нет, — ответил не задумываясь Столбов.

— Трусливый?

Столбов подумал, пожевал папиросу.

— Я не сказал бы, что трусливый. По пьяной лавочке Проня и за кирпич может схватиться, и за ножик. Вот милиции он боится и пьяный, и трезвый. С детства у него эта боязнь, — Столбов улыбнулся. — В войну, как знаешь, мужиков в Ярском почти не было, одни женщины. И работали, и с ребятней управлялись. Хорошо было с теми, какие нормальными росли, а некоторые же шпана-шпаной. Проня, говорят, из таких. Замаялась мать с ним. А жил в то время в Ярском участковый милиционер, Николай Иванович. Кончилось у тетки Дарьи терпенье, пришла она к нему, христом-богом просит: «Всыпь Проньке ремня, сама уже с байбаком справиться не могу». Участковый почесал затылок. «Противозаконное это дело, — говорит. — Вот разве по случаю военного положения показательный трибунал устроить...» Собрал в контору всю деревенскую шпану, привел Проню, штаны с него долой и милицейским ремнем влил горячих, сколько мать попросила. С тех пóр, говорят, деревенская шпана тише воды, ниже травы стала, а Проня до сих пор милиции, как огня, боится.

Антон засмеялся:

— А сегодня сам ко мне на допрос пришел.

— Это не иначе — угодить хочет. Думаешь, почему он с меня «раковые шейки» выжимал? Кайров вроде бы на его защиту стал в тот раз, вот он и закуражился.

Помолчали.

— Что хоть за машина была у того шофера? — спросил Антон.

— Я ж говорил, машина ЗИЛ, вроде новенькая, но побита изрядно. Видно, шофер был аховый. Это я приметил, когда вытаскивал: он все невпопад скорость включал. Кабина такого... бежевого цвета. — Столбов вдруг прямо посмотрел на Антона. — Да что это тебя так интересует? Наверно, слушаешь меня, а у самого на уме: «Выкручивается, видать, Столбов. Шофера какого-то придумал...»

— Как тебе сказать... Мелькнула такая мысль, — честно признался Антон. — Только ты, пожалуйста, не думай, что я за нее ухватился. Напротив, сделаю все, чтобы найти того шофера.

— Где ты его найдешь, — Столбов безнадежно махнул рукой. — Столько лет прошло.

— Человек не иголка, попробуем найти, — Антон вздохнул. — Жалко, примет у нас с тобой маловато.

— Да уж какие тут приметы. Только и помню, как бутылку с пивом открывал.

Чем дольше разговаривал Антон со Столбовым, тем больше крепла уверенность в его невиновности, хотя факты, напротив, были не в его пользу. Будто умышленно кто-то подтасовал эти факты. Кто? Мысли переключились на Проню Тодырева. Почему он сейчас, столько лет спустя, вспомнил о каком-то разводном ключе? Не слишком ли он злопамятен? Не отводит ли удар от себя? Думая о Проне, Антон вспомнил его «безразмерную» тельняшку.

— Вить, откуда у Прони такая старая тельняшка? — быстро спросил он Столбова.

— Купил где-нибудь.

— Вроде с чужого плеча, великовата ему...

— На Проню размер не подберешь, он же малокалиберный.

— Давно она у него?

Столбов невесело улыбнулся:

— Не греши ты на Проню. Только время зря потеряешь.

Следствие зашло в тупик. Где и как искать этого шофера, о котором всего-то и известно, что открывает зубами пивные бутылки да машина у него была с бежевой кабиной? На какое-то время опять появилось сомнение: «А если шофер — вымысел Столбова?» — но тут же исчезло. Не похоже, чтобы Столбов стал так наивно сочинять.

День догорал ясным, обещающим хорошую погоду закатом. Хотелось скорее увидеть Чернышева, посоветоваться с ним. Однако Маркел Маркелович был еще где-то на сенокосных лугах. Антон открыл его кабинет, сел за стол, задумался. Снова вспомнился Проня Тодырев. Навязчиво перед глазами встала его застиранная, сползающая с плеча тельняшка. «Откуда она все-таки у него? — в который уже раз задал себе вопрос Антон и решил: — Придет со своей писаниной, обязательно узнаю».

Но Проня не пришел вечером, как уговаривались. Пришла его жена, Фроська — пожилая, с морщинистым лбом и длинными по отношению к туловищу натруженными руками. Исподлобья посмотрела на Антона блеклыми уставшими глазами, спросила грубым голосом:

— Дурачок мой был у вас?

— Прокопий Иванович? — на всякий случай уточнил Антон и показал на стул: — Садитесь.

— Некогда рассиживаться, — на Фроськином лице появилась не то усмешка, не то брезгливость. — Угодил, видно, мой Проня вам, коль так уважительно об нем отзываетесь. Только никакого объяснения про Витьку Столбова я писать не буду.

Антон удивленно поднял брови:

— Я вас и не просил.

— Он же, дурачок, сам в жисть не напишет. Он же не все буквы знает.

— А как на бульдозериста выучился?

— Маркел Маркелович, добрейшая душа, помог, хотел его в люди вытянуть. Силком заставил две зимы на курсы ходить, каждую гайку, каждый болтик у бульдозера прощупать непутевыми руками. А как стали курсанты экзамены сдавать, уговорил экзаменовщиков, чтобы чуду-юду не по билетам, как всех, спрашивали, а прямо на бульдозере проверяли. Вот он и отчитался таким фертом, — Фроська посмотрела на стул и тяжело опустилась на него. — Прихожу домой с работы, ребенок в слезах. Гусак где-то тут, у конторы, всю спину ему исщипал, а Проне хоть бы что. Сидит, лыбится. «Пиши, — говорит, — следователю объяснение, что Витька Столбов в шестьдесят шестом году обвинял меня в краже ключа. Сидеть Витьке в тюрьме за убийство». — «Я, — говорю, — щас тебе напишу, оглоблей тебя...» — Фроська осеклась. — Простите, ради бога, с этим чудой-юдой не только оглоблю, а всех родителев и небесную канцелярию спомянешь...

— Не надо мне такого объяснения, — сказал Антон.

— Вот и я так думаю: какое от дурака может быть объяснение? Это ж только курям на смех. Хоть бы припугнули его покрепче. Ну, совсем мужик балдеть стал, в какую ни есть, да оказию ввяжется. Вот взъелся на Столбова, ну, хоть ты кол ему на башке теши! Ох, мало его участковый Николай Иванович лупцевал в детстве...

— Я считал, что он на флоте служил. В тельняшке ходит...

— Это полосатая-то матросская майка? — Фроська сердито махнула рукой. — На базаре купил. Лет семь, не то шесть, назад вместе ездили в райцентр. Телку зарезали, продали мясо. Дала чуде-юде десятку, чтоб путнюю рубаху себе купил. На полчаса кудай-то крутанулся, является выпимши и, вместо рубахи, дурацкую майку приносит. Первое время только по праздникам ее таскал, а последний год и в будни не снимает. Рукава уж измочалились, обрезать пришлось, — Фроська хмыкнула: — На флоте, скажете тоже! Его ж из-за малограмотности даже и не брали в армию.

Под окном конторы фыркнул, как уставшая лошадь, председательский «газик». Лязгнула дверца. В коридоре послышались грузные шаги, дверь отворилась, и в кабинет вошел основательно запыленный, но веселый Чернышев.

Антон, уступив ему место, пересел к окну. Маркел Маркелович устало потер спину, блаженно вытянул под столом натруженные за день ноги и возбужденно заговорил:

— Вот работнули сегодня! Не меньше двух планов сделали. Вся деревня на лугах была, даже дед Слышка с Юркой Резкиным не вытерпели к вечеру, помогать пришли, — передохнул и посмотрел на Фроську: — Ты ко мне, Ефросинья? Благоверный твой все спит? Выпрем мы его из колхоза, ей-богу, выпрем!

— А лучше б совсем его из Ярского выпереть, не только из колхоза, — Фроська решительно рубанула рукой. — Сегодня просыпался, к следователю вот ходил. Щас я из-за чуды-юды тут объясняюсь, оглоблей его... — опять оселась и посмотрела на Антона. — Можно домой иттить? Дел у меня дома по горло.

Антон наклонил голову. Чернышев живо повернулся к нему, едва только захлопнулась за Фроськой дверь, участливо спросил:

— Твои как дела? Есть сдвиги?

— Незначительные, — признался Антон и стал рассказывать.

Чернышев слушал внимательно, не перебивая и не задавая вопросов. Изредка устало потирал виски, морщился словно от головной боли.

— И как теперь искать этого шофера? — спросил он, когда Антон рассказал все, вплоть до Прониной «безразмерной» тельняшки.

— Куплю бутылку пива, стану на большой дороге. Как увижу ЗИЛ с бежевой кабиной, бутылку шоферу: «Открой, друг». Если к зубам поднесет, в кутузку его. Следующего буду караулить. И так, пока всех, кто зубами открывает, не переловлю. Затем опознание устрою, — невесело пошутил Антон.

— Да-а... — Чернышев устало провел ладонями по лицу. — Нерадостные дела, однако раньше времени не отчаивайся. Иголку и то в стогу сена при желании найти можно. Важно: как и сколько человек ее искать будут.

— Столбову я примерно так и сказал.

— Ты верь ему, Антон, не давай Витьку в обиду, — Чернышев оживился: — Знаешь, какую он замечательную штуку сегодня предложил? Если к утру переоборудует свой трактор, мы уже завтра три суточных плана на метке сена отгрохаем, — и улыбнулся: — Значит, голуба моя, и к Проне приглядывался? Шутки шутками, хоть Столбов и Резкин скидывают его со счетов, а человек он шкодливый. По пьянке, правильно Витька сказал, и за кирпич, и за ножик схватиться может. Только в данном случае не... не подходящ Проня. Тельняшка отпадает, остается бутылка пива. Вот и надо этого шофера искать. Не иначе — приезжий кто-то. Из своего района Столбов сразу бы человека определил. А приезжих по осени у нас действительно бывает много: и краснодарские, и ростовские, и пермские, и новосибирские, — Чернышев поднялся, устало потянувшись, прошелся по кабинету. — Время позднее, пошли сейчас домой, а завтра с утра подниму на ноги всю бухгалтерию, и ты вместе с ними посмотри-ка внимательно архив за тот год: наряды, ведомости, справки разные, трудовые соглашения. Надо хотя бы ориентировочно составить картину, из каких областей в тот год работали у нас на уборке приезжие шоферы.

17. ДЯДЯ ГРИША

Поздно в этот вечер погас свет в доме Чернышева. Давно опустел почти ведерный старинной работы самовар, а Маркел Маркелович с Антоном все не вставали из-за стола. Неторопко, сумрачно шла беседа. Антон, будучи юристом, понимал, насколько нелегко доказать непричастность к случившемуся Столбова.

Чернышев, хотя и не знал тонкостей юриспруденции, но тоже отчетливо представлял себе, как трудно найти истину в столь запутанном давнем преступлении. В отличие от Антона, не исключавшего возможность участия в случившемся жителей Ярского, Маркел Маркелович был почти полностью убежден, что никто из его односельчан не мог пойти на убийство или соучастие в нем.

— Пойми, голуба моя, — рассудительно говорил он Антону, — от своих утаить преступление не так-то просто. Тут по глазам увидят неладное. Это ж деревня. Утром хозяин курицу зарубит, вечером все село знает. А ты говоришь об убийстве человека. Это тебе не пирог с малиной съесть и облизаться.

Когда Антон намекнул на несколько странное поведение бригадира Ведерникова, Чернышев, немного подумав, заявил:

— Самое правильное решение бригадир принял. Сам пораскинь мозгами: бревна надо заготовить, привезти к колодцу. Они кому-либо приглянутся, вечерком погрузит — и домой. Колодец опять раскрыт. А земли — два-три самосвала ухнул, и порядок... Другое дело, почему Ведерников тянул с засыпкой колодца? И опять же, можно понять его: столько лет колодец существовал, и ничего не случалось...

Какие только мысли не лезли в голову Антона. Он с пристрастием анализировал поведение Столбова, сложившуюся ситуацию и не находил из нее выхода. О приезде в Ярское Георгия Зорькина в деревне знали трое: Марина Зорькина, старик Слышка и Столбов... Но Слышка по своей болтливости мог рассказать еще кому-нибудь. Хотя бы тому же Проне — «чуде-юде», как назвала его жена, в матросской майке, который «по пьянке может и за ножик, и за кирпич схватиться». Воспоминание о Проне вызвало какое-то сожаление. Проня Тодырев — опустившийся, по-своему несчастный человек. На него сыплются все шишки. У Столбова пропал ключ — сразу грех на Проню. Что это за ключ? Почему он исчез именно в ту ночь, когда кот оказался в колодце? Совпадение?.. Не слишком ли много для Столбова совпадений: исчез ключ, кота из колодца достал, землю возил в колодец, бревнами его накрывал, туфли с косынкой...

Отчего через столько лет Проня вспомнил о ключе? Как возникла у него мысль о связи исчезнувшего у Столбова ключа с убийством? «Злопамятный он, паскуда, это точно», — сказал о Проне Юрка Резкин. А так ли безупречен сам Юрка?..

Вопросы, как зубья вращающихся шестерен, цеплялись друг за друга, и не было им ни конца ни края. Неожиданно Антон спросил:

— Маркел Маркелович, была ли необходимость восстанавливать колодец? Шесть лет без него обходились...

Чернышев пожал плечами.

— Ведерников настоял. Нынче уж, если не в сенокос, то в уборочную механизаторы обязательно на культстане жить будут — у нас неподалеку от культстана, за леском, пшеница посеяна. Технику водой заправлять понадобится, а в роднике она в час по чайной ложке бежит. Только попить да умыться.

Несколько раз Антон возвращал разговор к Столбову, и каждый раз Чернышев поднимался за Столбова горой.

— Вы в случайность верите? — спрашивал Антон.

— Верю. Проне Тодыреву нос расквасил — это случайность. Но если б с Проней при этом стряслось что-то серьезное, Столбов на собственной бы горбушке потащил его в больницу. Понимаешь, это человек неиспорченный, нервы у него крепкие, мозги без всяких вывихов. На почве ревности?.. Витька — натура цельная. Таким людям, как он, в любви подавай или все, или ничего. Унижаться и просить милостыню в любовном деле Столбов не станет, тем более — убирать с пути соперников.

От слов Чернышева становилось легче. В них Антон видел подтверждение собственных выводов, однако убеждения в их правильности не было. Захотелось как можно скорее увидеть подполковника Гладышева, поделиться с ним своими сомнениями, посоветоваться, с какого конца лучше начать поиск неизвестного шофера. Страшно угнетало чувство своей беспомощности.

В институте Антона учили, что как бы тщательно ни готовилось преступление, как бы осмотрительно оно ни было совершено, следы все равно остаются. С надеждой найти эти следы и зарылся Антон на следующее утро в бухгалтерский архив колхоза. К вечеру от моря бумаг и бумажек рябило в глазах, щипало в горле от бумажной пыли, а результат был неутешительный — в злополучную осень 1966 года в Ярском работали машины из самых различных организаций райцентра, из Новосибирского и Пермского автохозяйств и даже из Новокубанского района Краснодарского края. Никаких сведений о водителях этих машин в бухгалтерских документах не было, так как большую часть документов в связи с истечением сроков хранения уже давным-давно успели уничтожить.

Положение складывалось, как сказал Чернышев, хуже губернаторского. Не поедешь же, скажем, в

Краснодарский край, чтобы там в каком-то неведомом Новокубанском районе искать неведомого шофера и его машину с бежевой кабиной. За шесть лет кабину могли перекрасить и в синий, и в зеленый, и в серо-буро-малиновый с крапинками... Да и зубы у шофера могли поизноситься так, что он уже не только бутылки с пивом ими не открывает, но и корку хлеба размачивает перед тем, как в рот сунуть...

С такими, далеко не розовыми, мыслями приехал Антон из Ярского. За те дни, что он отсутствовал, в райотделе ничего нового не произошло, дел серьезных не было. Это Антон понял по благодушному настроению Славы Голубева, который, забежав на минутку, сидел в его кабинете уже около часа и высказывал самые невероятные варианты коллективного поиска преступника.

— А что?.. — не то всерьез, не то в шутку говорил Слава. — Я еду в Краснодарский край, ты — в Пермь, в Новосибирске дадим поручение областному уголовному розыску — Графа-Булочкина мы им задержали, пусть и они теперь на нас поработают. Кайрову поручим вплотную заняться районными организациями. В далекие командировки ему ехать нельзя — он как-никак старший инспектор, своего рода начальник отдела. Куда ему в дальние командировки?.. Коллектив, скажу я тебе, — это сила! Согласен со мной?

— Точно, Славочка, — Антон подмигнул: — Только в Краснодарский край, пожалуй, рвану я. Там потеплее и фруктов больше, чем в Перми. На еропланах полетим?

— Зря хохмишь. Недопонимаешь ты важности коллективизма в работе. Вот на границе у нас было так: все за одного, один за всех. Не таких, как Булочкин или этот, твой... шофер, брали за горло.

Там, брат, в этом отношении здорово дело поставлено! А Кайров у нас — зануда. Вчера попросил его, как более опытного товарища, выступить перед комсомольцами с лекцией о применении видеозаписи в следственной практике, так он и разговаривать со мною не захотел. Ну вытяну я его за подобные штучки на ковер к подполковнику!

— Лучше попросил бы его рассказать об особенностях допроса подследственного в условиях лунного притяжения.

— Не веришь, что видеоаппараты скоро поступят в райотделы? — обиделся Голубев.

— На Луне скорее преступление совершится.

— Откуда ты такого пессимизма набрался? Это от Кайрова, точно от него! Нельзя жить сегодняшним днем. Журнал «Советская милиция» читаешь?

— Читаю.

— Молодец. Заметил, сколько там интересного пишут? Кстати, и о видеозаписи писали. МУР с ней чудеса творит.

— К сожалению, в моем теперешнем деле и видеозапись не поможет, — Антон вздохнул. — Надо к подполковнику идти, а что докладывать, не знаю.

— Не вешай носа! — сказал Слава. — Коллективом возьмемся — черта рогатого на свет Божий вытащим, не только твоего шофера. Подумаешь, шофер! Проси, чтобы подполковник подключил меня к тебе в помощь. Вплотную займемся, держу любое пари, отыщем! Ну, берешь в помощники?

— Беру! — в тон Голубеву пошутил Антон.

Подполковник Гладышев, прежде чем выслушать доклад Антона, пригласил капитана Кайрова и, когда тот пришел, чуть улыбнувшись, сказал:

— Две головы хорошо, три еще лучше.

Кайров ответил молчаливой улыбкой, небрежно сел на свое излюбленное место у стола начальника. Все с той же улыбкой он посмотрел на Антона и приветливо кивнул головой, словно между ними не произошло никакого инцидента. И Антон не понял, прощает ему Кайров случившееся в Ярском или нет.

— Теперь давай все по порядку, с мельчайшими подробностями, — сказал подполковник Антону.

Рассказывая о проделанной работе, Антон исподтишка взглядывал то на подполковника, то на Кайрова. Хотелось знать, как они воспринимают его выводы. Подполковник слушал внимательно, изредка постукивая мундштуком папиросы по коробке «Казбека». Кайров, заложив ногу на ногу, рассеянным взглядом изучал лакированный носок своего ботинка — так, обычно, он вел себя, когда был чем-то недоволен.

— Ты сам веришь в то, что можно найти этого шофера? — спросил подполковник.

— Иголку в стогу сена и то найти можно. Важно: как и сколько человек ее искать будут, — почти словами Чернышева ответил Антон.

Подполковник посмотрел на Кайрова:

— Что ты, капитан, скажешь?

Кайров, прежде чем ответить, провел ногтем мизинца по полоске усов.

— Улики против Столбова складываются серьезные. По-моему, не случайностью здесь пахнет.

— Что предлагаешь?

— Возбудить уголовное дело и немедленно арестовать Столбова. Думаю, это принесет только пользу, так как Столбов, оставшись на свободе, может организовать различные версии в свое оправдание.

— Это неправильно! — возмутился Антон. — Как вы докажете виновность Столбова?

Кайров с упреком посмотрел на него:

— В таких случаях, дорогой мой, оперативность и решительность доказывают многое.

— Но это же... мягко говоря, будет не гуманно по отношению к Столбову.

— Не надо путать гуманность со слюнтяйством. У Столбова, кроме голословного заявления о каком-то шофере, нет никаких реабилитирующих фактов. Ты не согласен со мной?

— Согласен, но...

— Вот и у меня есть по этому делу одно «но», — живо перебил Антона Кайров и посмотрел на подполковника. — Мне, Николай Сергеевич, не совсем удобно высказывать свои сомнения, однако, поскольку у нас с Бирюковым возникают принципиальные разногласия, ответьте на такой вопрос. Вы не допускаете мысли, что в колодце найдены останки вовсе не Зорькина? Мы ведь располагаем только предположением, основанным на сомнительных показаниях сомнительных людей. И не больше. След Зорькина для нас с вами оборвался в Новосибирске, когда он расстался с Булочкиным. Дальше пустота, мрак...

— Задача в том и заключается, чтобы этот мрак рассеять, — подполковник нахмурился, открыл одну из лежащих на столе папок и достал из нее телеграфный бланк. — Кстати, Медников прислал телеграмму. Скульпторы-антропологи из лаборатории пластической реконструкции человека обещают восстановить лицо по черепу, найденному в колодце.

— Как Боря сумел с ними договориться? — Кайров недоверчиво взглянул на телеграмму. — У них же время — золото, уйма научных дел, а тут какой-то череп...

— Не все работают ради золота, — с намеком сказал подполковник. — У многих еще и интерес к работе есть. Помнишь, не так давно я с тем же Борей Медниковым тебе пример приводил?

— Считаете, у меня этого интереса нет? — обиделся Кайров.

— Вот сразу уж и шапка загорелась. Не надо горячиться. Мы собрались посоветоваться, сообща обдумать дальнейший план следствия, а не... — подполковник не успел договорить.

В кабинет, как гром с ясного неба, ввалился Чернышев.

— Надеюсь, посетителя из провинции примете без бюрократизма, — поочередно пожимая всем троим руки, сказал он, сел против Кайрова и подмигнул Антону.

Антон впервые видел Чернышева таким оживленным и веселым. Радость бродила в нем, как молодое вино в крепком бочонке. Но Маркел Маркелович не торопился ее высказывать и начал издалека:

— Совсем, Николай Сергеевич, забыл Ярское. Сто лет уж не наведываешься в гости. А в Потеряевом озере такой окунь пошел! А щуки повырастали... — во!..

Подполковник улыбнулся.

— Зубы не заговаривай, Маркел Маркелович. Говори, с чем приехал. Опять какой-нибудь колодец раскопал?

— Упаси бог, голубчик Николай Сергеевич! — Чернышев шутливо загородился руками. — С прежними раскопками надо разобраться. Антон, уезжая, подсуропил мне задачку, что всю прошлую ночь спать не мог. Ох, и поломал же я головушку! Ладно — утром осенило, а то хоть ты к доктору иди, совсем расхворался, — повернулся к Антону и кивнул на дверь: — Там мои молодцы ждут, впусти-ка их сюда.

Антон открыл дверь кабинета. В коридоре, смущенно прислонившись к стене, стояли Столбов и шофер «газика» Сенечка Щелчков. Антон поздоровался и пригласил их в кабинет. Чернышев загадочно посмотрел на подполковника, затем на Кайрова и, подмигнув, сказал шоферу:

— Ну, голубчик Сеня, выступай...

Шофер кивнул головой, одним духом выпалил:

— Д-дядя Гриша его звать. Точно п-помню.

— Кого? — не понял подполковник,

— Кто Витьке т-туфли всучил и к-косынку.

Кайров едва приметно улыбнулся. Чернышев посмотрел на шофера с упреком, шутливо сказал:

— Предлагал тебе, раздави для разговора поллитровку! Не послушался, теперь вытягивай из тебя слова, — и, повернувшись к подполковнику, заговорил серьезно: — Бирюков, уезжая, рассказал мне, что Столбов запомнил, как тот шофер открывал пивную бутылку зубами. И вот сегодня утром мне стукнуло в старую голову: шофер мой, Сенечка Щелчков, таким же способом раскупоривает бутылки! А где ж он такую школу прошел, где такому мастерству обучился? Еле дождался его на работу, спрашиваю и своим ушам не верю. Оказывается, в шестьдесят шестом году голубчик Сеня стажировался у одного приезжего шофера. Тот его и к пиву приучил, и открывать пивные бутылки Сеня таким способом наловчился.

Сенечка кивнул головой:

— Т-точно. В тот год закончил курсы шоферов в райцентре, приехал домой, надо с-стажироваться. Хотел к Витьке Столбову пойти, а Маркел Маркелович с-сказал: «Ты мне Столбова только от дела отрывать будешь, некогда ему с учениками возиться. Договаривайся с приезжими шоферами». Я договорился с д-дядей Гришей — он как-то у нас ночевал. Машина новенькая была. Кабина, как Витька говорит, т-точно помню — бежевая. П-полмесяца с ним ездил. П-потом он говорит: «Иди ты от меня. Только место в кабине занимаешь, калымить мешаешь».

Подполковник хотел что-то спросить, но Чернышев, видимо, опасаясь, что Сенечка снова начнет заикаться, испуганно поднял руки. Сенечка чуть поперхнулся и продолжил:

— Шофер тот из Новосибирска к нам на уборочную приезжал. Вот фамилию з-забыл. То ли Бухов, то ли Бухаев. Я всегда его д-дядей Гришей звал. П-пива хоть бочку мог в-выдуть, бутылки — т-точно — зубами открывал.

Щелчков замолчал. Чернышев удовлетворенно кивнул головой, будто похвалил, и повернулся к подполковнику:

— Все. Сенечка выключился, можешь задавать вопросы, Николай Сергеевич.

— Когда вы перестали стажироваться? — спросил подполковник.

— В п-первых числах сентября.

— В чем «калымить» ему мешали?

— Из райцентра он пассажиров попутных возил. Т-трояк или пятерку с человека брал. Зерно на э-элеваторе выгрузит — и к электричке, на в-вокзал. Желающих уехать всегда много было, особенно вечером. П-пассажирские же автобусы не во все села по расписанию ходят, вот д-дядя Гриша и подрабатывал. Т-только он весь калым пропивал.

Подполковник слушал внимательно, что-то помечал на листке перекидного настольного календаря. Антона так и подмывало подмигнуть ему и спросить Кайрова: «Что теперь скажете, товарищ капитан?..»

Кайров сидел со скучающим выражением на лице. Казалось, его абсолютно не интересует, что говорит Щелчков, но, когда пауза затянулась, он вдруг посмотрел на Щелчкова и спросил:

— Насчет бежевого цвета кабины ты сам вспомнил или тебе Столбов подсказал?

— С-сначала Витька, а п-после сам. Да вы не сомневайтесь, т-точно бе-бе-бежевая кабина, — заикаясь сильнее, чем обычно, ответил Щелчков.

— Я и не сомневаюсь, — Кайров улыбнулся: — А ты не сочиняешь? Может, тебя Столбов попросил об этом рассказать?

— Что я, д-дед Слышка? — Щелчков растерянно посмотрел на Чернышева. — Т-точно все говорю. З-зачем мне с-сочинять? З-зачем Витьке ме-меня п-просить?

Кайров пристально посмотрел Щелчкову прямо в глаза:

— Узнать того шофера, которого дядей Гришей называешь, сейчас сможешь?

— Д-давно де-дело было, м-могу обознаться. Но если на машине с ним проеду, т-точно узнаю. У него ориентировка плохая была. Часто т-тормозил не там, где на-надо.

— А ты? — Кайров посмотрел на Столбова.

— Я всего один раз его видел, — хмуро ответил Столбов.

— Знаете ли вы, что за ложные показания... — спокойно начал Кайров, но подполковник остановил его.

— Подожди, капитан, — и посмотрел на Щелчкова. — У кого жил этот дядя Гриша в Ярском?

— В клубе все жили. Мы обычно каждый год для приезжих механизаторов и шоферов в клубе гостиницу оборудуем, — сказал Чернышев.

Но Щелчков уточнил:

— Он почти и не жил в Ярском. То с пассажирами в к-какую деревню забурится, то бутылку водки засадит и спит прямо в кабине, где придется. А з-злой был, когда выпьет, как з-зверь. Чуть что не так, сразу за рукоятку хватается, какой машину з-заводят.

Дальнейший разговор подполковник свел к уточнению деталей. Детали были скупыми, но в какой-то мере они уже давали возможность хотя бы ориентировочно представить портрет дяди Гриши: телосложение — крепкое, рост — примерно метр семьдесят пять, черты лица — грубые, волосы — русые, подстриженные «под бокс». Искать дядю Гришу следовало в Новосибирске в областном автохозяйстве, так как Щелчков помнил, что дядя Гриша часто упоминал эту организацию. Был намек и на фамилию: Бухов, Бухаев, Бухнов... Что первые три буквы «бух», Щелчков запомнил точно.

— У нас так Маркел Маркелович б-бухгалтеру пишет на требованиях или заявлениях, — сказал он.

Собираясь уезжать, когда уже Щелчков и Столбов вышли из кабинета, Чернышев на минуту задержался и сказал:

— Человек не иголка, теперь этот «Бух» никуда не денется. Может, в помощь милиции для розыска из наших ребят кого подбросить? У нас есть дельные парни, грамотные. Как, Николай Сергеевич?

— Попробуем обойтись своими силами.

Кайров, подчеркнуто молчавший после того, как Гладышев не дал ему высказать мысль насчет ложных показаний, вдруг засмеялся:

— Ты, Маркел Маркелович, наверное, и за Проню Тодырева такой же горой встал бы, как сейчас **поднялся за Столбова.**

— А ты что думал?! — удивился Чернышев. — Проня тоже мой голубчик. Хоть и лодырь, хоть и сопливый, но мой. Кто ж за него заступится, если не я. У меня принцип такой: предъяви неопровержимые доказательства, что человек виновен, и тогда хоть на всю катушку, как по закону положено, наказывай его. Пока таких доказательств нет, зубами буду грызться за каждого своего колхозника.

Когда Чернышев, распрощавшись со всеми, вышел, подполковник, просматривая сделанные записи, будто самому себе сказал:

— Вот и дядя Гриша появился...

— Это уже что-то! — весело подхватил Антон и с опаской взглянул на Кайрова.

Скука с лица капитана сошла, но он все еще вроде в чем-то сомневался, чем-то был недоволен.

— Что теперь скажешь? — спросил его подполковник.

— Гложет меня червь сомнения, — несколько театрально произнес Кайров. — Вы обратили внимание, что и Щелчков, и Столбов не уверены, узнают ли они шофера. Копошится во мне подозрение, будто сочиняют молодцы Чернышева сказку. Ищите, мол, дядю Гришу. Не найдете, что ж... мы не виноваты, мы его в лицо не помним.

— Да-а, — вздохнул подполковник. — Все может быть, но... как говорят Чернышев с Бирюковым, человек не иголка. Попробуем все-таки искать, а?

— Я не против, — быстро согласился Кайров. — Жаль будет только, если эти розыски окажутся мартышкиным трудом.

Гладышев словно не услышал последней фразы.

— Поручим мы это дело Бирюкову, — сказал он. — А для поддержки духа в помощь выделим инспектора уголовного розыска Славу Голубева, который любит коллективно работать. Вот и пусть вдвоем едут в Новосибирск, пусть в автохозяйстве переберут всех до одного шоферов. Не может же этот дядя Гриша бесследно исчезнуть. — И, посмотрев внимательно на Антона, спросил: — Согласен, Бирюков?

— Так точно, товарищ подполковник. Согласен, — отчеканил Антон.

18. СЕРЕБРЯНЫЙ ПОРТСИГАР

В подчинении областного автохозяйства оказалось несколько подразделений. Чтобы просто побывать в них, надо было затратить не меньше дня. Антон же со Славой Голубевым не только наносили «визит дружбы», но и подробно беседовали с руководителями, разыскивая шофера с именем Григорий и фамилией, начинавшейся с «Бух». Начальники отделов кадров встречали хотя и не с распростертыми объятиями, но, во всяком случае, терпимо. Они вытаскивали из шкафов груды учетных карточек, подсказывали, кто из шоферов более или менее похож на того, который интересовал уголовный розыск. В результате количество карточек уменьшалось, и Антон со Славой начинали разглядывать фотографии, внимательно изучать биографические данные. В областном автоуправлении штат шоферов был солидным. Фамилий, начинавшихся с «Бух», оказалось превеликое множество. Были Бухарины, Бухманы, Бухановские, Бухтармины, а один попался даже Бухтаратайкин. Но все они не подходили или по возрасту, или по стажу работы, или по внешним данным.

На другой день Антон со Славой разошлись по разным автохозяйствам, решив, что так дело пойдет быстрее, но вечером по-прежнему вернулись в гостиницу ни с чем. Так продолжалось, и третий, и четвертый, и пятый день. К концу недели Антон почти полностью убедился в правоте Кайрова — труд походил на мартышкин. И только беззаветно верящий в коллективизм Голубев не унывал. Устало потягиваясь на жесткой гостиничной койке, он как ни в чем не бывало рассказывал Антону:

— Вот на границе мы одного жука полгода караулили. Контрабандой, паразит, занимался. Хитрюга невыносимый! Со стажем проходимец был, с дореволюционных лет махинациями промышлять начал, все тонкости конспирации знал. И что ты думаешь? Взяли, как суслика! Колхозники помогли задержать.

Бодрое настроение Голубева вселяло какую-то уверенность в предстоящем успехе. Однако по прошествии недели Антон все-таки позвонил в райотдел и доложил подполковнику о бесплодности поисков. Подполковник, уловив в голосе нотку пессимизма, спросил:

— Как настроение у Голубева?

— Как всегда, отличное. Верит в успех.

— Вот и ты должен верить, — ободрил подполковник. — Запомни, нет безнадежных дел, есть люди, безнадежно опускающие руки. Для работника уголовного розыска — это самое последнее дело — опустить руки.

Слава Голубев, узнав о разговоре, закипятился:

— Правильно говорит подполковник! Хороши бы мы с тобой были, если б раскисли, не доведя проверку до конца. Жаль вот, что не круглосуточно отделы кадров работают. Быстрее бы тогда у нас дело пошло, а так, не успеешь оглянуться, — рабочий день кончился.

Антон улыбнулся. Вроде бы и пустяк сказал Голубев, но была в сказанном такая искренняя вера в успех, что Антону стало стыдно за свою минутную слабость. Открыв записную книжку, где были перечислены все подразделения автохозяйства, он стал округлять те, в которых уже побывали. Округленных получилось больше половины. Слава заглянул в книжку и предложил:

— Давай на одну организацию ежедневно больше проверять. Мы как сейчас делаем? Чуть рабочий день к концу, уже идем в гостиницу, боимся на часик сверхурочно задержать кадровиков. А что их бояться? Зачем такая щепетильность? Пусть хоть пять минут остается до конца рабочего дня, застанем кадровика на месте — выкладывай сведения и сиди с нами, пока разберемся. Не по личному ведь вопросу приходим, по работе. Правда?

— Правда, Славочка.

За следующий после разговора день кружочков в записной книжке прибавилось, через сутки — еще. Дело близилось к концу, для завершения проверки оставалось два, в худшем случае — три дня.

В тот вечер, перебирая учетные карточки, Антон беседовал с очередным начальником отдела кадров, которого застал буквально перед самым концом рабочего дня. Фамилия кадровика была Жариков. Мрачноватый, уже предпенсионного возраста, он, поворачивая на столе массивную, полную окурков пепельницу, неторопливо рассказывал о водителях, которые заинтересовали Антона, детализировал их привычки, особенности характера. Сам в недавнем прошлом шофер, Жариков знал водительский состав, что называется, досконально. Беседа затянулась. Охарактеризовав очередного шофера по фамилии Бухгольц, Жариков щелкнул пустым портсигаром и обратился к Антону:

— Вы не курите? Не подрассчитал, свои все кончились.

— Не курю, — ответил Антон и на какую-то секунду задержал взгляд на портсигаре.

Память сработала молниеносно. Точно такой портсигар — серебряный, с изображением крейсера «Аврора» на крышке — был у Иннокентия Гаврилова, когда его допрашивал подполковник.

— Разрешите взглянуть, — попросил Жарикова Антон.

Жариков равнодушно протянул портсигар. Антон открыл его и на внутренней стороне крышки прочитал гравировку: «Георгию на память от Иннокентия. Сентябрь, 1966 г.». Тотчас вспомнились слова Гаврилова: «Перед Гошкиной демобилизацией он мне подарил, а я такой же ему», и Антон почувствовал нервный озноб — портсигар бесспорно принадлежал Георгию Зорькину.

— Чистое серебро? — стараясь не выдать волнения, спросил Антон.

— Не знаю, — Жариков отыскал в пепельнице подходящий окурок и прикурил его. — Должник один вроде как в залог отдал. Года два уже таскаю, — и вдруг спохватился: — А ведь должник мой похож на того, которого вы ищете!

Антон выжидательно замер. Жариков почмокал гаснущим окурком и заговорил:

— В шестьдесят восьмом году я еще работал шофером. Был в то время у меня сменщиком Бухарев Григорий Петрович, возрастом и внешностью — как вы рассказывали. Шоферишко — так себе, в придачу — выпивоха. Поначалу я этого не знал, ну и сдуру как-то в долг тридцатку ему отвалил. Вскоре после этого за пьянку автоинспекция у него права отобрала, и его с работы, как говорят, без выходного пособия... Я и надежду потерял, что долг стребую, а года два назад в гастрономе встретились. Смотрю, бутылку берет. Подхожу: «Что ж ты, друг ситный, водочку попиваешь, а о долге забыл?» Он заюлил, как кошка, которой на хвост наступили, вижу, улизнуть настроился. А тут сотрудник милиции в гастроном входит. Я в шутку: «Сейчас, мол, подзову». Бухарева будто кипятком обдали, достает портсигар: «Возьми, серебряный. Как деньги появятся, сразу приду, обменяемся». Думаю, с паршивой козы — хоть шерсти клок. Забрал портсигар, считал, дешевая подделка, а знатоки говорят, по правде серебро.

— В какой организации вы с Бухаревым работали? — осведомился Антон.

— Да я уж четверть века в одной работаю, — Жариков с сожалением затушил окурок. — И он здесь же работал. Сейчас попробую найти его личное дело. Не так давно архив перебирал, видел.

Он открыл шкаф, долго перекладывал с места на место запылившиеся тощие папки, наконец выбрал одну из них.

Антон развернул корочки. В папке лежало малограмотное заявление о приеме на работу, личный листок по учету кадров и две выписки из приказов: одна с зачислением на работу шофером, другая об увольнении. В личном листке тем же почерком, что и на заявлении, было написано: «Бухарев Григорий Петрович, год рождения 1921, образование 7 классов, курсы шоферов». В дальнейших графах были обычные ответы: «да», «нет». Антон торопливо прочитал их и возвратился к графе «Были ли судимы» — против нее стояло «да».

— Не рассказывал, за что он был судим? — спросил Жарикова.

— Говорил, по пьяному делу что-то накуролесил, да это и не удивительно. Страшно заводной был, когда пьяный. С полуоборота, как говорят шоферы, заводился. Зверел прямо-таки человек.

Антон стал перечитывать листок по учету. Ему показалось, будто он что-то упустил, и только когда дочитал вторично до конца, догадался, что в листке нет домашнего адреса Бухарева. Жариков, узнав об этом, сказал:

— Пустяки. Хоть и давно, но приходилось у него бывать. По шоферской памяти попробую найти, если нужно. Вот только, проживает ли он по прежнему адресу?

Бухарев жил на частной квартире в отдаленном районе города. Новые многоэтажные корпуса наступали на приземистые покосившиеся дома и засыпушки, начавшие свое существование в трудные послевоенные годы. Антон с Жариковым долго плутали по пыльным улочкам и переулкам, прежде чем постучать в дверь низенькой выбеленной известью мазанки. На стук никто не ответил. Жариков постучал энергичнее, и только после этого чуть шевельнулась цветная оконная занавеска, и еле слышный через стекло голос спросил:

— Кого надо?

— Григория, квартиранта вашего,

— Никаких квартирантов у меня нет, — грубо пробормотал все тот же голос.

— Откройте. Мы из милиции, — сказал Антон.

За дверью скрипнули половицы, что-то зашуршало, и послышалось требовательное:

— А ну, покажь документ.

Антон достал удостоверение личности и просунул его между косяком и дверью. Но и после этого дверь долго не открывали. Поскрипывали половицы, слышалось бормотание, словно вслух читали по слогам. Отворилась дверь неожиданно. Появившаяся в ее проеме похожая на бабу-ягу старуха, возвращая удостоверение, сердито спросила:

— Чего вы ищете вчерашний день?

— Нам квартиранта вашего надо, — сказал Антон, — Бухарева.

— Мой квартирант давно в милиции сидит. Или утек, подлец?

Форменная одежда Антона, видимо, внушила старухе доверие, и она мало-помалу разговорилась. Как поняли из ее рассказа Антон и Жариков, Бухарев последнее время старухе за квартиру не платил, нигде не работал, пьянствовал и «вожжался со всякой шантрапой».

— Грабежом они занимались, — сделала заключение старуха. — С месяц тому назад притащили два чемодана с женскими вещами и давай делить. Тут я их и шуганула. «Вон, — говорю, — аспиды и тунеядцы, из моего дома!» Окрысились. «Только пикнешь, — говорят, — мигом прикончим». Испугать хотели, анафемы. А чего мне бояться? Девятый десяток приканчиваю. Отжила свое. Добралась до уголовного розыска и обсказала все, как батюшке на исповеди. Вскорости прикатили на своем воронке милицейские и накрыли моего квартиранта вместе с женским шмутьем. В розыске-то еще меня и благодарили. Беленький такой старичок спасибо говорил, что помогла задержать опасного преступника. Сказывал, будто Гришка-кровопивец женщину загубил. Стрелять таких подлецов надо!

— Дома ваш квартирант выпивал? — спросил Антон. — Пиво пил?

— Каждый Божий день. Декалон и тот пил, не только пиво.

— Как он пивные бутылки открывал?

— Обыкновенно, об угол табуретки.

— Зубами никогда не пробовал?

— Э-э, милай, — старуха махнула рукой. — Зубы ему давно в драке выхлестали.

Жариков подтвердил:

— Это и я, тогда в гастрономе, приметил: маловато у Бухарева зубов осталось. Вот раньше он действительно любил ими щегольнуть где надо и не надо. То бутылки открывал, то по спору проволоку перекусывал. И без пива дня не проводил. Только на моей памяти, наверное, полную цистерну выпил.

Сомнений не оставалось. Бухарев был тем самым шофером ЗИЛа с бежевой кабиной, всучившим Столбову туфли и косынку, тем самым «дядей Гришей», у которого стажировался Щелчков. Оставалось выяснить, как эти вещи и серебряный портсигар, бесспорно принадлежавший Зорькину, попали к Бухареву.

В гостиницу Антон заявился уже в одиннадцатом часу вечера. Схватил в охапку щупленького Славу Голубева и закружил его в вальсе, восхищенно приговаривая:

— Какой ты молодец, Славка! Какой молодец! Если бы не ты, у Жарикова не кончились бы папиросы и я не увидел бы его серебряный портсигар. Славка! Я с тобой в разведку готов идти...

— Отпусти, ребра сломаешь! — вырывался ничего не понимающий Слава. — Ты можешь объяснить по-человечески?

— Нашелся дядя Гриша! Бухарев его фамилия. Судя по всему, в следственном изоляторе сидит. Я виделся со старушкой, у которой он квартировал, — Антон отпустил Славу и с размаха сел на свою койку. — Завтра я с самого раннего утра бегу в уголовный розыск. Дело Бухарева, кажется, ведет Степан Степанович Стуков. Это один из толковых инспекторов. Я его знаю. А ты позвонишь подполковнику и доложишь, что откопали мы с тобой «дядю Гришу». Понял, Славка?!

— Чего тут не понять? — Голубев подмигнул Антону: — А ты сомневался, Фома неверующий.

19. КОНЦЫ В ВОДУ

На столе подполковника Гладышева зазвонил телефон. По тому, как требовательно и протяжно залились звонки, Гладышев понял, что вызывает междугородная.

Слава Голубев необычно взволнованным голосом, торопливо, но вразумительно доложил:

— Товарищ подполковник, нашли мы «дядю Гришу». Бирюков в уголовном розыске заканчивает его допрос. К вечеру вернемся домой, в райотдел.

— Молодцы! Особенно не торопитесь, постарайтесь все возможное выяснить до конца.

— Бирюков просил передать, что чемодан Зорькина утоплен в Потеряевом озере, — продолжал тараторить Слава. — Позвоните, пожалуйста, Маркелу Маркеловичу Чернышеву, чтобы он срочно организовал поиски этого чемодана. В нем вещественные доказательства должны быть.

— Ты когда-нибудь видел Потеряево озеро? — спросил Гладышев. — Скорее «дядю Гришу» в Новосибирске найти, чем в этом море воды чемодан.

— Бирюков сказал, что чемодан выброшен из машины в том месте, где дорога идет у самого озера. В общем, где тонул Бирюков. Это место Столбов знает.

— Другое дело... — Гладышев помолчал. — Я сам сейчас выеду в Ярское.

Откровенно говоря, отправляя Бирюкова с Голубевым в командировку, подполковник в общем-то был согласен с Кайровым и не особо верил в успех. Не так-то просто в городе почти с полуторамиллионным населением отыскать, по существу, неизвестного человека, хоть этот человек и не иголка. Сейчас, после сообщения Голубева, будто гора свалилась с плеч подполковника. Через полчаса после разговора с Голубевым он уже мчался на служебной «Волге» в Ярское.

Как обычно, Чернышева в конторе не было. Милицейская машина долго петляла по скошенным колхозным лугам, прежде чем подполковник отыскал Маркела Маркеловича. Обрадовавшись встрече, Чернышев выслушал подполковника, энергично хлопнул себя по коленке.

— Памятник вам при жизни надо ставить! Такой давности дело раскопали, — он почесал в затылке. — Глубокое озеро-то. Как искать, голуба моя, будем? Столбову можно поручить?

— Конечно. Почему ж нельзя?

— Тогда найдем! Лучше Столбова у нас в Ярском никто не ныряет. А спросил-то о нем вот почему: прошлый раз Кайров будто подозрение ему высказывал...

— Почему подозрение? — подполковник нахмурился. — Прежде чем до истины добраться, приходится сотни всяческих предположений перекрутить.

— Вообще-то правильно, — согласился Чернышев. — Дело серьезное. Тут с плеча рубить нельзя, чтобы дров не наломать.

Вечером за околицей Ярского, у берега Потеряева озера, можно было наблюдать необычную картину. Столбов в одних плавках, с длинным шестом в руках, обхватив ногами два сколоченных вместе бревна, словно забавляясь, медленно кружил почти на одном месте, будто измерял шестом глубину. Иногда он останавливался, осторожно сползал с бревен и скрывался под водой.

Вынырнув, отфыркивался, снова забирался на свое плавучее сооружение и, передвинувшись на несколько метров, принимался за прежнее. Чернышев и подполковник Гладышев сидели на берегу и внимательно следили за Столбовым.

Чуть поодаль от них, сбившись стайкой, нахохлились деревенские ребятишки, без которых конечно же не могло обойтись такое непонятное занятие. Не обошлось оно и без Егора Кузьмича Стрельникова. Неслышно подойдя к Чернышеву и подполковнику, он поздоровался, несколько минут, щурясь от вечернего солнца, глядел на Столбова и, не сдержав любопытства, проговорил:

— Никак, слышь-ка, глубину Витька измеряет...

Чернышев с улыбкой посмотрел на старика:

— Тебе, Егор Кузьмич, не сидится дома.

— Дак какие у меня дела могут быть дома, Маркел Маркелыч? Можно сказать, нахожусь на заслуженном отдыхе. А отдых я понимаю так: желаешь — дома сиди, желаешь — совершай прогулки. Вот когда мы с Юркой Резкиным помогать тебе приходили на сенометку, ты не ругался...

Стрельников помолчал, видимо, рассчитывая, что Чернышев поддержит разговор, но тот стал закуривать.

— Должно быть, что-то строить решили? — опять не утерпел старик.

— Фонтан в озере отгрохаем, чтобы вода метров на десять вверх бузовала, — серьезно сказал Чернышев.

— Ух, ты, мать честная! — Егор Кузьмич сдернул с головы картуз. — Дак это ж сколько денег на такое сооружение понадобится?

— Сто тысяч.

Старик раскрыл рот, похлопал белесыми ресничками:

— Не иначе, слышь-ка, заморских иностранцев встречать надумал, Маркел Маркелыч. Только, если разобраться, к чему такой агромадный фонтан? Прямо сказать — ни к чему. Будет вода переливаться из пустого в порожнее, и вся затея. Колхозникам смотреть на фонтан некогда. Пожалуй, только я зрителем номер один и могу стать. Иностранцы-то приедут и уедут.

— Ну, уж только один ты и будешь смотреть, — с самым серьезным видом проговорил Чернышев и показал на дорогу. — Вон Проня Тодырев, когда проснется, поглядит.

От деревни к озеру в неизменной тельняшке с обрезанными рукавами лениво-задумчивой походкой приближался Проня. Перед ним, пиная в дорожной пыли засохший лошадиный котях, как мультипликационный медвежонок, в длинных широких трусах колобком катился пацан Степка.

Не дожидаясь, когда Проня подойдет, Чернышев сердито сплюнул, поднялся и пошел к берегу. За ним потянулся Егор Кузьмич.

Подойдя к подполковнику, Проня поздоровался, несколько минут без всякого интереса глядел на Столбова, зевнул и сел на траву. Пацан Степка дал около него кругаля, шмыгнул облупившимся носом и погнал котях к густому репейнику, буйно лопушившемуся широкими листьями неподалеку на пригорке.

Молча просидев минут пять, Проня повернулся к подполковнику, равнодушно спросил:

— Вы, как понимаю, из милиции?

Гладышев кивнул головой. Проня кашлянул, словно хотел что-то сказать, но не решился. Столбов по-прежнему не выпускал из рук шеста. Чернышев, расхаживая по берегу, подсказывал, где лучше искать. Следом за Маркелом Маркеловичем тенью следовал Слышка. К ним подошел Юрка Резкин.

— Тут до вас молодой следователь был, — вдруг заговорил Проня. — Насчет колодца, значит, разбирался.

— Так... — неопределенно произнес подполковник. — И что же дальше?

— Просил меня бумагу написать. А чо писать? Все как ясный день. К тому же подчерк у меня некрасивый и время для писанины нет.

— Какую бумагу?

— Обнаковенную, навроде объяснения или заявления. Как Витька Столбов разводным ключом человека ухайдакал и ключ затырил. А на меня хотел свалить, что я упер у него ключ.

— Что? Что?.. — удивился подполковник. — Какой ключ? Какого человека?

— Тяжелый ключ, железный, каким гайки откручивают... — начал объяснять Проня, но его прервал басовитый детский рев.

Из-за лопухов, весь в репейных колючках, выкатился Степка и, размазывая по лицу слезы, подбежал к Проне.

— Чо базлаешь, поносник! — сердито прикрикнул на него Проня и виновато посмотрел на подполковника. — Во неугомонный пацан уродился! Чуть проглядишь, куда ни есть да врюхается. Сей секунд на глазах был и уже успел к репьям припаяться, — повернулся к Степке: — Заглохни!

Степка поперхнулся, разом прекратил рев. Сообразив, что от отца ждать помощи нечего, вытряхнулся из трусов и, громко швыркая носом, сосредоточенно стал отрывать от них репейные колючки.

— Вот я и говорю, что писать. Все, как ясный день... — опять начал Проня, но и на этот раз его прервали.

Бойкий, весь облупившийся от загара сорванец из стайки нахохлившейся ребятни, наблюдающей с берега за Столбовым, звонко крикнул:

— Дядя Витя! Вот там камень замытый есть!

— Где? — повернувшись к нему, спросил Столбов.

— Вот там! — парнишка подбежал к берегу и показал рукой в озеро. — Я в него сколько раз макушкой долбался, когда нырял. Глубоко над ним, но донырнуть можно.

Столбов медленно добрался до указанного места и стал прощупывать дно шестом. Парнишка понаблюдал, плюхнулся в воду и подплыл к Столбову.

— Вот тут вот! — крикнул он, скрываясь под водой.

Столбов нырнул следом. Через несколько секунд оба вынырнули, подержавшись за бревна, отдышались и опять скрылись в воде. На этот раз они пробыли под водой дольше обычного и появились с чемто тяжелым. Подполковник не сразу догадался, что это чемодан. Облепленная тиной и озерным илом, находка и впрямь походила на большущий камень. Столбов, придерживаясь за бревна, подгреб к мелкому месту, обмыл чемодан и тяжело вынес его на берег. Вокруг мигом собралась толпа.

Пластмассовые упругие стенки чемодана ничуть не пострадали от воды и не потеряли своего первоначального коричневого цвета. Только никелированные замки проржавели настолько, что их пришлось взломать. Подполковник перевернул чемодан и встряхнул. Вместе с илом из него вывалились несколько кирпичей и тяжелый разводной ключ. Все, как по команде, склонились над ним.

Оказавшийся ближе других к ключу Проня поднял его и стал вытирать от ила. Только Резкин и Маркел Маркелович продолжали смотреть на чемодан.

— Его?.. — тихо спросил Чернышев.

— Похоже, что его, — так же тихо ответил Резкин.

— А ключ Витькин... — вдруг сказал Проня, показывая пальцем на ключе выбитые зубилом две буквы «В. С», как иногда механизаторы метят свои инструменты.

Столбова будто ударили из-за спины. Он резко качнулся вперед, почти вырвал из Прониных рук ключ и уставился на него.

— Твой?.. — повернувшись к нему, удивился Маркел Маркелович. — Как он в чемодан попал?

Столбов растерянно обвел взглядом присутствующих, пожал плечами.

Чернышев поймал Проню за тельняшку, притянул к себе:

— Ты об этом ключе следователю толковал?

— Поговорим в конторе, подожди, Маркел Маркелович, — остановил подполковник и прикрикнул на раскрывших рты ребятишек: — Брысь, котята!

Егор Кузьмич Стрельников, испуганно переводя взгляд с одного на другого, удивленно проговорил:

— Антересная история, слышь-ка, а? Чемодан — в озеро и концы — в воду.

Проню повезли в контору на милицейской «Волге». Степка, так и не надев усыпанные репейными колючками трусы, сидел у него на коленях, восхи-

ТАЙНА СТАРОГО КОЛОДЦА ☆

щенно крутя головенкой по сторонам. У своей избы Проня попросил шофера притормозить и вытолкнул Степку из машины.

— А-а-а... — привычно запел Степка.

На крик из ограды мигом выбежала Фроська. Увидев Проню в милицейской машине, схватила Степку на руки и запричитала:

— Посадят дурачка, как пить дать — посадят! Вот же послал господь-бог чуду-юду на мою голову. Это ж наверняка опять в какую-то оказию ввязался...

20. БУЛОЧКИН ДЕРЖИТ РЕЧЬ

Перед тем, как Слава Голубев позвонил подполковнику и попросил начать в Потеряевом озере поиск чемодана, Антон успел сделать многое. Пригласив с собою Жарикова, он прежде всего побывал в областном управлении милиции и узнал, что Бухарев, как и предполагалось, арестован по делу об убийстве женщины, труп которой подняли из канализационного колодца. Подтвердилось и другое предположение Антона — расследованием этого убийства занимался инспектор уголовного розыска Стуков.

Степану Степановичу Стукову, прозванному сослуживцами «Эс в кубе», было под шестьдесят. Большую их часть он проработал в уголовном розыске. Долгое время возглавлял розыск, а теперь, выйдя на пенсию, согласился по просьбе начальства поработать годик-другой инспектором по особо сложным делам.

Работу свою Степан Степанович знал настолько, что ходили слухи, будто уголовники, преступления которых начинал расследовать Стуков, безнадежно говорили «достукался». Это означало: сколько ни крути и ни скрывайся — скамьи подсудимых не миновать.

Антон познакомился со Степаном Степановичем на преддипломной практике и, шагая вместе с Жариковым из областного управления в уголовный розыск, радовался предстоящей встрече. Обрадовался и Степан Степанович.

— Какими судьбами?! — воскликнул он, когда Антон и Жариков вошли в его кабинет.

Антон улыбнулся:

— Гора с горой не сходится...

— А пьяный с милиционером всегда сойдутся, — шутливо подхватил Стуков, взъерошил свой седенький короткий чубчик и сквозь массивные роговые очки стал разглядывать Антона. — Первый раз вижу тебя в милицейской форме. А что? Идет, честное слово, идет! — и гостеприимно предложил: — Ну, садитесь, садитесь. Рассказывайте, с чем пришли.

— Хотим посмотреть на Бухарева, — придвигая Жарикову стул, сказал Антон. — У вас его фотография есть?

— Конечно, — Стуков порылся в столе, достал небольшой снимок и подал его Антону.

Со снимка смотрело широкоскулое небритое лицо пожилого мужчины: наморщенный лоб, спутанные волосы, короткая крепкая шея и тяжелый, будто испуганный взгляд широко открытых глаз прямо в объектив фотоаппарата.

Жариков, взглянув на фотографию, сразу признал бывшего сменщика. Антон поблагодарил его за помощь и, пожимая на прощанье руку, сказал:

— Портсигар придется пока у вас забрать.

— Зачем он мне! — отмахнулся Жариков. — Ворованный, не иначе.

Оставшись вдвоем со Степаном Степановичем, Антон подробно рассказал причину своего визита. Стуков, покачав головой, сказал:

— Сейчас должны привести на допрос оригинального типа. Такого клоуна нам разыграл, что пришлось психиатров подключать. Думали, свихнулся. Оказывается, все в норме — мепробаматом перехлестнул. В больнице подправили.

— Граф-Булочкин? — спросил Антон.

— Совершенно точно. В вашем районе его задержали. Так вот: Бухарев не знает, что Булочкин задержан, и всю вину по делу за убийство женщины валит на него. Мы вам об этом убийстве сообщали, когда ориентировку на Булочкина высылали. Булочкин с Бухаревым наказание вместе отбывали до побега. Потом Булочкин досиживал, а Бухарев где-то года с шестьдесят пятого был на свободе, работал шофером, а последние два года опять покатился по прежней дорожке. Пока неизвестно, чем вызвана последняя встреча Графа с Бухаревым. По имеющимся у нас сведениям, она носит почти случайный характер, но между ними произошел какой-то конфликт, после которого Граф улизнул от нас в ваш район. На предыдущих допросах он показаний об этом принципиально не стал давать. Сейчас мы с тобой проведем небольшой эксперимент. Показания Бухарева полностью записаны на магнитофонную ленту, кое-что из этой записи прокрутим Булочкину и посмотрим, как он на это среагирует.

Антон подал Степану Степановичу портсигар, взятый у Жарикова.

— Надо узнать, как вот эта серебряная штука попала к Бухареву.

— Думаю, что узнаем, — уверенно сказал Стуков. — Булочкин — рецидивист махровый. Такие не щадят своих, с позволения сказать, «коллег». К тому же, Граф, еще не зная показаний Бухарева об убийстве женщины, страшно на него обозлен. Затрудняюсь сейчас сказать, чем эта злость вызвана, но уверен, что, спасая свою шкуру, Булочкин выложит все, что знает о художествах Бухарева, если только он сам к этим художествам не причастен, — Стуков брезгливо поморщился. — Кстати, Бухарев — настолько отвратительная личность, какие очень редко встречаются!

В кабинет заглянул сержант и доложил, что доставлен для допроса Булочкин. Стуков кивнул головой, и сержант пропустил в кабинет Графа. Антон сразу приметил, что лицо Булочкина посвежело, руки перестали дрожать, взгляд стал высокомерно-презрительным. Граф спокойно прошел к приготовленному для него стулу, неторопливо сел и, нахмурив брови, уставился на Антона.

— Мы с вами где-то встречались, — проговорил он.

Антон кивнул головой:

— На первом допросе, в райцентре.

— Ба! Лейтенант из провинции. Вы соскучились обо мне или приехали на стажировку в областной уголовный розыск? Вас по-прежнему интересует мой друг Юра? Он что, в самом деле приказал долго жить? Или, быть может, в прошлый раз вы с подполковником не очень удачно шутили?

— Есть вещи, которыми не шутят, — строго сказал Антон.

Булочкин настороженно спросил:

— Его смерть вы хотите пришить мне?

— Мы хотим узнать правду.

— Прошлый раз я не темнил. Если хотите, повторю свои показания слово в слово.

— Завидная память, — Степан Степанович сухо улыбнулся.

— Моя профессиональная гордость, — Булочкин откинулся к спинке стула и посмотрел на Степана Степановича. — Предупреждаю, если вы меня вызвали по прошлому делу, то разговор у нас не получится. Мне ужасно надоело слышать одно и то же: женщина — канализация, канализация — женщина. До удивительности примитивное варьирование. Судя по тому, как годы намылили ваши волосы, вы неглупый человек и должны понять, что «мокрые» дела — не мое амплуа.

— Бухарев утверждает обратное, — спокойно сказал Стуков.

— Какой откровенный шантаж! — Булочкин засмеялся. — Я не очень высокого мнения об умственных способностях и моральных качествах Бухарева, но до такой наглости не докатился и он.

— Придется прибегнуть к помощи техники, — Стуков придвинул к себе портативный магнитофон. — Сейчас вы услышите…

— Блатные песни под гитару?

— Показания Бухарева.

Степан Степанович включил магнитофон. Кассеты пришли в движение, послышался голос, в котором Антон сразу узнал голос Стукова:

— Со всей серьезностью еще раз спрашиваю, кто все-таки убил женщину?

— Сколько можно вас убеждать? Булочкин убил! Думаете, почему он из Новосибирска смылся? Если бы не был виноват, чего скрываться… Запутать меня хотите. Ни при чем я здесь, гад буду, ни при чем! — говоривший даже всхлипнул, и Антон представил, как он вытирает слезы.

— Вы и в присутствии Булочкина эти показания повторите? — снова прозвучал голос Стукова.

— Конечно, повторю! Только Булочкин сейчас где-нибудь в Одессе разгуливает. Не так-то просто Булочкина взять, вот вы и стараетесь его дело на меня свалить

Стуков остановил магнитофон, пристально посмотрел на Графа. Тот понял его молчаливый вопрос, но попробовал отшутиться:

— Явно бездарная и до удивительности нескладная песня.

— Бухарев — ваш сообщник, — сказал Стуков. — Представляете, что вам грозит? Вы узнали его голос?

Булочкин сидел все в той же независимой позе. На его лице нельзя было заметить ни испуга, ни растерянности. Только глаза смотрели колюче-настороженно, как у приготовившегося к прыжку хищника.

— У меня в сообщниках, как вы только что изволили выразиться, никогда не было кретинов. Я свободный и, по мнению одесской милиции, довольно незаурядный художник, — медленно заговорил он. — Надеюсь, вы дадите мне возможность не только услышать, но и увидеть этого любителя звукозаписей. Интересно, как запоет он в моем присутствии?

— Рассчитываете, очная ставка с Бухаревым вам что-то даст? — спросил Стуков.

— Непременно. Встречи со мною оставляют у людей неизгладимый след. У одних это приятные воспоминания о милом собеседнике, у других — горечь о навсегда утерянных ценностях. — Булочкин через силу улыбнулся: — Как я понимаю, вам терять нечего. Поэтому ведите сюда автора этих бездарно-нескладных песен, я буду держать перед ним шикарную речь.

Антон показал Булочкину портсигар.

— Вам знакома эта вещь?

Граф оценивающе взвесил портсигар на ладони, долго разглядывал рисунок крейсера, внимательно несколько раз перечитал дарственную надпись и посмотрел на Антона.

— Память мне подсказывает, что эта безделушка принадлежала Юре, которого я искал в вашем районе. Он подарил ее вам?

— К сожалению, нет. Юрин портсигар оказался у Бухарева.

Лицо Булочкина перекосилось в болезненной гримасе. Он провел ладонью по волосам, печально покачал головой и тихо проговорил:

— Бедный Юра, погибнуть из-за такой безделушки...

Антон и Степан Степанович молчали. Граф низко склонил рыжую голову. Было непонятно, то ли он позирует, то ли что-то обдумывает. Наконец Булочкин выпрямился, снова пригладил ладонью волосы и посмотрел на Степана Степановича.

— У кретина, звукозапись которого мы только что слушали, твердая рука. После нее люди не бюллетенят. Кое-что я знаю, но мне не приходило в голову, что судьба свела Юру с кретином. Я не хочу заниматься пересказом. Прикажите доставить сюда этого подонка, и вы все услышите из первоисточника. Моя речь будет краткой.

Стуков снял телефонную трубку и набрал номер. Бухарева доставили на допрос быстро. Увидев в кабинете Графа, он попятился к выходу, затем шатнулся в сторону, грузно опустился на стул и неподвижно уставился взглядом в пространство. Граф какое-то время презрительно разглядывал его, затем привычно откинулся к спинке стула и с усмешкой спросил:

— Ты не узнал меня, Гриня?

Бухарев сидел, будто набрав в рот воды. Граф повернулся к Степану Степановичу:

— Включите магнитофон. Нам стало скучно. Давайте послушаем...

— Не надо! — почти закричал Бухарев. — Я думал, что тебя не возьмут! Никогда не возьмут!

— Ты думал, Гриня?.. Это же так утомительно! — Булочкин посмотрел на Стукова и Антона, неестественно громко захохотал и широким жестом руки показал на Бухарева: — Оказывается, и в наш электронно-вычислительный век можно встретить мыслителя с лицом дегенерата и убийцы.

Бухарева словно схватили за горло. Массивная челюсть его отвисла, открыв крупный с редкими желтыми зубами рот, глаза бессмысленно уставились в одну точку:

— Никого я не убивал... Никого.

— Сволочь!.. Ты омерзительная сволочь, Гриня! — Булочкина заколотил нервный озноб, глаза покраснели. Граф будто задохнулся от злости, но взял себя в руки: — Маэстро мыслитель, после вашей звукозаписи выходить на волю нет ни малейшего смысла. Мои друзья не простят вам того фарса, который вы разыграли здесь перед работниками уголовного розыска. На второй же день они купят шикарный металлический венок и черную ленту из крепа со словами: «Он скончался оттого, что очень усиленно и много думал». Поэтому самое лучшее в вашем положении — предстать перед народным судом. Гуманные заседатели, может быть, уговорят председательствующего не давать вам вышку, хотя за одного только моего друга Юру вас следует повесить на самой прочной осине, — Булочкин прижал ладонь к груди, лихорадочным взглядом посмотрел на Стукова, затем на Антона и опять повернулся к Бухареву: — А теперь, маэстро мыслитель, прорепетируйте перед работниками уголовного розыска, что вы скажете народному суду о той печальной ночи на тринадцатое сентября шестьдесят шестого года, когда вас свела судьба с моим другом Юрой.

Бухарев смотрел на Графа бессмысленным взглядом. Граф, словно наслаждаясь его растерянностью, немного подождал и крикнул:

— Или мне сказать, сука?!

Бухарев вздрогнул, проглотил слюну:

— Я сам скажу. Все скажу...

21. ВИТЬКИН КЛЮЧ

Проня Тодырев никак не мог сообразить, чего добиваются от него Маркел Маркелович Чернышев и милицейский начальник с большими звездами на погонах. Он вовсе и не знал, что ключ в чемодане лежит. Когда тот вывалился вместе с кирпичами, сам удивился. Оттого и сказал вслух, что ключ Витькин. И чего Маркел Маркелович так взбеленился, будто бык его боданул или шлея под хвост попала? Вон что-то нашептал милицейскому начальнику, и у того лицо стало сердитым, точь-в-точь как у давнишнего участкового милиционера Николая Ивановича перед «показательным трибуналом». Аж сердце холодом защемило — до сих пор этот позорный «трибунал» помнится. Видать, начальник — не тот молоденький следователь. Ему не соврешь про некрасивый почерк, сам записывает. И на того не похож, с усиками, какой помог со Столбова полсотни на «Раковые шейки» выжать — вон как ежовыми колючками наставил брови, того и гляди уколет. Этот сочувствовать, как тот, с усиками, не будет. Этот упечет в каталажку за милую душу. Прицепился с вопросами, как репей к Степкиным штанам. Вот опять спрашивает, видел ли раньше этот ключ. Если видел, у кого? Проня безнадежно вздохнул, хмуро ответил:

— Видел, у Витьки Столбова.

— Это мы и без вас знаем, — будто отрубил милицейский начальник. Лицо его стало еще строже, и Проню совсем уж всего обожгло ознобом, даже спина покрылась холодным потом.

— Прокопий! — строго сказал Чернышев. — Не кати бочку на Столбова. Говори правду — с тобой не в бирюльки играют.

— А что мне играть?

— Где, когда и у кого видел Витькин ключ?

— Ну, у мужика одного видел.

— Где? Когда?

— В райцентре. В тот год, когда колодец засыпали, — Проня поправил сползающую с плеча тельняшку, для убедительности добавил: — Вот эту рубаху он мне подарил.

Чернышев зло покосился.

— Не крути. Рассказывай, как на духу! Иначе за сокрытие преступления в тюрьму сядешь.

«Загибает Маркел Маркелович. Не те времена, чтобы за разные пустяки в каталажку садить. Хотя черт их знает... Вон у милицейского начальника какие большие звезды на погонах, да еще по две на каждом. Власть, должно быть, у него немалая. Может, чего доброго, и засадить...» Проня опять вздохнул:

— А что крутить. Все, как ясный день. В ту осень телка ногу сломала, пришлось прирезать. Поехали с бабой в райцентр, мясо продали. Она десятку на рубаху сунула. А что такое для меня десятка? Пошел по ларькам смотреть, этот мужик и подвернулся. Он у нас на уборочной работал, из города присылали его. Как-то в Ярском с ним доводилось выпивать, навроде знакомые были. Вот у ларьков и подвернулся он мне. Говорит, бери бутылку белой и бутылку красной, закуска есть, а рубаху я тебе матросскую бесплатно дам, ей износа не будет. Подумал: чо от такой дурнинки отказываться? У него машина возле базара стояла, закрылись в кабину и выпили обе бутылки. Закуску он из-под сиденья доставал, там я и видел Витькин ключ.

— Что ж ты Столбову не сказал об этом, когда он у тебя ключ спрашивал? — снова вскипел Чернышев.

— Когда Витька справлял с меня ключ, я его еще не видел у того мужика. Да и чо на хорошего человека говорить? Он же рубаху мне подарил, а Витька из-за ключа не обеднял.

— Подарил! — Чернышев сердито сплюнул. — За твои деньги.

— Деньги же мы вместе пропили, а рубаха крепкая. Сколь годов таскаю. Да и закуска, куда ни кинь, его была.

— В какой машине пили? — спросил подполковник.

— Не помню, — попытался увильнуть Проня.

И опять взбеленился Чернышев:

— Зло на Столбова вон сколько времени помнишь! Говори всю правду, добром тебя просят...

Проня чуть не до ушей втянул голову в плечи:

— Машина ЗИЛ, почти новая.

— Кабина какого цвета?

— Кто его знает, как тот цвет называется.

— Как — кто его знает?.. — подполковник строго посмотрел на Проню: — Вы что, дальтоник? В цветах не разбираетесь?

— Разбираюсь мало-мальски.

— Так какой же была кабина: зеленой, синей, красной?

— Не зеленая, не синяя и не красная. Навроде желтой, только не совсем. Вот когда у моего пацана Степки живот схватит... Как тут культурно сказать? — Проня пожал плечами: — Детского помета, что ли?..

Чернышев, чтобы скрыть внезапную улыбку, отвернулся, заходил по кабинету широкими шагами, приговаривая:

— Ах, культура ты, культура. Не сносить тебе головы, голуба ты моя. Годов тебе уж не мало, а разуму — что у твоего Степки, — и, остановившись против Прони, спросил в упор: — Когда ты, Прокопий Иванович, только за ум возьмешься? Сколько уж времени я тебя к настоящей жизни тяну, на бульдозериста с грехом пополам выучил, думал, поймешь, человеком станешь, а ты ничего не понимаешь.

Проня слушал как завороженный, растерянно мигая покрасневшими веками и придерживая рукой сползающую с плеча тельняшку. Со стороны казалось, будто его только-только разбудили и он спросонья никак не может сообразить, что же вокруг него происходит. Кое-как нарисовав в протоколе допроса свою фамилию, он так и ушел, беспрестанно хлопая глазками и придерживая одной рукой сползающую с плеча тельняшку. Ушел, удивляясь, почему его отпустили домой...

После Прони Тодырева подполковник беседовал с Мариной Зорькиной, Юркой Резкиным, заикающимся шофером председательского «газика» Сенечкой Щелчковым. Все они к предыдущим своим показаниям, кроме незначительных уточнений, ничего нового не добавили.

Дольше других в председательском кабинете пробыли Столбов и Егор Кузьмич Стрельников. Столбов припомнил, что отданные ему шофером туфли и косынка были завернуты в газету «Сельская жизнь» и над ее заголовком стояла карандашная надпись «Ярское». «Сельскую жизнь» в Ярском выписывал почти каждый третий житель, но подполковник, начав беседу с бывшим почтальоном Егором Кузьмичом Стрельниковым, в первую очередь поинтересовался, как могла появиться на газете карандашная надпись названия села.

— Дак это, слышь-ка, в узле связи райцентра, когда между почтальонами распределяют газеты, на каждой пачке их пишут название деревни. Чтоб не запутаться, значит, — пояснил Егор Кузьмич.

— Не помните, кому из подписчиков отдали тот экземпляр «Сельской жизни»? — на всякий случай спросил подполковник.

Старик погладил голую макушку, задумался.

— Великие события помню, дни рождения выдающихся людей и своих деревенских... а вот газету не припомню.

— А вы постарайтесь припомнить. Возможно, что-то необычное в тот раз произошло. Ничего такого не было?

И опять задумался старик, опять начал гладить макушку. Подполковнику показалось, что Егор Кузьмич что-то вспомнил, но не решается говорить. И тогда он подбодрил старика:

— Дело прошлое, Егор Кузьмич. Опасаться вам нечего, а вот следствию большую помощь окажете, если будете со мною откровенны.

— В силу возможностей я с милицейскими всегда откровенный, — оживился старик, какую-то секунду еще поколебался и заявил: — Тут еще, слышь-ка, такая оказия произошла: не хватило у меня в тот раз газет. Вот только не припомню, «Сельской жизни» или других каких. То ли спер кто, то ли обронил где... Дак, опять же, не должен бы этого сделать. Корреспонденцию доставлял всегда на лошадке. Ходочек у меня такой был легонький, с плетеной кошевочкой. Помню, на узле связи в райцентре все газетки получил честь-по-комедии, а в Ярское приехал — не хватило газет. Куда делись, до сих пор ума не приложу.

— Попутчиков никаких не подвозили?

— Раньше, слышь-ка, всякое бывало. Одному невесело ехать, а с попутчиком, за разговором, и не заметишь, как от райцентра до дому отмахаешь. Брал иной раз попутчиков, чего греха таить, а вот в тот раз, как сейчас помню, один ехал. Дело осеннее было, дождливое. В такую погоду пешим не отправляются в путь, все норовят от дождичка в машинах укрыться, — Егор Кузьмич смущенно опустил глаза, помолчал. — И еще одна оказия в тот раз случилась: вместе с газетами пропала телеграмма Марине Зорькиной от ее жениха. Я уж про это молодому следователю обсказывал.

— Может, в узле связи оставили или дорогой обронили? — высказал предположение подполковник.

Егор Кузьмич пожал плечами:

— С узла связи, точно помню, все забрал, а вот дорогой... Тихонько так ехал. Разве, когда с машиной разъезжался, ходочек мой в кювет сполз, чуть не опрокинулся... Было такое. Всего две машины встретились. Со второй хорошо разъехался, а вот с первой машиной в узком месте встреча произошла, пришлось сворачивать с пути, — старик помолчал. — Встретилась она мне, слышь-ка, аккурат возле древних курганов, где в довоенную пору раскопки проводились. Вот об тех раскопках могу очень даже много сказать...

— Древности — штука интересная, но в первую очередь нам надо со своими раскопками разобраться, — остановил подполковник.

— Дак оно, конечно, — быстро согласился Егор Кузьмич. — С культстановским колодцем, слышька, вон какая антересная история происходит.

Уехал подполковник из Ярского поздно ночью. Маркел Маркелович Чернышев убеждал его остаться, потаскать из Потеряева озера на утренней зорьке добрых окуней, но он отказался. Не терпелось пораньше на следующий день увидеть вернувшихся из Новосибирска Бирюкова и Голубева, которые должны были поставить окончательную точку в этом запутанном деле большой давности.

22. БОРЯ МЕДНИКОВ ВЕРНУЛСЯ

Двери кабинета почти не закрывались. Сотрудники, будто сговорившись, один за другим забегали к Антону. Кто хлопал по плечу, кто жал руку, кто просто поздравлял, но всем обязательно хотелось тут же узнать подробности, как они со Славой Голубевым отыскали почти неизвестного человека в таком большом городе. Поначалу Антон недоумевал, откуда так быстро разнеслась по райотделу весть об их успехе, и, только перехватив в коридоре ныряющего из кабинета в кабинет Голубева, понял, что это его рук дело.

— Ну, Славка, организую тебе вызов на ковер к подполковнику за преждевременное разглашение! — пригрозил Антон, но Голубев только разулыбался:

— Пусть знают, что такое коллектив, — он поднял над головой кулак. — Коллектив — это, прежде всего, сила! — и зачастил: — Кстати, подполковник уже пригласил нас. Боря Медников вернулся из Москвы, фотографии восстановленного портрета привез. Вот-вот должен появиться в райотделе. Да вон он! Собственной персоной выплывает. Ух, ты! Важный какой...

Антон оглянулся. По коридору вразвалочку, чуть выпятив несколько полноватый живот, шел Борис Медников. В новом светлом костюме, привычно держа в руке дорогую папку, он походил на преуспевающего кандидата наук.

— Тебя не узнать, Боря! — воскликнул Антон.

— Только вчера из столицы... — Медников многозначительно кашлянул, неторопливо достал из кармана красивую пачку импортных сигарет, как ни в чем не бывало предложил: — Кури.

Антон всплеснул руками:

— Первый раз вижу с собственным куревом.

— Иногда приходится менять привычки, — философским тоном начал Медников и тут же расхохотался: — Был в таком обществе, где курильщики не имеют слабости стрелять. Каждый курит свои, а большинство вообще не подвержено этой дурной привычке.

Привезенные Медниковым фотографии с восстановленного по черепу лица поразили даже подполковника. Сходство их с лицом Георгия Зорькина на фото, взятом у Гаврилова, не вызывало сомнения.

И еще интересное привез Медников. В лаборатории, перед восстановлением портрета, череп был всесторонне исследован. В первую очередь при этом эксперты установили, что удар по черепу произведен сзади тяжелым металлическим предметом. Присутствие металлических соединений в месте пролома подтвердил спектрографический анализ, а рентгенографическое исследование вокруг повреждения не обнаружило реактивных изменений.

— Что это значит, Боря? — спросил Антон.

— Это так называемое «свежее» ранение без каких бы то ни было следов заживления, — ответил Медников. — От него наступила моментальная смерть.

Подполковник, Антон и Голубев продолжали рассматривать снимки восстановленного портрета, сравнивая их с фотографией «живого» Зорькина.

«Живой» Зорькин, словно радуясь слепящему солнцу, щурил глаза и весело улыбался. Прядь волнистых волос наискосок прикрыла его лоб, да так навсегда и застыла. На восстановленном портрете Зорькин был без волос, будто его остригли. Холодное гипсово-скульптурное лицо замерло с выражением какого-то недоумения, растерянности.

Голубев взял одну из фотографий, посмотрел на Антона и сказал:

— В чертах лица у тебя есть что-то общее с Зорькиным. Ты не заметил этого?

Антон промолчал. Вспомнил, что об этом же говорил Иннокентий Гаврилов, когда во время допроса подполковник попросил его охарактеризовать внешность Зорькина.

Медников тоже взял снимок, долго разглядывал его и тихо проговорил:

— Если быть откровенным, раньше не особо верил, что такого сходства можно добиться, а оказывается, факт — не реклама, а?.. Вот работают ребята так работают!

— Помнится, когда первый раз мы ехали с Чернышевым в Ярское, ты говорил, что после Герасимова восстановлением портрета у нас в совершенстве никто не владеет, — повернувшись к нему, заметил Антон.

— Не учел, что у выдающихся людей всегда остаются способные ученики, — признался Медников.

— Скажи, Боря, как тебе удалось уговорить ребят заняться восстановлением портрета? — спросил подполковник. — Насколько мне известно, работы у них хватает. Причем, работы серьезной, научной.

Медников улыбнулся:

— Главное, Николай Сергеевич, в любом деле — заинтересовать людей. Я же их всех там увлек нашим делом. Работали, что называется, не за страх, а за совесть, не считаясь со временем.

Подполковник неторопливо закурил, подвинул коробку «Казбека» Медникову.

Борис покачал головой, достал свою красивую пачку импортных сигарет и демонстративно положил ее рядом с «Казбеком». Подполковник улыбнулся, поднял на Антона глаза:

— Давай, Бирюков, докладывай.

Антон открыл папку с материалами дознания.

23. ДОЖДЛИВОЙ НОЧЬЮ

Тот сентябрьский вечер был с дождливыми ранними сумерками. Холодный ветер рвал с деревьев пожухлые выцветшие листья, стегал по смотровому стеклу кабины, сдувая с него дождевую воду.

Стараясь пораньше выгрузить зерно, Бухарев жал на всю железку.

Навстречу попадались редкие пустые машины. Проехал на понурой кляче, запряженной в полуразвалившийся ходок, почтальон из Ярского. Усилившийся дождь совсем замутил видимость, пришлось включить фары. Неожиданно в свете фар что-то забелело. Бухарев затормозил, нехотя вылез из кабины. Посреди дороги валялась толстая пачка газет, еще не успевших размокнуть. «Почтальон потерял, — догадался Бухарев и решил: — Надо подобрать, пригодятся...»

Бросил газеты в кабину, из них выпала телеграмма. Какой-то Георгий сообщал, что приедет вечером. «Приедешь...» — мрачно подумал Бухарев, скомкал телеграмму и швырнул ее в придорожный кювет.

Сдав на элеватор зерно, Бухарев по привычке завернул к железнодорожному вокзалу. Приезжавшие в райцентр с последней электричкой часто искали попутные машины, чтобы добраться до своих сел. И расплачивались они щедрее — не ночевать же на вокзале. До прибытия поезда оставалось больше часа.

Чтобы убить время, зашел в вокзальный буфет, хотел выпить пива. Его не оказалось. Народу в буфете почти не было. Выпросил у буфетчицы из-под прилавка стакан водки. Пожевав засохший пирожок, попросил еще сто пятьдесят и бутылку с собой.

Дождь зарядил не на шутку, а время после второго стакана будто промелькнуло. Среди высыпавших на перрон из электрички пассажиров Бухарев сразу приметил моряка с коричневым чемоданом, наметанным глазом определил: этот за ценой не постоит. Открыв дверцу, высунулся из кабины и спросил:

— Куда, служба?

— До Ярского.

— Червонец, — в шутку загнул Бухарев.

— Держи, — как ни в чем не бывало согласился моряк и подал красненькую.

«Вот это денежный мужик!» — удивился Бухарев — таких щедрых «клиентов» ему еще не попадалось.

— Чемодан в кузов клади, под брезент, а сам в кабину залазь.

Дорогой разговорились. Моряк оказался общительным, за словом в карман не лез. Сам Бухарев говорил не много, больше слушал. От водки шумело в голове, захотелось курить. Пошарил по карманам — пусто. Спросил моряка:

— Папироски не найдется?

Моряк достал портсигар. При свете спички матово блеснуло серебро и словно обожгло Бухарева.

— Поди с тридцатку стоит? — кивнув на портсигар, хрипловато спросил он.

— Подороже, — без хвастовства ответил моряк.

— Хорошо на службе платили?

— Последние два года на сверхсрочной был, неплохо получал.

— В Ярское к кому едешь?

— Девушка там у меня, невеста.

— Сберкнижку, поди, ей везешь, — закинул удочку Бухарев. — Бабы, они деньги пуще всего любят.

Моряк засмеялся:

— Я, друг, все свое вожу с собой. И еду не к бабе, а к девушке.

Бухарев по-своему понял ответ: «Моряки на деньги свысока смотрят, привыкли их лопатой грести. Они не жмоты, чтобы из-за десятки в сберкассовых очередях выстаивать». Возбужденное алкоголем воображение нарисовало коричневый чемодан, забитый плотными пачками десятирублевок. «Сверхсрочная морская служба — не зэковский лагерь, — продолжал размышлять про себя Бухарев. — В месяц по сотняшке, и то за два года почти вон сколько набегает. С такими деньгами любая баба не отошьет. К невесте, видишь ли, едет, не к бабе, а к девушке. Девушкам тоже деньжонок только подбрасывай, нагишом на столе танцевать будут. Телеграмму, говорит, дал. В кювете твоя телеграмма лежит», — вспомнив о поднятой с дороги пачке газет, злорадно подумал Бухарев.

От этого вроде стало легче, но мысли вдруг перескочили на Сахалин. А как он, Бухарев, «демобилизовался» после отбытия срока? Только на проезд до Новосибирска и хватило. Еще этот гад, Граф-Булочкин, пять лет соки тянул. От одного воспоминания по коже мурашки бегут. И мужик вроде шкилетный, а вот взял за горло. Зря не тюкнул его по темечку. Подворачивался случай. Никто бы не докопался. А и докопались, за такого гада больше пятака не наварили б. Одной тварью на земле меньше б стало — только и всего. Поджилки тогда затряслись, — подумал о себе со злостью. — От своей трусости и будешь всю жизнь в нищете маяться, крутить до загибу шоферскую баранку. И путней бабы никогда не заимеешь, схлестнешься с какой-нибудь Сонькой-подзаборницей... А ведь коричневый чемодан в кузове... Граф ни в жизнь не упустил бы такой удачи... Страна большая... К югу куда-нибудь...

Лоб стал горячим, а пальцы рук и под лопатками защипало азартным ознобом. Тепло, жарко стало Бухареву.

— На Урал, говоришь, ехал, а сюда свернул... — прохрипел он. — Тебя ж родственники потеряют.

— Некому терять, детдомовский я.

— Один на всем свете?

Моряк кивнул головой.

— Как жить-то думаешь? Скучно одному, я вот тоже один.

— Зачем одному оставаться? Женюсь, заведу хозяйство, детишек. Люблю я их, мелочь пузатую.

— Машину купишь? — снова забросил удочку Бухарев.

— Была бы светлая голова да крепкие руки, за машиной дело не станет, — моряк опять засмеялся. — Водить умею, еще до службы этому ремеслу обучился. Когда-то профессионально шоферил, как ты вот сейчас.

«А коричневый чемодан в кузове, под брезентом... На юге, поди, теперь теплынь, как летом... Прописка? Граф говорил: «В Одессе, как в Греции, за гроши можно все». Нет, в Одессу нельзя — Граф, освободившись, туда вернется. Опять соки тянуть начнет. Да разве на Одессе свет клином сошелся? Мало ли в стране теплых городов. Там тоже — только деньги подавай, и прописка, и любые документы будут».

Бухарев попытался сосредоточиться, разглядеть дорогу. Но, кроме серой мути, мельтешащей в свете фар, ничего не видел. Неожиданно машину резко занесло в сторону, и она юзом сползла в придорожный кювет. Бухарев стукнул кулаком по штурвалу, зло выругался.

— Не видел, что ли, поворота? — с упреком спросил моряк.

— Поворота... Глаза от усталости — как ворота, — пробормотал Бухарев, достал прихваченную из вокзального буфета бутылку водки, прямо из горлышка отпил половину, протянул моряку: — Пей, служба!

Моряк открыл дверцу кабины, брезгливо взял бутылку и, не раздумывая, швырнул ее в ночную темноту.

— Ты что? — Бухарев схватил моряка за грудки.

Моряк, как тисками, сдавил кисти рук Бухарева, будто ребенка, легко оттолкнул его от себя. Сказал спокойно, с усмешкой:

— Тихо, браток, тихо.

— Ты что?! — хрипло повторил Бухарев. — Чужого добра не жалеешь?

— Лишняя она тебе. И без того хорошо наелся, дороги уже не видишь.

— Я?! Я не вижу?! Выметайся, гад, из кабины!

Моряк словно не слышал угрозы. Лицо его стало серьезным. Бухарев понял это по голосу, каким моряк сказал:

— Ну-ка, пусти за руль.

Бухарев впадал в истерику только тогда, когда видел, что его боятся. Чем боязнь была сильнее, тем решительнее становился он. Спокойная людская уверенность всегда сбивала с него спесь.

— Ну?! — требовательно повторил моряк. И в этой настойчивой требовательности Бухареву почудилась та сила, которая в годы заключения заставляла шестерить перед одесситом Булочкиным.

— У-у-у... — стиснув зубы, промычал Бухарев и неуклюже полез от руля, уступая моряку место.

Моряк зачем-то снял бескозырку, включил зажигание, нажал на стартер. ЗИЛ фыркнул и устало задрожал на холостых оборотах. Скрежетнула в коробке передач включенная скорость, машина качнулась. Опять скрежет, опять качок, еще скрежет — еще качок... Еще, еще, еще... и машина, будто с неохотой, медленно выползла из кювета на дорогу.

«Кумекает, гад...» — с ожесточенной ненавистью подумал Бухарев. В это время мотор «чихнул» и заглох. Моряк пожужжал стартером — двигатель не схватывал. Еще пожужжал — молчок. Тогда моряк решительно вылез из кабины, откинул капот и стал ощупывать двигатель.

Бухарев знал капризы своего ЗИЛа. Он, тяжело нагнувшись, поднял из-под ног пусковую рукоятку, безразлично-тупо посмотрел на нее, решая, сказать или не сказать моряку? И вдруг перед глазами, словно наяву, открылся коричневый чемодан, забитый плотными пачками десятирублевок, перетянутых банковскими стандартными обертками. Обертки на пачках начали лопаться, и десятки, как багровые осенние листья, усыпали кузов машины...

Тяжело дыша, Бухарев вылез из кабины. Покачнувшись, зашел за спину моряка, глухо прохрипел:

— Техника...

Моряк даже не оглянулся. Бухарев, смутно различил в темноте его серый затылок, взмахнул рукой и ударил изо всей силы пусковой рукояткой по серому пятну.

Тупо соображая, торопливо обшарил карманы моряка, огляделся — на поле, рядом с дорогой, смутно виднелись копны еще не заскирдованной соломы.

Взвалил труп на плечо и, качаясь на заплетающихся ногах, понес от дороги. Спрятав его под одной из копен, вернулся к машине, вручную завел двигатель и на всей скорости погнал ЗИЛ по скользкой, раскисшей от дождя дороге. Надсадно выл двигатель, свет от фар испуганно метался в мутном месиве воды и грязи. От напряжения пересохло во рту, невыносимо захотелось пить. На одном из поворотов фары вырвали из темноты почерневший домик культстана. Около него возвышались самоходные комбайны, а чуть поодаль стоял самосвал.

Бухарев вспомнил, что у культстана есть колодец — заправлял как-то здесь водой машину. Свернув с дороги, затормозил. Тяжело вылез из кабины, шатаясь, подошел к колодцу и зачерпнул полную бадью. Вода пахла затхлостью, но Бухарев пил ее жадными крупными глотками, как загнанная до предела лошадь.

Напившись, оглянулся. По спине пробежали мурашки — показалось, в кабине самосвала кто-то шевельнулся. Медленно, как будто готовясь к прыжку, подошел к самосвалу, осторожно открыл дверцу и облегченно вздохнул. Там прятался от дождя здоровенный культстановский кот. На глаза попался разводной ключ.

Словно мстя за испуг, Бухарев взял ключ и, не размахиваясь, шмякнул кота по голове. Выждав несколько секунд, поднял за шерсть обмякшее тело, бросил в бадью и столкнул ее в колодец. Посмотрел на ключ, подошел к своей машине, сунул его под сиденье, забрался в кабину и включил скорость.

Было за полночь. В культстане словно все вымерло.

В коричневом чемодане никаких десятирублевок, перевязанных в пачки, не оказалось. Всем его содержимым были женские туфли-лакировки, голубая косынка с якорьками да дешевое матросское обмундирование. Не было десяток и среди денег, взятых из карманов моряка. Всего-то их набралось мелкой купюрой около пятидесяти рублей. Видно, из десяток моряк отдал тогда на вокзале последнюю. Единственной ценностью был серебряный портсигар с дарственной надписью.

Вспомнились слова Графа, сказанные как-то в лагере после очередного воскресного чефира: «Гриня, твоя судьба написана крупными буквами на твоем выразительном дегенеративном лице. Ты или пожизненно будешь таскать лагерные параши, или от Российской Федерации получишь именную пулю за убийство ни в чем не повинного порядочного человека. Почему? Потому, Гриня, что из-за примитивного устройства своего мыслительного аппарата ты, наверняка, рано или поздно прикончишь человека за малюсенькую копейку, которой тебе не будет хватать, чтобы купить билет в трамвае. Я редко ошибаюсь, Гриня».

Предсказание Графа сбывалось. «Из-за несчастных пятидесяти рублей, дурацкого портсигара и копеечного тряпья пойти на "мокрое" дело, за которое корячится "вышка"... Ну, откуда, в самом деле, у моряка могли появиться пять тысяч? Да если б они и были, разве повез он их в чемодане, разве бросил бы так легко чемодан в кузов, под брезент...» — мрачно размышлял Бухарев. Он знал: солому вот-вот начнут убирать с поля, труп сразу найдут, и тогда неизвестно, что будет... Граф хотя и любит болтать, но ошибается редко.

Спрятать концы помог случай. Заехав однажды на культстан заправить водой машину, услышал, как бригадир говорит здоровому молчаливому парню: «Вить, завтра сгоняй-ка на самосвале к строящейся школе, попроси, чтобы экскаватором тебе нагрузили земли, да засыпь-ка колодец. Боюсь, ненароком в темноте кто-нибудь свалится в него, как тот кот».

С трудом дождался Бухарев темноты. Среди ночи привез труп и сбросил в колодец.

Постепенно страх проходил. Колодец засыпали. Моряка никто не искал, словно его и не существовало на земле. Бухарев осмелел. Вроде бы по пьянке сбыл тому парню, который засыпал колодец, туфли и косынку. Сделал это как будто в благодарность за то, что тот помог вытащить из грязи ЗИЛ, а на самом деле прикинул: «Колодец он засыпал, пусть и вещички у него будут...»

Распродал в райцентре на базаре матросскую одежду — вот тогда и попала к Проне Тодыреву «безразмерная» тельняшка. Утопил в Потеряевом озере так обманувший его коричневый чемодан, опять же на всякий случай сунув туда вместе с кирпичами разводной ключ, взятый в ту дождливую ночь из кабины самосвала. Только портсигар оставил себе —

уж очень хотелось иметь хоть одну дорогую вещицу, чтобы при случае похвастать ей перед женщинами. Но и портсигар, чтобы избежать конфликта с Жариковым, в конце концов пришлось отдать.

С годами Бухарев уверовал в безнаказанность. Когда неожиданно в Новосибирске к нему заявился Граф, по пьяной лавочке даже похвалился ему, как тонко провел «мокрое» дело, как ловко все предусмотрел. Ему не могло прийти в голову, что спустя шесть лет бригадир Ведерников надумает восстановить старый колодец, что совсем еще «зеленый» инспектор уголовного розыска, как за ниточку, ухватится за туфли-лакировки и голубую косынку с якорьками и начнет распутывать давний клубок преступления, что люди сохранят о безродном моряке добрую память и даже рецидивист Граф-Булочкин окажется в каком-то роде знакомым этого моряка. А Графа еще с сахалинских времен Бухарев боялся больше всех на свете.

— Это установлено и подтверждается материалами проведенного следствия, — сказал Антон и закрыл папку.

Подполковник постукивал папиросой по коробке «Казбека». Медников курил импортную сигарету. Слава Голубев что-то помечал в записной книжке. Пришедший в середине доклада капитан Кайров улыбнулся и без обычного своего высокомерия сказал:

— Молодцы Бирюков с Голубевым. Работали с оптимизмом, свойственным молодости. Поздравляю.

— Спасибо, — смутившись от неожиданной похвалы Кайрова, ответил Антон.

Подполковник вздохнул:

— Хорошо, когда люди сохраняют оптимизм до глубокой старости, — и посмотрел на Антона. —

А ведь Столбов думал, вся вина на него свалится. Из-за этого и свадьбу отложил. Теперь Чернышев после сенокоса решил ему настоящий свадебный бал закатить. Кстати, тебя приглашал. Ты обязательно съезди, — обвел взглядом присутствующих. — По делу вопросы к Бирюкову есть?

Медников оживился:

— У меня один вопросик, Николай Сергеевич. Если не секрет, конечно...

Подполковник улыбнулся:

— Какие у нас от тебя секреты могут быть, Боря. Ты ведь, будто заправдашний наш сотрудник, по этому делу работал. Нам благодарить тебя надо за помощь.

— Как иногда пишут в газетах, это мой долг, — тоже с улыбкой сказал Борис и повернулся к Антону: — Зачем Граф-Булочкин приезжал в наш район? Действительно, у него были какие-то дружеские чувства к Зорькину? Может, он на самом деле хотел вернуть ему долг?

— Не тот это человек, Боря, чтобы питать дружеские чувства и платить долги, — ответил Антон. — Заметив, что попал под надзор Новосибирского уголовного розыска, Граф рассчитывал отыскать в районе Зорькина и, пользуясь его добротой, отсидеться у него под маркой старого знакомого. Первый раз Булочкин сделал такой трюк в прошлом году. Зорькина не нашел, но от уголовного розыска скрылся. Понравилось, решил и нынче поступить так же. Уголовники зачастую до примитивности поступают трафаретно.

От подполковника Антон ушел с Борисом Медниковым и Славой Голубевым. Пройдя несколько шагов, Медников похлопал себя по карманам, сокрушенно сказал:

— Так и знал, сигареты на столе оставлю. Возвращаться неудобно, придется опять стрелять.

Слава Голубев, поймав Антона за рукав, убежденно заговорил:

— Ты обязательно должен выступить перед нашими молодыми сотрудниками! Расскажешь, как провел это дело.

— Разве я один его проводил? — улыбнулся Антон.

— Тем лучше! Пусть знают, какая сила коллектив! Правда?

— Правда, Славочка. Только, пожалуйста, не сегодня.

— Нет, конечно. Сегодня у тебя законное право на бутылку шампанского. За успех. Вечером идем в «Сосновый бор». Там знаешь, какой отличный «Меломан» установили? Пятачок ему пожертвуешь — музыка... — Голубев мечтательно закрыл глаза. — Как в московском «Арагви»!

— Ты был в «Арагви»? — спросил Медников.

— Ни разу. Только собираюсь... в отпуск побывать в столице.

Все трое рассмеялись.

— Довожу до твоего сведения, — просмеявшись, сказал Медников, — что «Меломанов» в ресторане «Арагви» не держат-с.

— Серьезно?.. — самым искренним образом удивился Слава. — Значит, общеголял наш «Сосновый бор» москвичей.

— Зато там есть оркестр и шашлыки по-кавказски.

— Подумаешь, удивил!.. Чем наши пельмени по-сибирски хуже кавказских шашлыков?

— Патриот! — Медников хлопнул Голубева по плечу и повернулся к Антону. — Надеюсь, вечером стрельнем шампанским?

— В принципе я не против, но... — Антон помолчал. — Слушайте, друзья, сегодня суббота. Давайте лучше махнём с ночёвой на Потеряево озеро. Вечером наловим окуней и заварим настоящую сибирскую уху, на костре. По-моему, это будет хлеще, чем шампанское в «Сосновом бору».

— А что? Идея! — как всегда энергично поддержал Слава.

Медников протянул Антону руку.

— Ты гений.

Шутливо стали прощаться.

Антон вышел из райотдела на улицу. Сероватый асфальт мягко пружинил под ногами, отдавал жаром. Шумливая стайка детворы плотным кольцом окружила лотошницу с мороженым.

Чуть поодаль двое мальчуганов, словно соревнуясь друг с другом, слизывали с заиндевелых брусочков пломбира тающую сладость.

— По скольку штук уплели, молодцы? — мимоходом спросил мальчишек Антон.

— По две! — бойко ответил один.

— И еще можем! — добавил другой.

— Смотрите!.. У вас даже иней на ушах выступил!

Мальчишки враз пощупали свои уши, смущенно переглянулись. Тот, что побойчее, погрозил Антону пальцем:

— Не обманывайте, дядя...

Антон подмигнул мальчишкам. Задумчиво постояв возле жизнерадостной, беспечной ребятни, он свернул в затененную аллею и неторопливо зашагал вдоль нее, слушая еле уловимый лепет листвы.

1970—1974
Новосибирская область, г. Тогучин

АРХИВНОЕ ДЕЛО

ГЛАВА 1

Участковый инспектор милиции Михаил Федорович Кротов понуро сидел за своим стареньким письменным столом в узком, как пенал, служебном кабинетике и сосредоточенно низал одну на другую канцелярские скрепки, горкой возвышавшиеся в старомодной стеклянной пепельнице. Одна стена «пенала», за спиной участкового, была увешана листовками с цветными знаками из Правил дорожного движения, на другой висел большой плакат с красноносым морщинистым пьяницей, обнимающим зеленую бутылку. Надпись на плакате предупреждала: «Алкоголь — враг здоровья!», а на лбу пьяницы белел наклеенный прямоугольник чистой бумаги. Тишину в кабинете нарушал лишь приглушенный перестук костяшек на счетах, доносящийся из колхозной бухгалтерии.

Участковый был малого роста, щуплый, однако летняя форменная рубашка с капитанскими погонами и черным галстуком сидела на нем ладно. Сухощавое, потемневшее от солнца лицо и коротко стриженные седые волосы с приглаженной на бок челкой подсказывали, что он из того поколения, на долю которого, как говорится, досталось горького до слез. Весной сорок первого призвали безусого колхозника Мишаньку Кротова на действительную службу в Красную армию и из небольшой сибирской деревеньки привезли к самому берегу Буга, где тогда проходила государственная граница. Не успели новобранцы освоить курс молодого бойца, как обрушилась на них смертоносная война. В какие только переплеты ни попадал пехотинец Кротов. Трижды вырывался из окружения. Был контужен, два раза ранен, но все-таки, видно, родился он под счастливой звездой и день Победы встретил не на каком-то там, скажем, второстепенном направлении, а в безоговорочно капитулировавшем Берлине.

Однако не о войне думал сейчас участковый — война, хотя и ноющая, но затянутая временем рана. Невеселые мысли Кротова были заняты текущей милицейской службой. Давно бы ему пора отправиться на заслуженный отдых. И годы уже перемахнули пенсионный рубеж, и служебного стажа с лихвой хватает, да вот начальник РОВД подполковник Гладышев который год тормозит отставку, шуточками отделывается. Мол, ты, Михаил Федорович, стал в нашем районе музейным экспонатом и вполне можешь побить всесоюзный рекорд милицейского долгожительства. Шутки шутками, а если говорить серьезно, то, видать, не все благополучно у подполковника с кадрами — не может он подыскать толкового сотрудника на село.

Собственно, милицейская служба не угнетала участкового инспектора. За сорок с лишним лет Кротов настолько втянулся в нее, что, откровенно сказать, даже не представляет сейчас, как можно жить без служебных забот. Это ведь только со стороны кажется, будто сельскому участковому живется беззаботно, словно коту в Масленицу. Забот хватает — преступления и в селах не редкость. Конечно, основная задача участкового — профилактическая работа по предупреждению преступности, но, чего скрывать, не до каждого ума профилактика доходит. Да и невозможно все предусмотреть заранее, предупредить каждую беду. ЧП — оно всегда как гром с ясного неба. Взять хотя бы последний пример. Вчера заведующая сельмагом Бронислава Паутова привезла из райпо больше сотни банок черносливного компота. Селяне мигом его расхватали. В Сибири сливы не растут, каждому охота полакомиться. И налакомились! К вечеру чуть не вся деревня завеселела. Попробуй, участковый, предусмотри такое безобразие, когда вся страна объявила пьянству бой, а кооперативная торговля, будто вредитель, направляет в село трехгодичной давности компот, от которого за рублевку — хоть песни пой. И какие меры теперь принять участковому к заведующей сельмагом, организовавшей коллективную «пьянку»? Либо привлечь Паутову к ответственности за нарушение правил торговли спиртными напитками, либо вообще не поймешь, что с ней, опытной торговкой, делать...

Неприятность, как и беда, в одиночку не ходит. Не успел Кротов сегодня с утра пораньше пристращать Паутову, к магазину подкатил на грузовике Толик Инюшкин и прямо-таки огорошил участкового — недалеко от Серебровки, возле Ерошкиной плотины, мелиораторы начали корчевать старые пни и разрыли человеческий скелет. Пришлось срочно мчаться с Толиком к Ерошкиной плотине. В развороченной бульдозером ямке и вправду среди пожелтевших костей таращил пустые глазницы натуральный людской череп. Поприглядывался участковый к нему и так и сяк, даже осторожно повернул срезанной талинкой с боку на бок, но ничего понять не смог: то ли это древнее захоронение с незапамятных времен, то ли концы какого-то нераскрытого преступления были зарыты в землю.

Наказав бригадиру Серебряковской бригады Гвоздареву — под личную ответственность! — сохранить в неприкосновенности место обнаружения, Кротов по телефону доложил подполковнику Гладышеву о загадочном скелете и теперь с часу на час ждал следственно-оперативную группу, которую незамедлительно обещал прислать начальник райотдела.

Участковый аккуратно уложил длинную цепочку нанизанных скрепок в пепельницу, тяжело вздохнул и уставился взглядом в распахнутое настежь окно. Деревня казалась вымершей. На редкость сухой и теплый для Сибири сентябрь увлек в поле всех работоспособных колхозников. Уборочная страда для крестьянина издавна — святое дело. Если бы не этот загадочный скелет, не сидел бы Кротов сейчас в своем кабинете. Не утерпел бы, чтобы не показать молодежи крестьянскую сноровку либо в ремонтной мастерской, либо на колхозной зерносушилке.

Привык участковый инспектор к крестьянскому труду. Личное подсобное хозяйство содержит в образцовом порядке — пример людям показывает. А как же не быть участковому на селе добрым примером и рачительным хозяином? Здесь каждый друг у друга на виду, будто на ладошке. Нельзя охранять правопорядок, будучи самому лодырем и разгильдяем.

Три больших старинных деревни составляют «околоток» Кротова. Березовка — здесь находится центральная усадьба колхоза, а стало быть, и служебный кабинет участкового; Серебровка, где живет Кротов, в трех километрах от Березовки, и Ярское — на противоположном берегу широкого и длинного озера, расплеснувшегося от самой околицы Березовки. Называется озеро Потеряевым. Летом в тихую погоду оно походит на громадное зеркало. В непогодь озерная вода чернеет, вся водная ширь покрывается пенистыми гребнями. Сминая прибрежные камыши, гонимые ветром волны с разбегу бухают в обрывистый берег. Только в одном месте, у околицы, водяные валы сердито шипят по отлогому скосу, зализывая на песке отпечатки ребячьих ног. После каждого такого буйства на берегу остаются желтые кувшинки с длинными измочаленными стеблями, осколки старинной глиняной посуды, пустые бутылки, а иной раз волны вымывают из песка проржавевшие винтовочные и снарядные гильзы — мрачные отголоски колчаковского бегства.

Раньше через Березовку и Ярское проходил оживленный почтовый тракт. В ту пору на озере была паромная переправа. Напрямую, через озеро, расстояние между этими селами — сущий пустяк, не больше двух километров, в объезд же — сорок с лишком получается. Вот и сокращали ямщики путь. Зимой по озерному льду дорогу торили, летом паром выручал. Рядом с паромной переправой, на взгорке, возвышался богатый трактир отставного штабс-капитана Гайдамакова. По рассказам стариков, отступающие колчаковцы спалили дотла двухэтажный трактирный дом, а паром разнесли вдребезги пушечным снарядом. При советской власти, когда на Кузбасс провели железную дорогу, старый тракт потерял свое значение. Восстанавливать паромную переправу не стало смысла, и теперь о ней напоминают лишь догнивающие у берега лиственничные столбы бывшего причала...

Размышления участкового прервал неожиданно вошедший в кабинет председатель колхоза Игнат Матвеевич Бирюков — гвардейского роста, но заметно сутуловатый и поседевший. Председатель, как и участковый, тоже имел право отдыхать на пенсии, однако в районном агропроме каждый раз, когда он подавал заявление, уговаривали «повременить еще годик». Не хотелось районному руководству терять одного из лучших председателей колхоза.

— Что там, Михаил Федорович, у Ерошкиной плотины?.. — присев у стола напротив участкового, хмуро спросил Бирюков.

Кротов развел руками:

— Трудно сказать, Игнат Матвеевич. Полагаю, старое захоронение, поскольку нераскрытых преступлений, связанных с убийством, за время моей сорокалетней службы здесь не числится. Без вести, сам знаешь, у нас тоже никто не терялся.

— А в соседнем районе?

— В таких случаях нас, участковых, извещают... — Кротов помолчал. — Думается мне, что зарыт покойничек в землю еще в ту пору, когда к Ерошкиной плотине со стороны Серебровки подступал лес.

Бирюков задумался:

— Так ведь это очень давно было.

— Можно подсчитать. Помнишь, в последнюю осень перед призывом в армию, мы с тобой уток у плотины стреляли? Хороший прудище тогда был. А с той стороны пруда, где разрыли кости, непролазная березовая чаща шумела. Дорога по просеке была из Серебровки в Березовку, через плотину. Так?..

— Так.

— А когда мы с фронта вернулись, от чащи одни пенечки остались. В военные годы селяне все березки на дрова спилили. И плотину, говорят, как ее в первую военную весну паводком прорвало, не восстанавливали. Теперь от плотины, считай, одно название осталось. Да и речушка обмелела так, что в ручей превратилась.

— Пожалуй, ты прав, — согласился Бирюков. — На нашей памяти никого там не хоронили. И вообще умерших своей смертью ни в поле, ни в лесу не зарывают. Для таких целей кладбища существуют.

— Это же предположение я и высказал подполковнику Гладышеву. Вот-вот опергруппа должна подъехать. Представителем от уголовного розыска, возможно, сам начальник отделения районного УГРО будет.

— Антон, что ли?

— Он самый. У нас один начальник угрозыска в районе — Антон Игнатьевич Бирюков. Предупреди Полину Владимировну, пусть на всякий случай стряпает пироги.

— Если там старая могила, зачем целую группу отвлекать на пустяковое дело?

— Как сказать, пустяковое... Лучше, знаешь, переборщить, чем после локти кусать. Приедет прокурор, посмотрит и решит, возбуждать уголовное дело или не затевать его за давностью времени.

— Ох, и перестраховщик ты на старости лет стал.

— Я и в молодости не принимал опрометчивых решений, — обидчиво проговорил участковый.

— Не сердись, шучу, — поднимаясь со стула, улыбнулся Бирюков и сразу посерьезнел: — Если Антон приедет с группой, скажи ему, чтобы в самом деле домой на пироги заглянул.

— Соскучился о сыне?

— Лично мне скучать некогда. Сейчас уеду в поле к подрядному звену, могу и не встретиться с ним. Полина заждалась. Ну, ладно... — взгляд председателя вдруг задержался на антиалкогольном плакате. — Где такую живописную картину раздобыл?

— На совещании в районном обществе трезвости вручили для разъяснительной работы среди населения.

— А зачем лоб алкашу бумажкой залепил?

— Да вот, понимаешь... Чтобы охватить плакатом побольше людей, повесил его на стене в коридоре. Полчаса не прошло — кто-то из доморощенных остряков нацарапал на лбу: «Кумбрык». Пришлось заклеить оскорбляющую надпись да перевесить плакат из коридора в кабинет.

Бирюков с улыбкой пригляделся к плакату. Морщинистое лицо алкоголика и впрямь смахивало на бывшего колхозного конюха, теперь пенсионера, Ивана Торчкова, прозванного односельчанами «Кумбрыком» за то, что он так выговаривал слово «комбриг», сокращенное от «командир бригады».

— А что?.. — внезапно развеселился председатель. — Алкаш в самом деле будто с нашего Торчкова срисован.

— Ты, Игнат Матвеевич, вроде одобряешь антиобщественный поступок? — осуждающе спросил Кротов.

— Не одобряю, но веселых людей люблю. С ними, Михаил Федорович, жить легче, чем с занудами, — председатель, похоже, с трудом удержался от смеха. — Расскажу забавный случай... Перед уходом Торчкова на пенсию пришло из района в нашу бухгалтерию предписание удержать с него тридцать рублей штрафа. Вызываю в контору: «Ты чего, Иван Васильевич, в райцентре натворил?» Захлопал он глазами: «Не знаю, Игнат Матвеич, какая вожжа под хвост попала, но погорел в районном ресторане, как швед под Полтавой». — «Перепил, что ли?» — «Не, зашел туда культурно позавтракать и тайком от официантки хотел ложкой выловить золотых рыбок из стеклянного ящика с водой». — «Зачем?!» — «Планировал запустить тех рыбешек в Потеряево озеро, чтоб расплодились на воле». С фантазией мужик, а?..

Участковый слегка улыбнулся:

— Да, выдумками Торчкова бог не обидел.

— Кстати, прихвати его к Ерошкиной плотине. Может, дельную мыслишку подбросит прокурору. Иван Васильевич хотя и не на много лет старше нас, однако из истории окрестных сел знает такое, что нам с тобой и во сне не снилось.

— Скажешь тоже! — словно испугался Кротов. — Торчкову дай волю — всей опергруппе головы задурит.

— А вы не давайте Ване увлекаться, почаще одергивайте, — председатель глянул на часы. — Ох ты, время золотое! Ну, ладно, Михаил Федорович, желаю успеха. Помчусь к подрядчикам, надо проверить, все ли там по уму-разуму идет...

И опять участковый остался один. Опять задумался. Теперь его мысли были о председателе колхоза. Участковый знал Бирюкова с детства. Как ни говори, росли в соседних селах: Кротов в Серебровке, Бирюков — в Березовке. Дружбу водили по охотничьим делам. Вместе воевали в Отечественную. И с войны разом вернулись. Районные власти мигом определили их на работу. Кротова уговорили пойти участковым для укрепления ослабшей за войну районной милиции, а Бирюкова — полного кавалера орденов солдатской Славы — рекомендовали председателем Березовского колхоза. Авторитетный нужен был человек, чтобы поправить дела в пошатнувшемся хозяйстве. Туговато пришлось Игнату Матвеевичу на первых порах председательствования. Категорически отказался он трубить победные рапорты в угоду районному начальству. Ну и конечно же нахватал синяков да шишек — увешивали его выговорами, как новогоднюю елочку игрушками. Разжаловать из председателей грозились. Однако, спустя несколько лет, притихли ретивые администраторы — ослабший за годы войны колхоз пошел в гору. Сначала рассчитался с задолженностью государству, затем и прибыль потекла в колхозную кассу. А когда сменилось районное руководство, вместо выговоров каждую пятилетку стали вручать Бирюкову государственные награды. И рядовых березовских колхозников теперь не обходят стороной ордена да медали.

Беспокойный человек Игнат Матвеевич, заботливый. Бывает, и пошумит, пыль до потолка поднимет, но принародно даже самого отпетого лодыря не оскорбит, не плюнет человеку в душу. Вспыльчивость передалась Игнату Матвеевичу, видимо, от отца, Матвея Васильевича. Вот геройский старик! В империалистическую все четыре Георгиевских креста заслужил, а в Гражданскую — орден Красного Знамени. Годов деду Матвею уже за девяносто, но держится еще так крепко, что ни одного колхозного собрания не пропускает. Сядет в первом ряду, расправит белую бородищу и не сводит глаз с каждого выступающего. Если заметит какой-то изъян в хозяйствовании, такой разгон устроит, что самые заядлые говоруны, вроде Ивана Торчкова, умолкают.

Задумавшись о Бирюковых, участковый конечно же не мог не вспомнить своего коллегу по милицейской службе — начальника отделения уголовного розыска РОВД Антона Игнатьевича Бирюкова. Вот у кого железная выдержка. Этот никогда не вспылит и не расшумится. Не один раз приходилось Кротову работать с ним, и всегда старый участковый поражался его сообразительности. У Антона Игнатьевича своя манера дознания. Он вроде и не допрашивает свидетеля или подозреваемого. Задушевно беседует о том, о сем, как будто даже, не относящемся к делу, но в конце концов результат оказывается в самую точку. Кротов знал Антошку Бирюкова, как говорится, с пеленок. Непоседливым, шустрым мальчуганом рос. Теперь же, к тридцати годам, в такого видного гвардейца вымахал, под стать папаше и деду Матвею. Звание майора милиции уже имеет. Полтора года назад за задержание особо опасного вооруженного преступника награжден орденом Красной Звезды. Одним словом, талант...

В конце села, со стороны Потеряева озера, показался стремительно мчащийся восьмиместный милицейский «уазик». Участковый торопливо надвинул на голову форменную фуражку, захлопнул на шпингалеты окно и, замкнув кабинет, чуть не бегом выскочил на крыльцо колхозной конторы.

ГЛАВА 2

Взвизгнув тормозами, машина остановилась у крыльца. Тотчас с противоположной от шофера стороны распахнулась дверца. Кротов шагнул к ней и четко откозырял.

— Здравствуй, Михаил Федорович, — протягивая участковому руку, сказал сидевший рядом с шофером пожилой районный прокурор, одетый в форменный костюм с золотистыми звездами и гербом в петлицах. — Докладывай, что за ЧП у тебя стряслось?

— Как такового, товарищ Белоносов, чрезвычайного происшествия нет, однако, полагаю, ваше присутствие необходимо, поскольку обнаружение останков человека — явление не обычное, — замысловато-казенной фразой ответил Кротов.

Прокурор обернулся к сидящим в машине участникам следственно-оперативной группы. Кроме широкоплечего рослого начальника уголовного розыска Антона Бирюкова, было их еще трое: моложавый следователь прокуратуры Петр Лимакин с университетским ромбиком на лацкане штатского пиджака, флегматичный с виду толстяк судебно-медицинский эксперт Борис Медников и смуглый до черноты эксперт-криминалист капитан милиции Семенов.

— Понятых здесь возьмем или в Серебровку заедем? — обращаясь вроде бы ко всем сразу, спросил прокурор.

— Зачем лишний крюк делать, — ответил Бирюков. — Надо кого-нибудь из пенсионеров отсюда прихватить.

Возле машины, словно из-под земли, вдруг появился морщинистый старичок в стоптанных сапогах и в пестрой, чуть не до колен рубашке навыпуск. Приподняв над всклокоченной головой серенькую кепчонку, он показал в безмятежной улыбке два ровных ряда вставных зубов и неожиданно громко для своего малого роста поздоровался:

— Здравия желаю, граждане-товарищи!

Участковый с удивлением уставился на старичка:

— Откуда ты взялся?..

Тот опять широко расплылся в улыбке:

— В сельмаг, Федорыч, за компотом пришел, а Бронька Паутова говорит, что головомойку от тебя получила и не торгует ныне сливянкой.

— Обрадовался! Знаешь, какой это компот?

— Не, не знаю. Вчерась я проворонил — телевизер глядел. Мужики подсказали, дескать, вкусная штука... — Увидев в машине Антона Бирюкова, старичок приветливо кивнул ему и, понизив голос, спросил Кротова: — Кажись, к Ерошкиной плотине навострились?..

— Тебе откуда про пло́тину известно? — снова удивился Кротов.

— Бронька в сельмаге трезвонит, будто Толик Инюшкин так ухайдакал бульдозером у плотины человека, что ни кожи, ни рожи — одни косточки остались.

— Ты чего мелешь, Иван?!

— Ей-богу, Федорыч, Бронислава с такой речью выступает. Щас Арсюха Инюшкин допытывается у нее, какую преступлению его сынок учудил.

Кротов повернулся к прокурору:

— Видите, товарищ Белоносов, каким образом на селе из мухи слона делают?..

— Придется этого товарища пригласить в понятые, чтобы не распространял по селу ложные слухи, — сказал прокурор и сразу спросил старичка: — Как ваша фамилия?

— Мое фамилие Торчков Иван Васильевич, пенсионер, — одним махом ответил тот.

— Вы, Иван Васильевич, согласны быть понятым?

— А в чем заключаются эти функции?

— Поприсутствуете при осмотре местности. Потом протокол подпишите.

— Землю копать не придется?

— Лично вам — нет.

— Тогда согласен. Умственную работу я люблю.

— Садитесь в машину.

На морщинистом лице Торчкова появилось замешательство:

— А нельзя для компании еще и Арсюху Инюшкина прихватить из сельмага? Он тоже на пенсии баклуши бьет.

— Позовите его.

Торчков, по-утиному переваливаясь, быстро сходил в магазин. Отец Толика Инюшкина, Арсентий Ефимович, годами был ровесником Торчкова, но комплекцию имел столь внушительную, что Торчков рядом с ним казался ребенком. Топорща гусарские усы, Инюшкин смурно подошел к машине. Поздоровался. Узнав от участкового, что Толик «виноват» лишь в том, что при завмаге Паутовой очень сбивчиво сообщил о загадочном обнаружении у Ерошкиной плотины, Арсений Ефимович повеселел и согласился в понятые. Когда все уселись в машину и шофер тронул с места, Антон Бирюков обратился к устроившемуся рядом с ним Торчкову:

— Как живется, Иван Васильевич?

— Чо, Игнатьич, мне теперь не жить, — жизнерадостно ответил тот. — С утра до вечера дурака валяю, а пенсионная сотняга регулярно каждый месяц в карман поступает.

— Хозяйство держите?

— Этим скучным делом у меня Матрена Прокопьевна заворачивает. Привыкла на ферме за колхозными коровами ухаживать, дак теперь, когда на пенсион оформилась, собственную буренку, будто дите малое, лелеет.

— Ну а лично вы чем занимаетесь?

— Он же сказал, что дурака валяет, — иронично усмехнувшись в усы, вставил Арсентий Ефимович.

Торчков косо глянул на Инюшкина:

— Помолчи, Арсюха, со своими подковырками. Если нечего сказать, не встревай в сурьезный разговор. Мы с Игнатьичем больше года не видались, дай нам спокойно покалякать. — И снова повернулся к Бирюкову. — Я, Игнатьич, теперь главным образом телевизер гляжу. Чтоб не отстать от времени, за перестройкой наблюдаю.

— И как она, перестройка, идет? — сдерживая улыбку, опять спросил Антон.

— Надо сказать, намечаются коренные перемены к лучшему. Самые что ни на есть злободневные проблемы без всякой утайки ребром ставят. Высоких тузов, которые тайком сопротивляются новым методам работы, за грудки берут. К примеру, сегодня утром показывали увлекательную беседу с крупным начальником из хлебобулочной промышленности. Вот досталось бюрократу на орехи! Повертелся он ужом. Особенно наседал один подковыристый очкарик. Мол, как же это, уважаемый товарищ, получается, что при нашем развитом хозяйстве итальянские макароны всеж-таки длиннее наших? Крепко бюрократ стушевался, но тут же выдал ответ в том смысле, что, дескать, зато наши — толще итальянских...

Бирюкову показалось, будто «уазик» встряхнулся от дружного смеха. Даже насупленный участковый Кротов и тот смущенно хохотнул. Торчков удивленно закрутил головой:

— Вы чо, мужики?.. На полном сурьезе говорю...

— Ты, Ваня, и на серьезе такое ляпнешь — хоть стой, хоть падай, — сквозь смех проговорил Инюшкин.

— А ты, Арсюха, только бы и ржал, как жеребец, — огрызнулся Торчков и обиженно уставился в боковое стекло.

Проселочная дорога среди березовых рощиц приближалась к Ерошкиной плотине. С небольшого взгорка она опустилась в пойменную низину, по которой петляла безымянная речушка, некогда перегороженная земляной плотиной. Теперь остатки плотины походили на заросший травою пологий вал, глубоко промытый у середины мирно журчащей речкой. Вдоль вала была накатана узкая дорога с бревенчатым мостиком через промоину. Встряхнувшись на бревнах, «уазик» по подсказке участкового свернул с дороги влево и, оставляя за собой в густой траве жирную колею, тихо подкатил к краю недавно раскорчеванного поля, где, сидя на корневище вывороченного из земли огромного пня, хмуро дымил папиросой загоревший мужчина в черной капитанской фуражке с «крабом». Рядом стоял белобородый старик в соломенной шляпе и в вышитой красным крестиком косоворотке, перетянутой на талии плетеным пояском с пушистыми кисточками на концах. На противоположной стороне поля глухо рокотал работающий бульдозер.

— Бригадир Серебровской бригады Витольд Михайлович Гвоздарев и дед Лукьян Хлудневский. Видно, по причине любопытства из Серебровки старина приплелся, — сказал прокурору Кротов.

— Что ж, начнем работать, — ответил прокурор, открывая дверцу.

Следом за прокурором выбрались из машины остальные участники следственно-оперативной группы и понятые. Над полем под голубым безоблачным небом дрожало легкое марево. В траве безудержно стрекотали кузнечики. Отрывистыми очередями заглушала их стрекот перелетающая с места на место длиннохвостая сорока. Торчков хотел было раньше всех заглянуть в разрытую возле пня ямку, но Кротов, придержав его за рукав, указал взглядом на прокурора:

— Не лезь наперед батьки...

— Чо, будет особое распоряжение?

— Будет.

Антон Бирюков подошел к Гвоздареву и Хлудневскому. Поздоровался с ними за руку. Невесело спросил:

— Ну, земляки, не разгадали еще, какая беда здесь случилась?

— Темный лес — тайга густая, — глуховатым басом ответил бригадир.

Прокурор, подозвав к себе понятых, стал объяснять их права и обязанности. Затем все подошли к неглубокой яме. Следователь Лимакин стал рыться в портфеле, видимо, отыскивая бланки протокола осмотра места происшествия. Эксперт-криминалист Семенов с разных точек несколько раз сфотографировал яму с желтеющим на ее дне черепом. Судмедэксперт Борис Медников молча натянул на руки резиновые перчатки и, присев на корточки, стал осторожно отгребать от черепа успевшую подсохнуть землю. Потом взял череп в руки, внимательно осмотрел его со всех сторон и, глянув на прокурора, мрачно изрек:

— Надо было археологов сюда везти, а не оперативную группу.

— Очень старое захоронение? — спросил прокурор.

— Не меньше, как полувековой давности.

— Мужики!.. — будто сделав великое открытие, воскликнул Торчков. — Это наверняка в революцию ухайдакали бедолагу.

— Логично, — буркнул Медников.

— Как?..

— Правильно, говорю, мыслите.

Торчков вскинул глаза на угрюмо насторожившегося Инюшкина:

— Слыхал, Арсюха?.. Товарищ одабривает мои мысли...

— Не суетись, Ваня, не то намыслишь на свою голову, — тихо проговорил Инюшкин.

Чтобы полностью разрыть захоронение, прокурор попросил шофера «уазика» принести из машины лопату. Антон Бирюков внимательно наблюдал за раскопками. Судя по тонкому, переплетенному травой слою земли над костями, труп был зарыт самое большое на полметра. Одежда и останки человека истлели настолько, что создавалось впечатление, будто в землю зарыли голый скелет. Когда орудовавший лопатой следователь Лимакин дорылся до ног захороненного, лопата неожиданно скрежетнула по металлу.

— Осторожнее, Петр, — тревожно сказал прокурор.

Следователь отложил лопату и стал разрывать корневища травы руками. В том месте, где должна была находиться берцовая кость правой ноги, ко всеобщему удивлению начала вырисовываться замысловатая ржавая конструкция из склепанных между собой металлических планок. Лимакин разрыл конструкцию полностью, и стало очевидным, что она не что иное, как протез голени. Прокурор обратился к судмедэксперту:

— Боря, нельзя ли определить «фирму» этого изобретения?

Медников долго осматривал переплетение ржавых планок, затем неопределенно пожал плечами:

— То ли самоделка какая-то, то ли в былинные времена изготовляли такую замысловатость.

— Но ведь это протез!

— Разумеется.

Прокурор посмотрел на понятых, потом на бригадира Гвоздарева с дедом Лукьяном Хлудневским:

— Кто из ваших земляков имел протезную ногу?

— В какой период времени? — мигом вставил вопрос Торчков.

— Лет пятьдесят... шестьдесят тому назад.

Бригадир усмехнулся:

— Меня в ту пору даже в пеленках не было.

— Зато я вполне сознательный в те годы был, — с достоинством заявил Торчков. — Как понимаю, тот период близок к колчаковщине, а при Колчаке по Березовке да окрестным селам зверствовал Калаган. Многих мужиков этот проклятый контра и без ног, и без рук оставил. А сколько на смерть расстрелял — не перечесть...

— Ты, Иван, с какого году рождения? — поправляя на голове соломенную шляпу, осторожно спросил Хлудневский.

— Чо, свататься надумал? Какая тебе разница, с какого?..

— Такая, что родился ты в семнадцатом году и колчаковского зверства, можно сказать, не видел. Я на семь лет старше и то колчаковщину помню так себе...

— Дак, ты ж из ума теперь выжил! — огрызнулся Торчков.

— Нет, Иван, с моим умом все в порядке. Фамилия-то начальника колчаковской милиции, если хочешь знать, была не Калаган, а Галаган.

— Хрен редьки не сладче.

— Так-то оно так, но ты следователей не путай, — Хлудневский встретился с прокурором взглядом. — После империалистической да Гражданской войны у нас тут, в самом деле, много инвалидов насчитывалось, однако не могу припомнить таких, кто на железном протезе ходил. Все безногие на костылях либо на самодельных деревяшках хромали.

— А случаев, когда люди безвестно пропадали, не помните? — спросил Хлудневского прокурор.

Старик задумчиво царапнул бороду:

— Когда почтовый тракт через Березовку действовал, разный непутевый народ по нему шлёндал. Даже беглые каторжане бродили. И ограбления случались, и тайные убийства. В тридцатые годы, как коллективизация завершилась, жизнь спокойно потекла, без скандальных событий.

— Лукьян, слушай меня! — нетерпеливо вмешался в разговор Торчков. — И при колхозной жизни хватало скандальных фокусов. Вспомни тридцать первый год, когда одноногий председатель нашенского колхоза зачистил под метелку общественную кассу и укатил на колхозном жеребце безвестно куда...

— Имеешь в виду Жаркова Афанасия Кирилловича? — уточнил дед Лукьян.

— А то кого же!

— Афанасий на костылях ходил, не на протезе.

— За уворованные у колхоза деньги он вполне мог купить железную протезу.

— Где их тогда продавали? Это теперь к инвалидам внимание проявляют, даже автомобили бесплатно выдают. А после империалистической, старики сказывали, вручат безногому от имени царя-батюшки костыли и хромай на них по гроб жизни.

— Вы, товарищ Хлудневский, хорошо знали того председателя? — заинтересовался прокурор.

— Как сказать... — дед Лукьян замялся. — Счетоводом я при нем в колхозе работал.

— Оттого и в защиту полез! — мгновенно подхватил Торчков. — Тут, если разобраться, одна шайка-лейка...

— Ваня, побереги патроны, — осуждающе проговорил молчавший до этого Инюшкин.

Торчков задиристо развернулся к нему:

— Воздержись, Арсюха, с подковырками. Или забыл, что председатель до побега у твоего родного батьки квартировал?..

Арсентий Ефимович ошарашенно глянул на Антона Бирюкова:

— Во попер Кумбрык в атаку! И боеприпасов не жалеет...

— Давайте, товарищи, серьезно поговорим, — предупреждая назревающую перебранку, сказал прокурор.

Сумбурно возникшие воспоминания через несколько минут превратились в мирную беседу, в которой в основном участвовали дед Лукьян Хлудневский и Арсентий Инюшкин. Несколько раз неудачно вклинивавшийся в разговор Торчков разочарованно отошел в сторону и с внезапным интересом, словно любопытный ребенок, стал наблюдать за экспертами. Те что-то измеряли среди костей в разрытой ямке, записывали, подсчитывали и фотографировали.

Прокурор, изредка задавая старикам уточняющие вопросы, выяснил, что Афанасий Кириллович Жарков был «главным заводилой» коллективизации и, когда Березовский колхоз организовался, стал первым его председателем. Появился Жарков в Березовке в революционные года вместе с возвращающимися по домам участниками империалистической войны, по «происхождению» был не сибиряк, а откуда-то с Запада: то ли балтийский матрос, то ли большевик, направленный в Сибирь налаживать советскую власть. Носил всегда старую кожанку, в виде тужурки, с наганом в кармане. В период колчаковщины командовал партизанским отрядом за Потеряевым озером, в окрестностях села Ярского. Был тяжело ранен — лишился правой ноги ниже колена. После ранения приспосабливался ходить на деревянном протезе, однако не получилось. Говорил, мол, осколок в культе остался и при протезной ходьбе боль причиняет, а костыли при натренированных руках — самое то, что надо. Семьи у Жаркова не было, хотя к тридцатым годам возраст его уже за сорокалетие перебрался. Исчез он очень таинственно. Вечером запряг в рессорный ходок выездного жеребца и укатил из Березовки неизвестно куда. После ходили слухи, будто видели беглеца: кто — в Серебровке, кто — в Ярском, а кто-то даже — в Томске. Слухи слухами, но человек как в воду канул. Вместе с Жарковым вроде бы пропала из колхозного сейфа тысяча рублей. Эти деньги, кроме председателя, никто другой взять не мог — ключ к сейфу был только у Жаркова.

— Так, так... — задумчиво проговорил в конце беседы прокурор. — Значит, Жарков металлического протеза не имел?

— Никогда! — почти враз ответили старики.

Прокурор обвел взглядом местность:

— А что за плотина здесь была? И почему она называлась Ерошкиной?

— Это еще до коллективизации березовский богач Илья Хоботишкин вальцовую крупорушку содержал, — ответил дед Лукьян Хлудневский. — Строил же ее Ерофей Нилович Колосков. От Ерофея и пошло название — Ерошкина. Сооружение было деревянное, наподобие водяной мельницы. В старое время речка здесь бежала веселее, чем теперь. За весенний паводок в пруду перед плотиной столько воды накапливалось, что крупорушка до глубокой осени вальцы крутила.

Прокурор обернулся к участковому Кротову:

— Михаил Федорович, ты, кажется, уроженец Серебровки?

— Так точно.

— Ну а что ж молчишь?..

— Я, товарищ Белоносов, к показаниям Хлудневского и Инюшкина существенного добавить не могу. Слухи о таинственно пропавшем председателе Жаркове действительно бытовали в здешних местах, только по молодости лет я не придавал им значения. Вот крупорушку Хоботишкина помню, когда она уже стала колхозной. На этом месте, где сейчас находимся, был дремучий лес, а на той стороне, — Кротов показал на противоположный берег речки, — располагались прекрасные луга. Лошадей в ночное туда выгоняли. Обычно подростки этим занимались. Пригоним, бывало, лошадок. Стреножим, чтобы далеко не разбредались. И коротаем ночь до рассвета у костра: картошку в мундирах печем да увлекательные сказки рассказываем.

— Дорога из Серебровки на луга через лес проходила?

— Так точно. Через угрюмую чащу ездили. В селе едва сумерки наступали, а здесь уже темень ночная все заволакивала. Жутко. Пришпоришь конягу босыми пятками, прижмешься к холке, чтобы за сучья не зацепиться, и — галопом через лес. Березовские парни подтрунивали над нами, серебровцами, страшные байки про разбойников сочиняли...

К прокурору подошел следователь Лимакин. Замявшись, сказал:

— Захоронение очень старое. Стоит ли, Семен Трофимович, писанину начинать?..

— Коль уж мы сюда приехали, протокол осмотра оформи, как положено. После разберемся, что дальше делать.

— Судебно-медицинскую экспертизу назначать?

— Назначь, на всякий случай. Проверим способности медиков. В постановлении кроме общих вопросов, касающихся возраста, пола, роста и так далее, укажи на необходимость установить хотя бы ориентировочно время захоронения и причину смерти. — Прокурор посмотрел на Бирюкова. — Так, Антон Игнатьевич?..

— Так не так, перетакивать не будем, — улыбнулся Бирюков.

— Ты ведь, как и Кротов, тоже местного происхождения?

— Да, из Березовки.

— О таинственно пропавшем председателе колхоза ничего не слышал?

— Нет.

Старик Хлудневский робко кашлянул в кулак:

— Вы, Антон Игнатьевич, порасспрашивайте своего деда Матвея. Матвей Васильевич хорошо знал Афанасия Кирилловича Жаркова. Они, можно сказать, друзьями были.

— Дед еще жив? — спросил Бирюкова прокурор.

— Не только жив, но вроде бы и здоров.

— Сколько ж ему лет?

— Как он сам говорит, одной тютельки до сотни не хватает.

— А с памятью у него как?..

— Память у Матвея Василича — золото! — вклинился в разговор Торчков. — Мы с ним постоянно наблюдаем по телевизеру происходящие события и ведем сурьезные разговоры. Тверёзо дед мыслит, демократию в обществе и безудержную гласность одобряет. Дескать, ничего страшного, кроме пользы, в этом существе дела нет...

— Ваня, не лезь в политику, — ухмыльнулся усатый Инюшкин. — Разговор идет о далеком прошлом.

— Помолчи, Арсюха! Ты в политике, как баран в апельсинах, и других дураками считаешь. Прошлое, будет тебе известно, одним узлом связано с настоящим и будущим. Если хочешь, даже товарищ прокурор подтвердит мою мысль.

Прокурор «подтверждать» не стал. Вздохнув, он обратился к Бирюкову:

— В райцентр с нами поедешь или останешься погостить у родителей?

Антон машинально глянул на часы:

— Завтра суббота. В выходные дни дежурством по райотделу я не связан. Пожалуй, останусь.

— Оставайся. Может, что-то интересное от деда узнаешь. В понедельник встретимся, расскажешь.

ГЛАВА 3

Невысокая худенькая Полина Владимировна встретила сына так, будто не виделась с ним целую вечность. По-девичьи стройная и моложавая для своих шестидесяти лет, она торопливо засновала по кухне, на радостях не зная, за что ухватиться. Антон, глядя на нее, засмеялся:

— Не суетись, мам, я на полных два дня приехал.

— Так ведь, сынок, работа твоя очень уж беспокойная. Позвонят из района — только тебя и видела. Говорят, у Ерошкиной плотины кого-то убили. Полная машина следователей туда покатила. Наверно, и ты ради этого приехал?..

— Тому «убийству» завтра, может, сто лет будет.

— За что же тогда арестовали Ивана Торчкова и Арсентия Инюшкина?

— Почему арестовали?..

— Кто вас знает, почему. Бронислава Паутова из окна магазина видела, как их почти силком затолкали в милицейскую машину.

Антон расхохотался:

— Вот дает тетя Броня! Ну, выдумщица!.. Просто понятыми стариков пригласили. Юридический порядок такой существует.

— Бросал бы, сынок, свой уголовный розыск да переходил бы в адвокаты. У адвокатов порядки спокойнее. Который год ведь уговариваю — не слушаешь.

— Рано в мои годы о спокойствии думать.

— Тебе и жениться все было рано. Уже в тридцать, слава богу, определился. Как дома-то?

— Нормально...

За разговором с матерью Антон рассматривал кухню. Все здесь было по-прежнему: просторный обеденный стол под цветной клеенкой, тяжелые табуретки, вместительный коричневый буфет, на стене — большая застекленная рама с семейными фотографиями, на которых запечатлелась вся династия Бирюковых в разные годы жизни. Вот только в этой раме появилась новая увеличенная фотография бородатого деда Матвея с орденом Красного Знамени и четырьмя Георгиевскими крестами.

— Кто это заснял деда при всех регалиях? — спросил Антон.

Полина Владимировна глянула на фотографию:

— Из районной газеты специально к нему приезжал корреспондент. Два дня расспрашивал. Обещал к Октябрьским праздникам в районке напечатать.

— Зачем дед кресты нацепил? Все царские ордена и знаки отличия отменены декретом Совнаркома еще в декабре семнадцатого года.

— Эта карточка сделана деду на память. Для газеты он снялся с Красным Знаменем. Фотограф хотел и отца при орденах сфотографировать, но тот наотрез отказался.

— Почему?

— Он только с начальством зубастый, а в душе стеснительный как красна девица.

— Что-то деда в доме не слышно...

— Недавно к Торчковым утянулся. Невтерпеж захотелось узнать у Матрены, что там опять ее супруг отмочил.

— Вот неугомонный старик! Не болеет?

— Слава богу, нет. Недели две назад отец ездил в Новосибирск на совещание и раздобыл ему слуховой аппарат. Теперь наш дед помолодел. — Полина Владимировна принялась накрывать на стол. — Перекуси, сынок, пока, а ужинать будем попозднее, когда отец с дедом придут.

— Я подожду, мам.

— Хоть чая с вареньем выпей.

— Чая выпью.

Завечерело. По селу шумно пропылило пригнанное с выпаса стадо, и сразу Березовка ожила. Заблеяли овцы. Загоготали потянувшиеся от Потеряева озера к домам гуси. Послышались женские голоса, прикрикивающие на неспокойных при дойке коров. Ушла доить свою Красулю и Полина Владимировна. Вернулась в кухню с полным подойником.

— Куда вам на троих столько молока?! — удивился Антон.

— Сдаем колхозной ферме.

— Принимают?

— А как же... Одно время я поговаривала, чтобы продать корову. Отец воспротивился, мол, глядя на председателя, и другие колхозники сведут со двора личных коровенок. Придется тогда колхозным молоком деревню обеспечивать.

У дома, скрипнув тормозами, остановился «газик». Лязгнули дверцы. Антон выглянул в окно и в сумерках разглядел возле машины отца и деда Матвея. Отпустив шофера, отец по привычке отряхнул о голенище сапога запыленную кепку и направился во двор. Высоченный дед Матвей, задиристо выставив белую бороду и сердито пристукивая батогом, направился следом, что-то бубня себе под нос. Антон встретил их у порога. По очереди обнял обоих.

— Антошка, ядрено-корень, в гости заявился! — дед Матвей сменил гнев на милость. — Здрав-желаю, милицейский офицер!

— Здравствуй, дед, — улыбнулся Антон. — Все воюешь?

— Как иначе? С Торчковым щас чуть не врукопашную схватился. Вы, что ль, брали Кумбрыка в понятые к Ерошкиной плотине?

— Мы.

— Додумались, мудрецы! Кумбрык за один момент на всю деревню раззвонил, будто там убитого революционера с железной ногой откопали.

— Почему непременно революционера?

— Спроси чудака! Кумбрыку что на язык ни попадет — без устали молотить будет. В прошлом году летающими тарелками всех задурил. Нынче, как о семидесятилетии революции заговорили, в политику ударился. Наслушается по телевизору иностранных слов и сыплет ими как горохом. Я ему грю: «Иван! Не спорь со мной!» А он, звонарь, с апломбом хорохорится. Дескать, между нами происходит не спор, а ведется свободная дискусия, иными словами, плюйаризм мнений...

Антон захохотал:

— И чем этот «плюрализм» закончился?

— Ничем. Игнат аккурат подъехал. Плюнул я на дискусию да сел к нему в машину.

Войдя в азарт, дед Матвей и за ужином долго не мог успокоиться. Притих он лишь после того, как

Игнат Матвеевич спросил Антона о Ерошкиной плотине. Антон коротко рассказал. Отец задумался:

— Не знаю таких, кто на железном протезе ходил...

— Торчков упоминал первого председателя колхоза Афанасия Жаркова, — сказал Антон. — Случайно, не помнишь его?

— Когда Жарков пропал, мне было лет двенадцать. Помню, как он размашисто шагал на костылях, а протез... С какой стати?.. — Игнат Матвеевич обратился к деду Матвею: — Отец, Афанасия Жаркова помнишь?

— Дружили мы с ним, — хмуро ответил дед, поправляя за ухом наушник слухового аппарата. — Канул мужик в неизвестность.

— Откуда этот Жарков в Березовке появился? — спросил деда Антон.

— Из города Старо-Быхов.

— Расскажи подробнее.

— Подробность, Антошка, длинной получится... — дед Матвей с хрустом раскусил кусочек рафинада и, причмокивая, стал запивать его чаем из блюдца. — Империалистическую войну я начал службой в сорок четвертом Сибирском стрелковом полку бомбардиром при полковой артиллерии. Военная кампания, прямо сказать, принимала для нас хреновый оборот. Ни толкового командования, ни боеприпасов в достатке не было. Осенью шестнадцатого года, помню, прикатил в полк сам командир дивизии генерал Зарок-Зарековский. Агитировать приунывших солдатиков стал. Дескать, бодритесь, сыны Отечества! Как только разобьем неприятеля, царь сразу даст указание прибавить крестьянам землицы, а рабочим жалование увеличит. А чем разбивать, если на каждую пушку в полку всего по два снаряда приходится? Ну, выслушали мы генеральскую агитацию... А до генерала побывали в наших солдатских рядах большевики. Разъяснили безнадежность войны и призвали повернуть ее в войну гражданскую, стало быть, против монархии. Но все-таки в конце сентября царские генералы кинули нас в бой. Не повезло мне в том бою — по левому бедру жахнула разрывная пуля «Дум-дум». Излечивался в Минске, где находился наш лазарет. Провалялся там до марта семнадцатого года и получил назначение в сто двадцатый Кологривский полк, который квартировал в небольшом городке Старо-Быхов. Тут и свела меня судьба с Афанасием Жарковым...

— У тебя хорошая память, — сказал Антон.

— Газетный фотограф помог вспомнить те события. Два дня напропалую со мной толковал, — дед Матвей опять захрустел сахаром.

— И зубы у тебя крепкие. Не болят?

— Чего им болеть? Они ж костяные.

Переглянувшись с отцом, Антон улыбнулся. Дед неторопливо перелил из чашки остатки чая в блюдце и продолжил:

— В апреле семнадцатого — это, значит, уже после того, как Николашка отрекся от царского престола и командовать Россией стало Временное правительство, по Кологривскому полку пошли разговоры, будто в Быховской тюрьме сидят в особой камере семеро питерских большевиков, прибывших в Быхов разъяснять населению о создании Совдепов. Советы депутатов на первых порах таким манером назывались. Зашумели солдаты. Как, дескать, так?! Кругом идет болтовня о полной свободе народа, а тех мужиков упекли в кутузку! Двинем, мол, братцы, всем полком к тюрьме да вызволим из неволи питерских ребят. Командир наш, полковник Анучин, сдрейфил, стал уговаривать о недопустимости самовольства, да — где там! К Кологривскому полку примкнул соседний Унжинский полк. Построились мы без команды полкового начальства и при полном оружии двинулись с песнями к тюрьме. Два стрелковых полка — это не баран начхал! Считай, больше восьми тысяч штыков... Весь город собрался — невиданное шествие. А полицейские да жандармы в подворотни попрятались. Проще говоря, тюремные ворота отворились перед нами, как по щучьему велению. Понятно, сам собой митинг возник. Самодельную трибуну разом соорудили. Поднялись на нее освобожденные питерцы и представители полков. Я к тому времени, Антошка, уже фейерверкером стал. В артиллерии так младший унтер-офицер назывался, а в казачьих войсках, к примеру, его звали урядником. Ну, поскольку в добавок к унтерскому званию я имел еще и Георгиевские кресты, то по желанию солдат тоже на трибуне оказался.

— Выходит, ты у нас революционер? — с улыбкой спросил Антон.

— Тогда все были революционерами. Большевики одно молотили, меньшевики — другое, кадеты — третье, эсэры — четвертое. Кого из них слушать — не поймешь. Вот и на том митинге начались разные выступления. Первым наш полковник Анучин заговорил, стал призывать митингующих к исполнению воинского долга. За ним полковой священник с проповедью вылез. Дескать, православные воины, не пощадите христианского живота своего в защите российского отечества от чужеземного ворога. На такие призывы солдаты неодобрительно засвистели. Стали требовать: «Хотим слушать питерцев!» И питерцы выступили коротко: «Долой кровавую империалистическую войну!» В этом они получили полную поддержку солдатских масс. А после митинга я и познакомился с Афанасием Жарковым. Из освобожденных питерцев он был самым рассудительным, толковым. Узнав, что я из Сибири, Афанасий заинтересовался крестьянском трудом, спросил: «Скучаешь по землице-матушке?» — «Неужто нет, — говорю. — Чую, пришло время кончать воинское дело да возвращаться в родные края». — «Правильно! Агитируй солдат, чтобы по домам разъезжались. Чуть позднее я тоже в Сибирь на житье переберусь. Ссылку там отбывал и полюбил этот край». Не знаю, чем я Афанасию приглянулся, но адресок мой для памяти он записал...

— Из Старо-Быхова ты сразу в Березовку поехал? — снова спросил Антон, когда дед Матвей, допивая остывший чай, замолчал.

— Нет, я еще долго колесил по России... — дед поставил блюдце на стол и, заканчивая чаепитие, по привычке перевернул чашку кверху дном. — После митинга полковник Анучин спровадил меня с ротой неблагонадежных в Петроград. Там, в октябрьские дни, оказались мы в самом центре революции. Ух, ядрено-корень, горячее время было! Митинги — на каждом шагу.

— Наверное, и Ленина видел?

— Вождь революции в уличных говорильнях не участвовал. Он с друзьями в кабинете план разрабатывал, как получше народ объегорить, чтобы на свою сторону привлечь. А вот красных командиров Блюхера и Фрунзе мне неоднократно видеть довелось. Под командованием Блюхера в восемнадцатом году я в Уральской армии прошел с боями походом по белогвардейским тылам полторы тысячи километров. От Белорецка через Уральский хребет, считай, до самого Кунгура протопал. Здесь соединились мы с третьей армией Восточного фронта. После перебросили нас на Южный фронт. И опять оказался я под командованием начдива Блюхера в пятьдесят первой стрелковой дивизии. В конце двадцатого года участвовал в Перекопско-Чонгарской операции. За штурм Перекопа лично Фрунзе вручил мне орден Красного Знамени. Ох, Антошка, много народной крови было пролито в ту пору на российской земле. Не приведи господи русскому мужику вновь испытать такое.

— Когда же ты воевать закончил?

— В январе двадцать первого года комиссовали меня из Красной армии по ранению. Вот только тогда и возвернулся я в Березовку.

— А Жарков когда здесь появился?

— Точно не помню, но вскоре после революции Афанасий был направлен большевистской партией в Сибирь для создания комитетов бедноты и партийных ячеек. Тут и колчаковщина его застала. Рассказывал мне, как партизанил. Из Омска колчаковцы отступали по двум направлениям. Основные силы двинулись по железной дороге на Восток. Другая часть направилась из Новониколаевска, теперешнего Новосибирска, по почтовому тракту через Березовку на Кузбасс. У поселка Арлюк их настигла Красная армия и с помощью партизан завязала большой бой. В том бою Афанасия крепко ранило. Граната возле него разорвалась и до колена напрочь ногу отхлестала.

— Что за человек был Жарков?

Дед Матвей костистыми пальцами расправил белую бороду:

— Партизан-большевик.

— Чем он занимался в Березовке до коллективизации?

— Сначала возглавлял Совдеп. После колчаковщины, когда залечил ногу, стал председателем сельисполкома. Под его нажимом в Серебровке создалась коммуна, да ничего путнего из нее не вышло.

— Почему?

— Потому, Антошка, что неправильно сельхозкоммуны были задуманы. Они навроде кооперации создавались бедняками да батраками, которые стягивали в кучу свои маломощные хозяйства. Советская власть предоставляла им постройки, крестьянский инвентарь, скот и тому подобное. Это бы все хорошо. Главная беда заключалась в том, что распределение результатов труда было уравнительное — по едокам. Ну а количество ртов не в каждой семье совпадает с количеством рабочих рук. К примеру, вступил в Серебровскую коммуну Троша Головизнев. Работник был отменный, да всего один. А кормить надо было: его бабу на сносях, престарелых мать с отцом, тещу с тестем и пятерых мальцов-погодков, старшему из которых десяти годов еще не стукнуло. Вот тебе и — шаньга с маком! Попробуй, прокорми такую ораву... — дед Матвей вздохнул. — Сбивал Афанасий Жарков на коммуну и березовских мужиков. Поехали мы делегацией, аккурат в разгар сенокоса, поглядеть на серебровских коммунаров, как у них работа ладится. Подъезжаем к столовке — здоровенный амбар с окошками под нее выстроили. Смотрим, большие котлы кипят — мясо невпроворот варится. А на лужайке, возле дощатых столов под открытым небом, коммунары от летней духоты млеют. Спрашиваю: «Чего, мужики, в столь горячее время бока отлеживаете? Почему не на покосе?» — «Обедать собрались, — отвечают. — Ждем, когда стряпухи еду состряпают». Плюнул я на такую коллективную работу и прямо заявил Жаркову, что ни шиша из его затеи не получится. Так и вышло. В первый же год серебровские коммунары проелись в доску и стали расползаться по своим единоличным наделам. Уравниловка, Антошка, как в труде, так и в еде — никудышное дело. Вот спроси у Игната, почему его колхоз из года в год хорошие прибыля получает...

Антон повернулся к отцу:

— Правда, пап, почему? Поделись секретом.

Игнат Матвеевич нахмурился:

— Никаких секретов у меня нет.

— Так уж и никаких...

— Ну, если тебе интересно, я не экономлю на спичках и не окружаю себя подхалимами.

— Объясни подробнее.

— Чего объяснять? Возьми хотя бы уборочную страду. Во многих хозяйствах в самый погожий период уборки начисляют механизаторам нищенскую оплату. Скажем, по пять и две десятых копейки за центнер намолоченного зерна. К тому же, некие «мудрецы» из руководства в нашем районе придумали абсурдный порядок: чем урожайность с гектара выше, тем меньше оплата за намолот. Они, видишь ли, считают, что при высокой урожайности бункер комбайна шутя зерном наполняется. Ну и что на поверку выходит?.. Думаешь, комбайнер жилы станет рвать, чтобы заработать за день на пять и две десятых копейки больше? Чихал он на эти десятые...

— Значит, у тебя в колхозе другая оплата на уборке?

— Мы своим правлением давно решили: не урезать заработки хлеборобов, если они вырастили богатый урожай. Создали полеводческие звенья, закрепили за ними землю и оплату ведем по конечному результату. Словом, наши колхозники получают деньги не за дядин труд, а за свой собственный... — Игнат Матвеевич замолчал. — Что касается подхалимажа, то, на мой взгляд, это одно из самых гадких человеческих качеств. Понимаешь, сын, не встречался мне еще ни один подхалим, который был бы думающим, добросовестным работником. Поэтому и избавляюсь от подхалимов всяческими правдами и неправдами. Я не тщеславен, чтобы окружать себя льстивыми дураками и бездельниками. Мне нужны умные, деловые помощники.

— У таких обычно ершистые характеры.

— В том их и прелесть. Это же хорошо, когда специалист отстаивает свое мнение и не дает дремать начальству. Как говорится, короли не делают великих министров — министры делают великих королей, — Игнат Матвеевич усмехнулся и внезапно сменил тему: — Кажется, сын, отвлеклись мы. Неужели следствие затеваете по Ерошкиной плотине?

— Нет. О каком следствии можно вести речь спустя полвека? Существует ведь срок давности.

— Почему же тогда Афанасий Жарков тебя заинтересовал?

— Чисто из любопытства. Не могу поверить, чтобы бескорыстный порядочный человек скрылся тайком, да еще и колхозные денежки с собой прихватил.

— Да-а-а... Тут что-то явное нет то.

— Вот и хочется узнать: кем был Жарков на самом деле?..

ГЛАВА 4

Проснулся Антон поздно. Поднявшись с постели, быстро оделся и распахнул окно. Из заросшего малинником палисадника потянуло утренней свежестью. На безоблачном небе ярко сияло солнце. В селе было безлюдно и тихо. Лишь где-то за поскотиной; как всегда в страдную пору, слышался отдаленный гул работающих комбайнов. В комнату заглянул дед Матвей. Важно расправляя бороду, подтрунивающе сказал:

— Спишь, ядрено-корень, вроде кадрового пожарника.

— Надо ж хоть раз в жизни выспаться! — громко ответил Антон.

— Шибко не кричи, — дед Матвей костистым пальцем постучал по нагрудному карману рубахи, где оттопыривалась прямоугольная коробочка слухового аппарата. — С этой машинкой я теперь, будто по радио, все слышу. Умывайся — чай пить станем.

— Отец с матерью уже позавтракали?

— Давно отчаевничали и делом занялись. Игнат — на полях. Полина — в огороде.

— Значит, вдвоем мы с тобой остались?

— Вдвоем.

Вчерашние мысли о Жаркове по-прежнему не покидали Антона. Он спросил:

— Дед, кроме тебя, кто из березовцев или серебровцев хорошо помнит Жаркова?

— Кто его помнил, все поумирали... — дед Матвей задумался. — Вот, разве, Лукьян Хлудневский из Серебровки может припомнить такое, чего я не знаю.

— Ему можно верить?

— Лукьян серьезный мужик. И очень даже хватким умом в молодости отличался. Грамоту в ликбезе шустрее всех освоил. В тридцать первом году, когда Афанасий пропал, крестьяне хотели меня в председатели сосватать. По малограмотности я самоотвод заявил. Тогда колхозное собрание единодушно за

Лукьяна проголосовало, хотя годками он совсем еще пареньком был.

— И долго Хлудневский председательствовал?

— То ли до тридцать седьмого года, то ли до тридцать восьмого, пока НКВД его не припугнуло.

— За что?

— В те годы всех за одно привлекали, за вредительство. Правда, Лукьяна не посадили, но председателем он дальше не стал. Или запретили ему, или сам отказался... А жалко. Много пользы Лукьян мог бы колхозу сделать. После Хлудневского чехарда с председателями началась. И своих выбирали, и из района привозили. Едва не довели колхоз до ручки. Укрепляться мы стали уже после Отечественной, когда Игнат за правленческий руль взялся.

— Значит, Хлудневский... — Антон помолчал. — Кто еще может о Жаркове рассказать?

— Еще порасспрашивай Арсентия Инюшкина. Он, пацаном, часто кучерил у Афанасия. Самому Жаркову на костылях несподручно было жеребца хомутать, а Арсюшка проворно с лошадьми обращался. К тому же Жарков на квартире у Инюшкиных проживал... — дед Матвей задумался. — Жалко, давно помер в Серебровке Степан Половников, который и в коммуне, и в туповозе, и в колхозе бессменным кузнецом был...

— Что еще за «туповоз»?

— Это, когда коммуна распалась, зажиточные серебровские мужики объединились в товарищество по возделыванию земли.

Антон улыбнулся:

— Дед, товарищества по совместной обработке земли назывались ТОЗами.

— Ты человек грамотный, тебе виднее. Но сибирские крестьяне туповозами их называли, — ничуть не обиделся за поправку дед Матвей. — Так вот, Степан Половников мог бы тебе много рассказать о Жаркове. Афанасий чуть не каждый день к нему в кузню наведывался, которая находилась в Серебровке. Лучшего кузнеца в нашем крае не было. Не только любую деталь Степан умел отковать, но и такие крестьянские машины, как молотилка, веялка или сортировка, собственными руками мастерил. Даже Ерофей Колосков, когда руководил артелью пленных австрийцев при строительстве крупорушки Илье Хоботишкину, брал к себе в помощники Степана Половникова.

— Здесь и австрийцы были?

— В Сибири много разных завоевателей сопли морозили. А кузнеца Половникова я еще к тому вспомнил, что, как говорили, Степан последним из местных жителей видал Жаркова. Домой к нему, в Серебровку, Афанасий заезжал. Вечером от него уехал и — с концом.

— Следственные органы разыскивали Жаркова?

— Искали! Предполагалось, кулаки Афанасия убили, но никаких зацепок не нашлось. Главная загвоздка заключалась в том, что вместе с Афанасием пропали жеребец и рессорный ходок. Как в воду канули. Опять же, если подумать, у Жаркова среди местного кулачества вроде и врагов не было. Коллективизация у нас тихо прошла. Считай, одного Илью Хоботишкина раскулачили и то по его собственной дурости.

— Что-то раньше я о нем ничего не слышал...

— А эту гниду давно все забыли. До революции Илья держал в Березовке винопольную лавку. Потом, после империалистической войны, завел крупорушку. На ней и умом помешался. В тридцатом году, когда крупорушка стала колхозной, хотел

спалить строение. Мужики не дали разгуляться по-
жару, а чтобы Илья еще какую пакость колхозу не
причинил, отправили его со всеми домочадцами в
Нарым. Так что, в тридцать первом, когда Жарков
пропал, Хоботишкина в Березовке уже не было, и
отомстить Афанасию он не мог... — дед Матвей в
который раз задумался. — Ты, Антошка, поговори с
нашей завклубом Лариской. Она историю Березовки
давно собирает. И даже старую фотокарточку Жаркова где-то раздобыла.

Антон посмотрел на часы. Упоминание о фото-
карточке заинтересовало его. Сразу после завтрака,
не откладывая в долгий ящик, он решил переговó-
рить с «завклубом Лариской».

Просторный сельский Дом культуры возвышался
в Березовке рядом с типовым сельмагом. Когда-то
здесь стоял невзрачный бревенчатый домик с по-
блекшей от времени вывеской «Клуб». Заведовала
новым СДК Лариса — общительная симпатичная
девушка, которая, как выяснилось, была родной
внучкой Лукьяна Хлудневского и даже фамилию де-
дову носила. Три года назад она закончила Новоси-
бирское культпросветучилище и вернулась в родное
село. Лариса наперечет знала своих земляков, так
что Антону и представляться ей не пришлось. Разговор состоялся в кабинете заведующей, основательно заставленном всевозможной радиоаппаратурой и
причудливо изогнутыми трубами духового оркестра.
Окинув взглядом столь богатое хозяйство, Бирюков
с улыбкой сказал:

— По-моему, у вас на каждую душу населения
приходится по три музыкальных инструмента.

— Что вы, Антон Игнатьевич! — Лариса тоже улыбнулась. — Наши самодеятельные кружки славятся на
весь район. Свой ВИА имеем, джаз. А недавно Арсен-

тий Ефимович Инюшкин организовал кружок гармонистов. Знаете, как он отлично играет на гармони?..

— Знаю. Без Арсентия Ефимовича раньше ни одна свадьба в Березовке не обходилась.

Постепенно разговор перешел к прошлому села. Лариса еще больше оживилась и увлеченно стала рассказывать, как она с первого года после училища организовала школьников на поиски интересных фактов из прошлого, чтобы впоследствии создать в фойе Дома культуры портретную галерею передовых людей колхоза со дня его основания. Рассказывая, девушка отодвинула на край стола «Боевой листок», который сосредоточенно раскрашивала перед приходом Антона. Затем открыла тумбочку, достала из нее четыре толстых тетради и пачку пожелтевших старых фотографий. Разложив их на столе, сказала:

— Видите, сколько материалов мы успели собрать. В этих тетрадках записаны рассказы местных старожилов о прошлом.

Бирюков с интересом стал перебирать фотографии. На одной из них был сфотографирован лихой матрос с улыбчивым волевым лицом. Антон почти интуитивно узнал Жаркова. На обратной стороне фотоснимка выцветшими коричневатыми чернилами было написано: «Ефиму Инюшкину на память от Афанасия». Ниже стояла разборчивая подпись «Жарков» и дата «3 декабря 1930 г.».

Вероятно, заметив, как сосредоточилось лицо Бирюкова, Лариса живо пояснила:

— Это первый председатель нашего колхоза. Фотография дореволюционная. Сохранилась она в семье Инюшкиных. Надпись сделана Жарковым отцу Арсентия Ефимовича.

— Что еще о Жаркове у вас есть? — спросил Антон.

— Почти ничего, — огорченно ответила Лариса. — У него загадочная судьба. Я специально ездила в областной партийный архив. Там в документах за тридцать первый год сохранилась коротенькая справка... — Лариса порылась в одной из тетрадей и протянула Антону небольшой листок: — Вот, посмотрите.

Бирюков внимательно стал читать:

«Жарков Афанасий Кириллович родился в 1886 году. Из семьи такелажника Петроградского судостроительного завода. Член ВКП(б) с 1905 г. Участник Революции 1905—07 гг. С 1908 по 1912 г. служил трюмным машинистом на миноносцах военной эскадры Балтийского флота. С 1912 г. на подпольной партийной работе. 1916—18 гг. в Старо-Быхове. В декабре 1918 г. прибыл в Сибирское бюро ЦК РКП(б) для усиления руководства подпольной партработой. В период колчаковщины — участник партизанского движения. Организатор коллективизации сельского хозяйства в Новосибирском округе. Осенью 1931 г. убит кулаками (предположение). Достоверных сведений о смерти нет».

— Можно переписать эту справку? — спросил Ларису Бирюков.

— Пожалуйста, — быстро ответила она и тут же попросила: — Помогите нам выяснить окончательную судьбу Жаркова.

— Очень уж много времени прошло с той поры, — уклончиво сказал Антон.

— Естественно! Но, согласитесь, разве можно вычеркнуть из истории колхоза человека, который сделал самое основное — создал колхоз?.. — запальчиво заговорила Лариса. — Я спрашивала в партархиве: нельзя ли реабилитировать Жаркова? Мне ответили, что на основании имеющихся там документов невозможно установить обстоятельства его исчезновения из Березовки, а поэтому... В общем, Антон Игнатьевич, я на сто процентов уверена, что человек с такой биографией, как у Жаркова, не мог совершить преступление против советской власти...

— Чем же подтвердить вашу уверенность?

— Не знаю...

Бирюков взглядом показал на лежащие на столе тетради:

— В них есть рассказ вашего деда?

— Нет. Дед Лукьян категорически отказался рассказывать под запись. Взял у меня чистую тетрадку и сказал, что сам напишет, только вот все никак не может выкроить времени.

— А что другие старики говорят о Жаркове?

— Хорошее. Один лишь Торчков доказывает, что первый председатель был врагом народа.

— На чем Иван Васильевич строит свои доказательства?

— Ни на чем. У него какое-то болезненное стремление обо всем, что скажет Арсентий Ефимович Инюшкин, говорить наоборот. Дело до смешного доходит. В позапрошлом году на общем колхозном собрании стали обсуждать вопрос о создании кролиководческой фермы. Инюшкин с места бросил реплику, мол, для колхоза кролиководство будет невыгодным. Торчков тут же подскочил на ноги: «Я целиком и полностью не согласный с предыдущим оратором Арсюхой Инюшкиным! Приведу конкретный пример: в одиннадцатой пятилетке я для потехи завел трех кролов. Продержал их одно лето. И что, думаете?.. Больше месяца был обеспечен натуральным мясом, меховую шапку, как у нашего председателя Игната Матвеевича, себе справил да еще супружнице Матрене на домашние шлепанцы шкурок осталось!» Колхозники от смеха за животы схватились. Ферму создали. Первый год она прибыли не дала. Стали думать: развивать кролиководство дальше или прекращать? На этот раз Инюшкин высказался «за кроликов». И опять Торчков вскочил: «Я не согласный с предыдущим оратором! Никакого толку от кролов в общественном хозяйстве не будет! Вот конкретный пример: в одиннадцатой пятилетке я пробовал держать этих тунеядцев, дак они не только все деревянные клетки погрызли, но и меня самого вместе с Матреной чуть не сожрали»...

Лариса настолько артистично передала интонации Торчкова, что Антон будто наяву представил выступление «Кумбрыка» и расхохотался. Девушка улыбнулась:

— Записывая Торчкова, я сделала ошибку: прочитала Ивану Васильевичу запись Инюшкина. Он, конечно, сразу и заговорил шиворот-навыворот.

Бирюков попросил тетрадь с торчковской записью и неторопливо стал ее читать. Почерк у Ларисы был крупный, разборчивый. Судя по записи, она умела тонко подмечать речевые особенности говорящего. Рассказ Торчкова занимал больше половины тетради. Содержание было краснобайским, однако в том месте, где речь зашла о Жаркове, Антон сосредоточился. Иван Васильевич говорил:

«Я не согласен с Арсентием Инюшкиным в положительной оценке первого нашего председателя колхоза. Лично я не видал партизанской деятельности Жаркова против Колчака, а ногу свою Жарков вполне мог потерять от красноармейской гранаты. Вот, недавно по телевизору шла передача об одном проходимце, который тоже был без ноги и прикидывался инвалидом Отечественной войны, за что получал хорошую пенсию. На деле оказалось, что инвалид он липовый и военного пороха никогда в жизни не нюхал. За последние годы, надо откровенно признать, мы потеряли революционную бдительность и поднимаем на щит славы совсем не тех, кого следует. Кроме Жаркова из конкретных врагов народа могу назвать теперь уже мертвых жителей Серебровки Екашева Осипа и Половникова Степана. В период коллективизации Екашев числился крепким середняком. На самом деле Осип был до невозможности жадным кулаком-кровососом. Имел трех породистых коров, гнедого коня стоимостью не меньше двухсот рублей по деньгам того времени, два новеньких плуга "Красный пахарь" да еще двухлемешный плуг, который нужен был ему в хозяйстве, как собаке пятая нога. Несмотря на такое богатство, раскулачивание обошло Екашева. Половников Степан до революции содержал в Серебровке кузницу. Остался он хозяином кузницы и в колхозное время. Вопрос: почему? Потому, что Жарков не давал в обиду врагов народа, поскольку сам таковым являлся. Теперь, возможно, об этом никто не помнит, но лично у меня врубилось в памяти, как следователи, разыскивая в 1931 году пропавшего без вести Жаркова, обнаружили у Половникова Степана неизвестно кому принадлежащие костыли. Спрашивается, зачем понадобились кузнецу инвалидские ходули, если он, как здоровый мерин, имел все четыре ноги?»...

Слово «четыре» было зачеркнуто ровной полосой, а над ним написано: «две». Представив увлекшегося Торчкова, Антон улыбнулся и продолжил чтение:

«Тут и дураку понятно, что костыли те заготовила впрок вражеская шайка-лейка, чтобы Жарков мог ускакать на них из Березовки на недосягаемое для Советского правосудия расстояние. Это он и сделал, обойдясь другими костылями. За обнаруженные костыли Половникова арестовали. Потом его почему-то выпустили на волю. Степан, не будь дураком, воспользовался свободой и, чтобы не отвечать за вредительство, вскорости умер. Теперь в Серебровке живет его сын Федор — подозрительный во всех отношениях. Федя мой ровесник, но, как дремучий старик, молится богу и ни разу в жизни не женился. В его доме божественных икон больше, чем в православной церкви. Еще у него есть староза ветная библия, которую Федя штудирует каждый день. Если Федора Половникова потрясти, то можно узнать кое-что интересное и о его родителе. Лично сам я вышел из бедняцкой семьи. С первого года жизни, т.е. 1917, примкнул к Советской власти, верно служил ей до выхода на заслуженную пенсию и до сей поры являюсь беспартийным большевиком».

Дальше в тетради повествовалось о руководстве Торчковым Березовской пожарной дружиной в довоенную пору, о его службе в героическом Кубанском кавалерийском полку на разных фронтах Отечественной войны и о многолетней доблестной работе конюхом в послевоенное время. Мельком прочитав послужной список неунывающего земляка, Бирюков вернул тетрадь Ларисе и задумался.

Антон давно знал серебровского старика Федора Степановича Половникова, перенявшего от отца кузнечное дело и проработавшего больше полвека в колхозной кузнице. Всегда угрюмый, с поседевшими рыжими волосами, торчащими из-под старинного картуза, Половников, несмотря на семидесятилетний возраст, физически был довольно крепок и действительно, как рассказывал Торчков, до фанатизма религиозен. Антону доводилась бывать в его доме, где одна стена и впрямь была увешана иконами и образками, словно церковный иконостас. Оторвавшись от размышлений, Бирюков спросил Ларису:

— Вы не беседовали с Половниковым?

— Пробовала, но Федор Степанович сказал, что ничего не помнит о коллективизации и Жаркова не знает.

— Не помнит?.. — Антон вновь задумался. — В тридцать первом году Федору было лет четырнадцать. В таком возрасте память цепкая.

— Дед Лукьян предполагает, будто Половников по религиозным соображениям не хочет вспоминать о коллективизации. Говорит, мать у Федора Степановича очень религиозной была и сыну веру свою внушила.

— Кстати, Лариса, а ваш дед не упоминал о костылях, обнаруженных у Половникова?

— Когда я сказала об этом деду, он усмехнулся: «Торчков нагородит тебе семь бочек арестантов, только уши развешивай».

— А Инюшкина не спрашивали?

— Арсентий Ефимович тоже уклончиво ответил: «Кумбрык всегда слышит звон, да не знает, где он».

Бирюков взял со стола фотографию Жаркова. В отличие от других фотоснимков, собранных Ларисой, жарковский снимок сохранился хорошо. Сделан он был профессиональным старым мастером, что называется, на высоком уровне. Объектив запечатлел буквально каждую морщинку в уголках весело прищуренных глаз, каждый волосок аккуратно подстриженных коротких усов, какие обычно носили российские моряки и солдаты в предреволюционные годы. Антон долго всматривался в фотоснимок, пытаясь по внешним признакам определить скрытые пороки запечатленного на снимке человека, но волевое лицо Жаркова было настолько безупречным, что, казалось, будто именно с него современные художники рисуют матросов на праздничных плакатах и открытках.

— Я возьму на время эту фотографию, — сказал Бирюков. — Как только наш фотограф ее переснимет, сразу верну.

— Пожалуйста, берите, — ответила Лариса и умоляюще попросила: — Антон Игнатьевич, если узнаете что-то новое о Жаркове, сообщите мне.

— Непременно сообщу.

ГЛАВА 5

У колхозной конторы возле трехтонного самосвала с голубой кабиной участковый инспектор Кротов, сурово помахивая пальцем, делал внушение вихрастому парню в коричневой куртке на «молниях» и в джинсах. Бирюков еще издали узнал разбитного шофера Серебровской бригады Сергея Тропынина, прозванного за неуемную энергию и суетливость «Торопуней».

— Лихачит, понимаете ли, — смерив строгим взглядом парня, сказал подошедшему Бирюкову Кротов. — Сегодня утром раздавил гусака, принадлежащего Федору Степановичу Половникову.

Антон, поздоровавшись с участковым, протянул руку Тропынину:

— Ты что же, Сергей, неприятности землякам причиняешь?

— Бывает... — Тропынин смущенно потупился. — План надо делать, а тут порасплодили кур да гусей — по деревне не проехать.

— Другие нормально ездят. Ты же всегда гонишь, сломя голову, — с прежней строгостью проговорил участковый.

— Да расквитаюсь я с Половниковым. Скажу матери, чтобы своего гусака ему отнесла. А за куриц, Михаил Федорыч, хоть ругай — хоть нет, отвечать не буду! Разве это порядок, когда едешь по селу, как по птицефабрике? Уши закладывает от кудахтанья...

— Куры к тебе приноровились. В один конец села въезжаешь — в другом они уже по дворам, как от коршуна, разбегаются, — Кротов сурово кашлянул. — Смотри, Сергей, долихачишься! А теперь не трать время, кати к комбайнам.

Тропынин словно того и ждал. Ковбойским прыжком он вскочил в открытую дверку кабины самосвала. Взревев мотором, самосвал тотчас круто развернулся и, подняв пыльное облако, мгновенно скрылся за деревней.

— Неисправимый... — глядя на оседающий шлейф пыли, покачал головой участковый. — Придется для профилактики талон предупреждений лихачу продырявить.

— Что нового в Серебровке? — спросил Бирюков. Кротов пожал плечами:

— Можно сказать, новостей — нуль. Старики, будто встревоженные пчелы.

— Ну и что говорят?

— Переливают из пустого в порожнее. Если бы не железный протез, сходятся на том, что Жарков... Однако с протезом — полная загадка.

— Как бы нам ее разгадать, а?..

— Не представляю. Прокурор все-таки надумал возбудить уголовное дело?

— Нет, меня просто по-человечески заинтересовала судьба Жаркова. Вы отца Федора Степановича Половникова помните?

Кротов за козырек натянул поглубже фуражку:

— Знавал я дядьку Степана. Богатырского сложения был мужчина, но умер внезапно.

— Причина?..

— В ту пору все скоропостижные смерти объясняли так: «Чемер хватил». С точки зрения современной медицины, полагаю, инфаркт свел Степана Половникова в могилу.

Антон помолчал:

— Как бы, Михаил Федорович, мне с дедом Лукьяном Хлудневским повидаться?

— Утром Лукьян находился дома, — участковый взглядом показал на стоявший у крыльца колхозной конторы желтый служебный мотоцикл. — Если надо, разом домчимся до Серебровки...

Бирюков хотел было, не откладывая, принять предложение Кротова, но, увидев вышедших из сельмага Инюшкина и Торчкова, помедлил с ответом. Старики, отчаянно споря, направились к ним. Не дойдя шага три, Торчков бодро вскинул к помятому козырьку серой кепчонки сложенную лодочкой ладонь и на одном дыхании выпалил:

— Здравия желаю, товарищи офицеры милиции!

— Здравствуйте, уважаемые пенсионеры, — стараясь не рассмеяться, сказал Антон. — О чем спор ведете?

Торчков чуть замялся:

— Проблемный вопрос, Игнатьич, не дает мне покоя. Арсюха ответить на него не в состоянии. Может, ты скажешь: как в Америке положение с банями?

— С какими?

— Ну это... с обыкновенными, в каких мы по субботам моемся.

Бирюков все-таки не сдержал улыбки:

— Думаю, Иван Васильевич, в банном вопросе у американцев проблемы нет.

— Ну а парятся они, как русские мужики — до изжоги, или только для отвода глаз, чтобы очередь отвести? И опять же: березовых веников у них, наверно, кот наплакал...

Участковый подозрительно глянул на Торчкова:

— Ты, Иван, случайно, не отоварился у Паутовой черносливным компотом?

— Перекрестись, блюститель закона! У меня теперь это... Как говорят по телеку, трезвость — норма жизни.

— А чего каверзные вопросы задаешь?

— Какие хочу, такие и задаю. Застольное время давно кончилось, а ты по старым меркам живешь, не можешь привыкнуть к гласности.

Участковый усмехнулся:

— Наверно, хотел сказать «застойное» время?

— Кротов, я никогда не двуличничаю, как другие. Что хотел, то и сказал. В чем в чем, но в застольных делах мы на месте не стояли, а неуклонно росли вверх. Советую тебе телек почаще смотреть. Там теперь все доступно объясняют, — мигом вывернулся Торчков и брезгливо сплюнул в сторону. — А насчет причисленного тобою к алкоголю компота скажу прямо: сто лет видал я тот прокисший компот! Мне вчерась Матрена привезла из райцентра десять бутыльков психоколы.

— Чего, Вань?.. — быстро вклинился в разговор Арсентий Ефимович Инюшкин.

— Чего? Чего?.. — передразнил Торчков. — Не прикидывайся валенком! Вроде не знаешь американскую газировку в бутылочках...

Инюшкин утробно хохотнул:

— Во когда я смикитил, почему ты Америкой заинтересовался. Значит, с наших яблочных напитков перешел на американские. Та газировка, Ваня, пепси-колой называется.

253

— Чо, шибко грамотным стал?

— Читать умею.

— Иди ты, Арсюха, со своими подковырками в пим дырявый!

— А ты, Ваня, шел бы со своими вопросами в баню...

Торчков с неподдельным изумлением глянул на Инюшкина, покрутил указательным пальцем у виска и повернулся к Бирюкову:

— Ненормальный. Чо с него возьмешь?..

— Не горячитесь. Проблемные вопросы надо решать спокойно, — стараясь примирить стариков, сказал Антон, однако Торчкова уже занесло:

— Игнатьич! Лично с тобой могу беседовать хоть до третьих петухов, а зубоскал Арсюха не заслуживает моего внимания ни на минуту. Я категорически осуждаю его недостойное поведение! — И, шаркая стоптанными сапогами, засеменил вдоль деревни к своему дому.

Инюшкин затрясся от внутреннего смеха. Зная неуемную натуру Арсентия Ефимовича насчет всевозможных розыгрышей, Антон улыбнулся:

— Зря обидели веселого человека.

Арсентий Ефимович, сдерживая смех, закрутил лысой головой:

— Нет, Антон Игнатьевич, Кумбрык не обидчивый, он заполошный. Сегодня же вечером придет ко мне с новой проблемой, например: «Почему при передаче телемоста американцы разговаривают с нашими людьми на своем языке, а смеются по-русски? Откуда они русский смех знают?» Ей-богу, мы с ним уже не один вечер потратили на решение подобных проблем. С Ваней не заскучаешь...

Бирюков пригласил Инюшкина в кабинет участкового, чтобы переговорить с ним, как советовал дед

Матвей, о Жаркове. Едва Антон заикнулся о первом председателе колхоза, лицо Арсентия Ефимовича посерьезнело, а гусарские усы будто ощетинились.

— Плохого про Афанасия Кирилыча ни слова не скажу, — сухо буркнул он. — Если хочешь услышать плохое, Кумбрыка спроси. Мне Лариска Хлудневская показывала Ванины мемуары. Чуть не полную тетрадку ерунды намолотил.

— С чего это Иван Васильевич так разошелся?

— У Вани сейчас очередной закидон. Увлекся критикой культа и «застольного» периода. Чуть что — сразу ораторствует. «Теперь не те времена, чтобы геройские звезды разбрасывать да на щит славы поднимать! Теперь надо правду-матку в глаза резать!» Вот и режет ахинею. Знаешь, как в той пословице: заставь дурака богу молиться, он и лоб расшибет... — Инюшкин нахмуренно помолчал. — Мне думается, Торчков решил отыграться на Жаркове за то, что Афанасий Кирилыч ему в мальчишестве уши до красноты надрал.

— За какую провинность?

— Пацанами мы коньки к валенкам сыромятными ремнями привязывали. Ваня однажды и сообразил для этих ремешков супони из двух колхозных хомутов выдернуть, а Жарков подловил его, проказника.

— Значит, у вас о Жаркове хорошее мнение?

— Даже отличное! — не колеблясь заявил Инюшкин. — Я лучше Вани знаю Афанасия Кирилыча. Жарков квартировал у нас. Домик хоть и тесноватый у моего отца был, но комнатку для председателя выкроили. Да он в ней почти и не находился. То на культстане с колхозниками заночует, то в конторе до утра засидится. Вздремнет часок, и ни свет ни заря опять в поле покатил. Меня часто за кучера брал. Повозил я его и по полям, и до райцентра. Бывало приедем из района, Афанасий Кирилыч чуть не всю сельскую детвору хоть карамелькой да одарит. После закрытия частной торговли кооперация не сразу на селе развернулась, так что и карамельки радостью были, — Инюшкин повернулся к участковому. — Так ведь, Миша?..

Кротов утвердительно кивнул.

— Много мы с дядей Афоней, так я называл Жаркова, поездили... — грустно продолжил Инюшкин. — Проще говоря, Антон Игнатьевич, с Афанасием Кирилычем я, не задумываясь, пошел бы в разведку...

— Не помните, как он последний раз уехал? — спросил Бирюков.

Лицо Инюшкина еще больше помрачнело:

— Помню. Запряг я Жаркову Аплодисмента — выездной жеребец у нас так назывался. Вороной масти, с белыми «чулками» на передних ногах. При коллективизации этого жеребца у Хоботишкиных забрали. Ну, значит, уже крепко завечерело. Афанасий Кирилыч довез меня от конюшни до дома и наказал идти спать. А сам вроде бы в Серебровку покатил.

— По какому делу?

— У него разных дел хватало.

— Что-нибудь конкретное из последнего разговора с ним не запомнили?

— Давно это было... — Инюшкин хмуро задумался. — Нет, Игнатьич, конкретного вспомнить не могу. Врать же, как Ваня Торчков, не стану.

— Что за общественные деньги вместе с Жарковым исчезли? — снова задал вопрос Антон.

— Об это тоже ничего не могу сказать. Память у меня в те годы была молодая. Она хотя и надежная, да не всегда главное запоминает. Вот, будто сейчас вижу, как дядя Афоня каждый раз покупал в райцентре макароны с мясом. Были тогда такие консервы, очень я их любил. Вернемся, бывало, домой и на соревнование друг с дружкой по полной банке за ужином уплетем. Еще нравилось мне собирать нарядные коробки из-под папирос. Обычно дядя Афоня курил дешевые папироски «Мак». Гвоздиками он их называл. В праздники же покупал «Сафо». Папиросы искурит, а коробку где попало не бросит, обязательно мне отдаст... — Арсентий Ефимович задумчиво погладил усы. — Еще помню, как однажды Жарков разрешил выстрелить из именного нагана. Воткнули в огороде черенком в землю лопату, отошли на пятьдесят шагов, и я, к своему удивлению, прособачил в ней дырку. Отец, увидав дырявую лопату, хотел задать мне основательную лупцовку, но дядя Афоня не позволил. «Это меня, Ефим, — говорят, — надо розгами пороть. Думал, Арсюшка промахнется на таком расстоянии, а он, шельмец, в самую десятку влепил».

— У Жаркова был именной наган?

— Да, с надписью на рукоятке: «А.К. Жаркову — от Сибревкома. 1920 г.»

— Арсентий, — вдруг обратился к Инюшкину Кротов, — ведь Жарков и ликбез в Березовке организовывал. Помнишь, как в двадцать восьмом он ходил по дворам и чуть не силой заставлял учиться и малых, и старых?..

— Нето не помню! — живо подхватил Инюшкин. — Мы с тобой, Миша, тогда босоногими пацанами были, а другим-то ученикам бороды мешали каракули выводить. А писали на чем?.. Бумаги не было, так Афанасий Кирилыч раздобыл в Новосибирске два мешка водочных наклеек. На обороте тех лоскутков, размером с ладошку, и упражнялись рисовать буквы.

— Карандашей на всех учеников не хватало, — опять заговорил Кротов. — Каждый карандашик — помнишь, Арсентий? — на четверых разрезали. Закручивали отрезочки в свернутые из газетных клочков трубки, чтобы ловчее в пальцах держать, и до полного основания грифеля исписывали...

Разговор между Инюшкиным и Кротовым сам собою выстроился по принципу «А помнишь?». Антон Бирюков, не перебивая, слушал ветеранов и узнавал такие факты, которые ему, родившемуся после Отечественной войны, даже и в голову никогда не могли бы прийти. Он с детства знал родную Березовку почти такой, какая она есть теперь. Знал односельчан, которые хотя и старятся с годами, но вроде бы остаются все теми же. История родного села для него была неразрывна с историей страны: Октябрьская революция, Гражданская война, коллективизация, напряженные пятилетки, война Отечественная и... мирная послевоенная жизнь, без голода и лишений. Все это, начиная со школьных лет, укладывалось в его сознании полагающейся по учебной программе информацией, без особых эмоциональных оттенков. Казалось, основные события происходили где-то в далеких местах, расписанных в художественных книгах и показанных в кинофильмах. И все это вроде бы было не с настоящими людьми, а с актерами, изображающими тех или иных лиц. Сейчас же рядом с Антоном сидели реальные земляки и говорили о реальных событиях, произошедших вот здесь, на березовской земле. И эти земляки воочию знали загадочного Жаркова, судя по всему, немало сделавшего хорошего для березовцев и по неизвестной причине почти исчезнувшего из их памяти.

Когда воспоминания ветеранов поугасли, Бирюков обратился к Инюшкину:

— Арсентий Ефимович, почему Торчков в своих «мемуарах» утверждает, будто Жарков не давал в обиду «врагов народа»?

— Кого именно?

— Например, Осипа Екашева из Серебровки.

— Да какой он враг?! — удивился Инюшкин. — Осип Екашев был трудяга до седьмого пота. Батраков никогда не держал, все хозяйство на собственной горбушке волочил. Ну а если долго не хотел в колхоз вступать, так это дело было полюбовное. Жарков за коллективизацию, конечно, агитировал — линия партии такая была, — однако под наганом никого в колхоз не загонял. На первых порах у нас много единоличников насчитывалось. Постепенно, к тридцать первому году, все они поняли, что упорный Сталин от своей задумки ни на шаг не отступит, и влились в колхозное общество.

— А кузнец Половников когда вступил в колхоз?

— Степан с первого дня не отказывал в ремонте колхозной техники. Половников хлебопашеством не занимался. Кузница его кормила. Правда, коровенку держал да еще сивая монголка у него была, чтобы дровишек либо сенца на зиму подвезти. При коллективизации эту лошадь за кузницей закрепили для вспомогательных работ.

— После исчезновения Жаркова кузнеца не арестовывали?

— Тогда многих на допросы вызывали, но насчет ареста... не знаю, — Инюшкин глянул на Кротова. — Может, Федорыч, ты что-нибудь помнишь? Половниковы от вашего дома наискосок жили...

Кротов пожал плечами:

— Похороны Степана помню — жена его очень сильно над гробом голосила. А об аресте Половникова мне неизвестно.

— И еще, Арсентий Ефимович: о каких костылях, обнаруженных у Половникова, Торчков упоминает? — снова спросил Антон.

Инюшкин усмехнулся:

— Кумбрык, как всегда, перепутал кислое с пресным. Степану Половникову на империалистической осколком снаряда ступню раздробило, и вернулся Степан с войны на костылях. Нога с годами поджила. Стал кузнец, прихрамывая, ходить, как говорится, на своих двоих. А костыли раньше делали крепкие, из дуба. Половников за ненадобностью отдал их Жаркову. Дядя Афоня, помню, шутил, что дохромает на царских костылях до коммунизма. Стой... — Арсентий Ефимович словно запнулся на полуслове. — Знаешь, Игнатьич, смутно мерещится, вроде бы Жарков, расставаясь со мной в тот вечер, не то пошутил, не то всерьез сказал: «Ну, Арсюшка, завтра, пожалуй, я без твоей помощи Аплодисмента запрягу»...

— К чему это было сказано?

— Не могу сообразить. Или дядя Афоня в одиночку куда-то ехать хотел, или иное что подразумевал... — Инюшкин вновь задумался. — Вот, Игнатьич, еще подробность вспомнилась: Афанасий Кирилыч никогда не расставался с колхозной печатью. Она всегда у него в нутряном кармане кожаной тужурки хранилась, в железной баночке из-под вазелина. Как понадобится заверить какой-нибудь документ, Жарков вытащит печатку, хукнет несколько раз на нее и — шлеп по бумаге!

— Какие отношения у Жаркова с народом были?

— Народ за Афанасия Кирилыча горой стоял.

— Обожди, Ефимыч, обожди, — вдруг заторопился Кротов. — А помнишь, как после пожара на крупорушке Жарков чуть не пришиб костылем Илью Хоботишкина?..

— Такого поганца, как Хоботишкин, мало было пришибить, — Арсентий Ефимович сердито шевельнул усами. — Его по тем строгим временам за учиненный поджог могли запросто расстрелять. Однако Афанасий Кирилыч, когда перекипел, заступился за поджигателя и отправил Илью с его выводком живехоньким в Нарым.

— Не затаил ли Хоботишкин на Жаркова зло за раскулачивание? — спросил Антон.

Инюшкин развел руками:

— Кто знает... Вообще-то Илья — мужик нехороший был, хитрый. Вечно прибеднялся. В допотопном армячишке ходил, а такой двухэтажный домина в Березовке имел, какого ни у кого не было. Мог, конечно, он затаить камень за пазухой. Только, Игнатьич, если подумать, из Нарыма до Березовки никакой камень не долетит.

— Обожди, Ефимыч, обожди! — опять вмешался Кротов. — А помнишь, как осенью тридцать второго года у той же Ерошкиной плотины вытащили из воды мертвеца и мужики толковали, будто на нем был армяк Ильи Хоботишкина?..

— Так это ж только догадки насчет армяка были.

— В тридцать втором, говорите, мертвеца вытащили? — заинтересованно уточнил Антон.

— Так точно. Ровно через год, как Жарков пропал, — ответил Кротов.

— С исчезновением Жаркова это никак не вяжется?

— Разговоров таких вроде бы не велось.

— Вы тот труп видели?

— Нет. Нас, мальчуганов, близко к нему не подпустили.

— Следствие было?

— Приезжал кто-то из райцентра, да, по-моему, ни с чем уехал. Утопленника быстро зарыли на Березовском кладбище.

Не новичок в уголовном розыске, Антон Бирюков знал, как неистощима выдумщица-жизнь на самые невероятные случайности. Но было ему известно и то, что кажущаяся на первый взгляд случайность нередко является закономерностью, а из отдельных разрозненных фактов в конце концов выстраивается логическая картина происшествия.

Беседуя с Инюшкиным и Кротовым, Антон сосредоточенно пытался увязать случайно разрытое мелиораторами старое захоронение с загадочным утопленником у той же, Ерошкиной, плотины. Однако от скудности информации все попытки Антона пока оставались бесплодными.

В середине дня Бирюков и Кротов, неторопливо проехав на милицейском мотоцикле по Серебровке, остановились у дома деда Лукьяна Хлудневского.

ГЛАВА 6

Хлудневский, по-старчески сгорбясь, небольшим топориком тесал во дворе жерди. Увидев вошедших к нему в ограду Кротова и Бирюкова, он ничем не проявил удивления, словно давно поджидал их. Прикрякнув, старик легонько воткнул топорик в неошкуренную березовую чурку, устало потер поясницу и со смущенной улыбкой ответил на приветствие:

— Здравствуйте, здравствуйте…

— Хозяйство поправляешь? — спросил старика Кротов.

— Давно прицеливаюсь у сеновала крышу перекрыть, да все руки не доходят.

— Куда только пенсионеры свободное время убивают? — улыбнулся участковый.

— Бог знает, откуда разные дела берутся. С самого утра кружишься по двору, и постоянно заделье находится, — дед Лукьян, заложив за спину руку, опять потер поясницу. — По службе ко мне заглянули либо просто так проведать пришли?

— Хотим о прошлом побеседовать. Выкроишь для разговора часик-другой?..

Хлудневский лукаво прищурился:

— Смотря какой разговор пойдет. Если интересный, можно и до вечера проговорить. — И сразу предложил: — Пройдемте в избу. Что-то крестец сегодня у меня постреливает. Вероятно, вот-вот дождик занудит.

— Бабки Агафьи нет дома?

— К Феде Половникову Агата ушла, допоздна будет у него Библию слушать, — с ироничной усмешкой ответил дед Лукьян.

Следом за стариком Кротов и Бирюков вошли в светлую горницу, обставленную современной мебелью. О старине напоминала лишь темная икона в переднем углу, рядом с которой на красочном плакате улыбался Юрий Гагарин. Весь угол под иконой занимал цветной телевизор с большим экраном.

Участковый, бросив короткий взгляд на икону, обратился к Хлудневскому:

— Божеский лик не мешает телевидение глядеть?

Дед Лукьян опять иронично усмехнулся:

— Нет, Михаил Федорович, икона телевизионных помех не создает.

— И первого космонавта планеты уважаете?

— Внучка со школьных лет влюблена в него. Да и нам с Агатой Юра нравится, симпатичный паренек.

— Угу... — Кротов замялся, будто не зная, о чем дальше вести разговор. — Значит, бабка Агафья так и не порывает дружбу с Федей Половниковым? Только двое их осталось в Серебровке, богомольных...

— В ее возрасте поздно менять привычки. — Хлудневский сдвинул на край стола свежий лист районной газеты «Знамя» и жестом показал на стулья. — Садитесь, дорогие гости. В ногах, как говорится, правды нет.

Все трое сели. После разговора о том да о сем Антон Бирюков попросил Хлудневского рассказать о первом председателе колхоза Жаркове. Дед Лукьян опустил глаза:

— Мое мнение об Афанасии Кирилловиче безупречное. Не за что Афанасия Кирилловича упрекать. Очень высоких нравственных качеств был человек и в отличие от некоторых скороспелых по тому времени партийцев обладал широким замыслом. С умственными способностями Жаркова надо бы не колхозом руководить, а в партийных верхах на большой должности находиться.

— Что этому мешало?

— Не берусь точно сказать.

— Скажите предположительно...

— Предполагаю, что среди районных и краевых начальников были недовольные Афанасием Кирилловичем. Не все их распоряжения Жарков выполнял беспрекословно. Иной раз вообще наотрез отказывался выполнять.

— Почему?

— Не согласен с ними был, имел свое мнение.

— Пример можете привести?

Дед Лукьян усмехнулся в бороду:

— Пример вот с той же религией, которую Михаил Федорович Кротов осуждает. Поступило из крайкома указание: закрыть в Березовке церковь. Прочитал Жарков это распоряжение и за голову схватился: «О чем они там, в крайкоме, думают?! Что можем на данном этапе вместо религии предложить народу?.. Молодежь, понятно, завлечем избами-читальнями, охватим клубной работой и комсомольским образованием. А со стариками да старухами как быть?.. Они ж насквозь пропитаны религиозным опиумом! Неужели крайкомовцы не знают указание товарища Ленина по религиозному вопросу? Ведь Владимир Ильич всего лишь отлучил церковь от государства. Свободу же вероисповедания оставил!» Проще говоря, Антон Игнатьевич, не позволил Жарков закрыть в Березовке церковь и выпроводил представителя крайкома — самоуверенного молодого товарища в пенсне. И ведь прав оказался впоследствии. За Потеряевым озером, в Ярском, партийцы скинули в своем селе церковные колокола, священника на все четыре стороны выставили. Быстро управились. И что получилось?.. С великим трудом прошла там коллективизация. Уперлись богомольные — ни тпру ни ну. Глядя на них, прочие крестьяне тоже заколебались: ни вашим ни нашим. А в Березовке, можно сказать, под колокольный звон колхоз вырос. Ясное дело, не само по себе все гладко сложилось. Жаркову пришлось не одну беседу провести с попом-батюшкой, чтобы он не вздумал мутить верующих против колхоза. Поп сообразительным оказался, уразумел, что к чему, и зауважал Жаркова. Даже, помню, молебен во здравие новой жизни закатил. Вот тебе и пример... — Хлудневский помолчал. — Таким же решительным образом боролся Афанасий Кириллович и с другими руководящими перегибами.

— Много этих, перегибов, было?

— Да, как же им было не быть, если непроторенной дорогой впотьмах шли. Тут и преданный большевик мог заблудиться, словно в дремучем лесу. Вдобавок, руководящие приспособленцы с толку сбивали: на словах угодничали перед высшим начальством, а втихомолку гнули свою линию. Короче говоря, и перегибов и загибов всяких хватало.

— Вероятно, и у Жаркова были ошибки, — сказал Антон.

— Как не быть... — Хлудневский вздохнул. — С коммуной он подзапутался. А вот при коллективизации угодил в точку. В других селах при создании колхоза крепкого маху дали, сделав основной упор на бедняков да батраков. Собрали с миру по нитке и чуть в лужу не сели. Государство, конечно, в кредите колхозам не отказывало, да ведь, как говорится, и дойную корову нельзя доить до бесконечности. Вдобавок, правление таких колхозов состояло тоже из одних бедняков и батраков. Откуда им, горемычным, взять опыт руководства большим хозяйством? К тому же, чего греха таить, немало среди бедняцкого люду было таких, кто предпочитал увильнуть от работы. Лодыри и теперь не перевелись. Возьми того же Ваню Торчкова. Конюхом был хорошим, а как на пенсию вышел, палец о палец не хочет ударить. Позапрошлой весной Матрена его слегла на месяц в больницу. Оставшись без контроля, Ваня с утра до вечера от телевизора не отходил и даже картошку в огороде «позабыл» посадить...

Бирюков с Кротовым засмеялись. Хлудневский чуть усмехнулся и продолжил:

— Так вот, значит, в отличие от тех бедняцких объединений Жарков в первую очередь вовлек в колхоз крестьянина-середняка. Кто такой был «середняк»?.. Трудолюбивый мужик, смекалистый. У него и хозяйство было крепенькое, и от любой работы он не отлынивал. По этой причине колхозные дела у нас сразу пошли по твердым рельсам. Успеху помогла и небольшая хитрость Афанасия Кирилловича. Первые колхозы создавались по деревням. Деревня — колхоз, деревня — колхоз. А Жарков к Березовке присватал Серебровку. Уговорил наших середняков объединиться в одно хозяйство с правами отдельной бригады. Почему? Березовская земля хорошо пшеницу рождала, а на нашей земельке рожь да овес ежегодно отменными удавались. Когда сгуртовались эти две деревни, у серебровцев круглый год на столе пшеничный хлеб, а березовцам насчет фуража заботушки не стало... — дед Лукьян помолчал. — После войны пришла волна укрупнения колхозов. Сколько малых деревень с лица земли исчезло! Не миновать бы и Серебровке исчезновения. Однако она не только сохранилась, но и количество дворов в ней стало больше. А каждый двор — это, самое малое, корова, телка или бычок, боров или свинка, не считая, овец, кур да гусей. Это индивидуальный вклад крестьянина в Продовольственную программу для прокормки горожан. Вот, Антон Игнатьевич, и оцени теперь размах мышления Жаркова. Афанасий Кириллович уже тогда предвидел укрупнение и благодаря его светлой голове наши деревни живут-поживают да добро наживают...

— Сразу после Жаркова вы председателем стали? — спросил Бирюков.

Хлудневский отвернулся к окну, как будто увидел там что-то интересное.

— Председательствовал шесть с половиной лет. В тридцать седьмом отпредседательствовал, — с неохотой ответил он.

— Почему?

Дед Лукьян встретился с Бирюковым взглядом:

— Время очень сложное было. Шутливо говоря, обзовешь сгоряча блудливую колхозную корову гулящей женщиной — тут же настрочат в НКВД, дескать, гражданин такой-то занимается антисоветской пропагандой. На меня Осип Екашев телегу накатил. Мол, председатель Хлудневский подрывает экономику передового колхоза «Знамя Сталина».

— Так назывался тогда колхоз?

— Ну. Сталинское имя в те годы было самым почетным. Но дело, понятно, не в названии. Работали мы, не жалея сил, севообороты соблюдали — земельку берегли, чтобы она не истощалась. Поэтому показатели у нас были славные. В тридцать втором году, не примите за хвастовство, в первый год моего председательства колхозники получили на каждый заработанный трудодень по три килограмма зерном и по пятьдесят копеек деньгами. Для того времени это рекорд был. В последующие годы тоже неплохо зарабатывали.

— В чем же «подрыв экономики» заключался?

— Осенью тридцать седьмого создал я женскую бригаду по первичной обработке зерна на ручных веялках. Работа нелегкая — с крепких мужиков и то за день по семь потов сходило. А бабоньки так сноровисто взялись веялки крутить, что на протяжении недели ежедневно по две нормы провеивали. Когда управились, решили мы на правлении за счет колхоза подарить ударницам по красной косынке и разделить между ними центнер охвостьев, для собственных кур. Осип Екашев был отменным труже-

ником, но жадность его превосходила деловые каче-
ства. Опасаясь, что награждение ударниц стукнет по
карману при подведении итогов, он и надумал всы-
пать мне, как главному инициатору премирования,
по первое число. На мое счастье, уполномоченным
НКВД в нашем районе был Николай Дмитриевич
Тропынин...

— Это не родственник Сергея Тропынина? —
вспомнив серебровского шофера-лихача, спросил
Антон.

— Родной дядя, старший брат Сергеева отца.

— Не знаете, он жив теперь?

— Возрастом Тропынин не намного старше меня,
так что, если житейские передряги не скрутили его в
бараний рог, вполне может здравствовать. Хороший
человек, многих земляков от ложных обвинений
спас... — Хлудневский задумался. — И меня Николай Дмитриевич после разбирательства отправил
с миром домой. Но председательствовать в колхозе
после этого я уже не стал.

— Не разрешили?

— Запрета не было. Сам отказался.

— Обиделись?

— Нет, какая здесь может быть обида... Страх
меня одолел после екашевской кляузы. А трусу на
руководящей должности делать нечего. Разве можно
руководить колхозом, если каждого своего шага бо-
ишься?.. Думаешь, почему во многих нынешних хозяйствах дела плоховаты? Потому, что председатели
их без указания сверху чихнуть опасаются. Не хотят
брать на себя даже малую толику ответственности.

— Как впоследствии ваши отношения с Екаше-
вым сложились?

— Никак. У Осипа глаза были обмороженные.
Здоровался со мной, будто невинный младенец.

Я же делал вид, вроде не знаю об его доносе. В соседях ведь жили... — дед Лукьян показал на окно, за которым чернел покосившийся старый дом с прогнившей крышей и пустыми проемами окон. — Вон екашевский крестовик догнивает. Наследники Осипа давно Серебровку покинули.

Бирюков недолго помолчал:

— А какие колхозные деньги пропали вместе с Жарковым?

— Ничего с Афанасием Кирилловичем не пропало, кроме жеребца с упряжью, колхозной печати да ключей от сейфа.

— Что за сейф был?

Хлудневский растерялся. Тонкие старческие пальцы его мелко задрожали, а на лице мелькнуло выражение, словно он неожиданно для себя высказал такое, чего совсем не следовало говорить. Наступила затяжная пауза. Поспешность в подобных случаях была ни к чему. Кротов, видимо, тоже заметил растерянность деда Лукьяна. Он тихонько кашлянул и отвернулся к окну. Наконец Хлудневский тяжело вздохнул:

— Вот, Антон Игнатьевич, и уложил ты меня на лопатки. Коль уж проговорился, придется выкладывать правду до конца. Признаться, еще вчера возникло желание рассказать это товарищу прокурору, да в присутствии Ивана Торчкова не стал говорить из осторожности. Торчков ведь мигом все с ног на голову перевернет и пуще Брониславы Паутовой сплетню по селу распустит... — дед Лукьян, схватившись за поясницу, медленно поднялся со стула и вдруг предложил: — Пройдемте в сенцы, покажу вам бывший колхозный сейф.

Бирюков и Кротов вышли за стариком в светлые сени, заставленные немудреной крестьянской утварью. В одном из углов, у небольшого оконца, стоял средней величины сундук, выкрашенный потрескавшейся от времени красной эмалью и окованный потускневшими латунными полосками. Крышка сундука была расписана затейливым разноцветным орнаментом с полуовальной белой надписью «Мастер Г.С. Сапогов».

— Вот тот сейф, — указывая на сундук, сказал Хлудневский. — Изготовил его по просьбе Жаркова в тридцатом году Григорий Семенович Сапогов, живший в селе Ярском. Мастер был — золотые руки. Замок у сундука внутренний и... двойное дно, с секретом.

— Как он у вас оказался? — спросил Антон.

— Году в шестидесятом, когда построили новую колхозную контору, Игнат Матвеевич привез из райцентра настоящий, металлический, сейф. А этот сундук за ненадобностью отдал мне. Агата в нем пряжу хранила. И до сего дня стоял бы он у нас в избе, если бы не внучка Лариса, приехавшая к нам на житье после училища. Не понравилась Ларисе наша старинная мебель. Уговаривала, уговаривала и уговорила купить новый гарнитур. Сама в райцентр съездила с Толиком Инюшкиным и привезла полный грузовик новья. При современных полированных шкафах да серванте сундучок этот оказался, как не у шубы рукав. Перетащили мы его в сенцы. Стал я в угол сундук пристраивать — дно вывалилось. От старости доски рассохлись. Гляжу, вместе с досками газетный сверток, выпал. Развернул — понять не могу. Первоначально подумалось — облигации. Когда разглядел, мать родная!.. Это ж деньги, которые считались пропавшими с Афанасием Кирилловичем. Не поверите, оторопь меня взяла. Ни внучке, ни бабке Агате не стал рассказывать. Зачем лишние слухи по селу распространять? Жаркова этим уже не оправдаешь, а легкомысленные языки станут на селе лишь бестолку перемалывать его косточки, неведомо где упокоившиеся...

— Выходит, о том, что сундук с секретом, кроме мастера да Жаркова, никто не знал? — снова спросил Антон.

— В том и дело. Если б знали, сразу эти деньжата обнаружили. Сундук мы открыли — кузнец Половников быстро ключ к нему изготовил. Все документы в сундуке перебрали — ни одна бумажка не потерялась. А деньги, собранные с народа, как испарились. Вот лишь когда секрет выявился...

Хлудневский с трудом нагнулся и поднял крышку сундука. Подозвав поближе Бирюкова, он нажал на середину одной из днищевых досок. Половинка доски, словно на пружине, тотчас откинулась кверху. Дед Лукьян запустил в образовавшееся отверстие руку и вытащил из тайника газетный сверток. Протягивая его Антону, сказал:

— Вот они, общественные денежки. При них ведомость имеется с указанием, кто сколько внес. Сто восемьдесят один рубль до рублика сохранились...

Все трое вернулись в горницу. Опять сели у стола. Бирюков осторожно развернул на столе ветхий листок газеты с необычным для наших дней названием «Штурм пятилетки».

— Это районка на первых порах у нас так называлась, — пояснил Хлудневский. — Немного таких газеток вышло. Потом она стала называться «Социалистическая стройка», а теперь «Знаменем» зовется.

Бирюков и Кротов с интересом стали рассматривать бумажные деньги в мелких купюрах, обращавшиеся во второй половине двадцатых и начале тридцатых годов. Они были потертыми от обращения, но сохранились довольно хорошо.

— Для чего эти деньги собрали? — спросил Хлудневского Антон.

— Планировали общественную кассу взаимной выручки создать, — ответил старик.

— Много ли на такую сумму можно было купить?

— Давай прикинем... — дед Лукьян указательным пальцем правой руки загнул на левой руке мизинец. — Хорошая корова симментальской породы тогда стоила сорок пять рублей, лошадь — сто пятьдесят, добрый конь — двести, баран всего три рубля. Сельхозинвентарь оценивался в зависимости от сложности. Сенокосилка, например, стоила двести пятьдесят, веялка — семьдесят, сортировка — около тридцати, а однолемешный плуг «Красный пахарь» — двадцать пять рубликов. Так что, Антон Игнатьевич, по курсу тридцать первого года деньги эти были хоть и не ахти какими, но и не такими уж малыми.

Бирюков собрал разложенные по столу купюры и посмотрел на участкового:

— Что, Михаил Федорович, думаешь по этому поводу?

Кротов вздохнул:

— Полагаю, побег Жаркова из Березовки с целью хищения общественных денег исключается.

— Никуда Афанасий Кириллович не убегал! Нет, не убегал, — загорячился Хлудневский. — Убили его. Голову даю на отсечение, убили!

— Кто это мог сделать? — спросил Антон.

— Знать бы, кто... — поникшим голосом ответил дед Лукьян. — К тридцать первому году открытые враги советской власти в наших краях затаились. А затаившийся враг, Антон Игнатьевич, страшнее открытого. Хотя и мирно прошла у нас коллективизация, да не каждый с радостью в колхоз вступал. Ломалось ведь веками сложившееся отношение к частной собственности, землю ведь, по существу, у крестьянина отнимали. Думаешь, просто так, бывало, то жнейка в самое горячее время забарахлит, то упряжь в конюховке подпортится, а то и крупорушка на Ерошкиной плотине заполыхает...

— Кстати, крупорушку действительно Илья Хоботишкин поджег?

— Конечно! Я собственными руками схватил этого писклявого скопца на месте преступления с поллитровкой керосина.

— А через год, говорят, какого-то утопленника у плотины подняли?

— Было такое, — сухо согласился Хлудневский. — Но дело не в утопленнике...

— Лично вы видели его? — не дал старику увильнуть в сторону Бирюков.

— Видел, но там уже ничего нельзя было определить. По малому росту да армячку предполагали мужики, будто похож на Илью Хоботишкина.

— А какие-нибудь предположения были, как этот человек оказался в воде?

— Чего предполагать, если к его ногам была привязана ремнем негодная вальцовая шестерня от крупорушки.

— Каким ремнем?

Хлудневский потупился. Затем, как и в прошлый раз, когда разговор шел о сейфе, тяжело вздохнул:

— Ремень тот был с моряцкой пряжкой и, кроме Жаркова, ни у кого из наших селян таких ремней не имелось. Возможно, Антон Игнатьевич, подумаешь, что это дело рук Афанасия Кирилловича. Но я уверен, не мог Жарков поднять руку на слабого человека.

— Даже и на врага?..

— С врагами Афанасий Кириллович крутой был... — дед Лукьян, морщась, стал тыльной стороной ладони растирать поясницу. — Однако, по моему убеждению, втихомолку он и с врагом не стал бы счеты сводить.

Бирюков вновь посмотрел на Кротова:

— Вот еще одна загадка — ремень Жаркова на ногах утопленника...

Кротов развел руками — дескать, что поделаешь.

— Эту загадку я больше полвека разгадать не могу, — опять заговорил Хлудневский. — Но еще загадочней для меня — смерть кузнеца Степана Половникова. Каким-то образом связана она с исчезновением Жаркова. Вот послушай, Антон Игнатьевич, основные факты и поразмышляй над ними. Первое... В последний свой вечер Жарков зачем-то приезжал к кузнецу, а когда следственные работники стали искать Афанасия Кирилловича, у Половниковых среди поленницы дров нашли порубленные костыли...

— Порубленные? — заинтересовался Бирюков.

— В том и дело... Степана увезли в райцентр, вроде бы арестовали, однако быстро выпустили. Мужик он был неразговорчивый — ковал молча в кузнице да ковал. Если бы ему помогал молотобоец из посторонних, тогда, возможно, Степан о чем-нибудь и проговорился. Но Половников держал у себя в подручных своего сына Федю, у которого сейчас моя Агата Библию слушает. Надо сказать, в кузнечном деле равных Степану не было... Прошло, таким образом, много месяцев. Я уже говорил, в тридцать втором году мы собрали богатый урожай, и колхозники обеспечились зерном сверх необходимых потребностей. Зимой того года, после ледостава, собрался Половников на кузнечной лошади монгольской породы в

Томск, чтобы продать несколько мешков зерна. Тут, напрямую, по хорошей санной дороге световой день езды. Отправился Степан в поездку с сыном Федей и уже среди ночи другого дня вернулся в Серебровку, не продав ни мешка. Вот вторая загадка... Почему так быстро они вернулись? Почему не стали продавать зерно и привезли его назад?.. Сразу выскажу третью загадку. Спиртного Степан Половников не употреблял, а когда приехал из Томска, вроде бы кто-то из соседей видел, как Федя вытаскивал его из саней будто смертельно пьяного. А утром он уже богу душу отдал... И тут заключается последняя, четвертая, загадка. Сразу после смерти тело покойника обязательно обмывают. Зовут для этой цели, в зависимости от пола усопшего, либо соседских женщин, либо мужчин. Для обмывания Степана Половникова никого не позвали. Почему?..

— Вероятно, сами управились, — сказал Бирюков.

Хлудневский отрицательно повел головой:

— Нет. По христианскому обычаю близким родственникам мыть покойника не дозволяется. Меланья — Степанова супруга — была женщина очень религиозная. Она такого отступничества от принятого обряда ни за какие коврижки не позволила бы. Почему же положили Степана в гроб без обмывания?..

Бирюков, раздумывая, помолчал:

— Да, дед Лукьян, назагадывали вы загадок...

— Сам, Антон Игнатьевич, много лет над ними маюсь. Потому и побежал вчера к Ерошкиной плотине, когда услышал, что там чьи-то косточки разрыли...

Хлудневский хотел еще что-то добавить, но через открытую дверь в сенях послышались шаркающие шаги, и в горницу заглянула бабка Агафья — остроносая старушка, повязанная черным платком.

— Чего так рано? — удивленно спросил дед Лукьян бабку, когда та приветливо поздоровалась с Бирюковым и Кротовым.

— Федя сёдни не в настроении. Принялся читать Новый Завет, да запинается на каждом слове, — ответила старушка.

Закончив разговор с Хлудневским, Антон Бирюков вместе с Кротовым направился к Федору Степановичу Половникову. Солнце уже клонилось на закат, когда они вошли через калитку в просторную половниковскую усадьбу. На двери дома висел большой амбарный замок. Кротов, обойдя сеновал, заглянул в огород и, не увидев там хозяина, высказал предположение, что Половников отлучился до магазина и вот-вот вернется домой. Решили подождать.

Рядом с усадьбой Половникова стоял кирпичный жилой дом. Таких домов в Серебровке насчитывалось больше десятка. Строил их колхоз для молодоженов и для приезжих горожан, надумавших работать в сельском хозяйстве. Во дворе, густо заросшем высокими лопухами, разбитная полнотелая молодка в пестреньком безрукавном халатике сжигала на костре большие картонные коробки, разбросанные по двору в самых разных местах. Вокруг костра суетились черноголовые мальчишки, один другого меньше. Пробираясь через лопухи за очередным ящиком, женщина беззаботно напевала:

На дальней станции сойду — трава по пояс.
Войду в траву, как в море, босиком...

Участковый показал взглядом на женщину:

— Шура Сластникова, по прозвищу «Веселая вдова». Дояркой работает.

— Откуда у нее столько ящиков? — спросил Антон.

— Из магазина. До Указа по преодолению пьянства Шура выпивкой увлекалась, за детьми доглядеть некогда было. Купит в магазине полную коробку вермишели, выставит ее утром своим «козлятам» — они до вечера этот полуфабрикат, как лакомое угощенье, до дна схрумкают.

— Это все ее дети?

— А чьи же. «Семеро козлят» Шура их называет. Приехала в Серебровку из города с мужем и четырьмя мальчуганами. Муж в первый год, упав с лошади, разбился насмерть. Похоронила его и с приезжими строителями-шабашниками еще троих прижила. Любопытно: одни мальчишки рождаются... — Кротов подошел к изгороди и окликнул женщину: — Шура!..

— Чего, Федорыч?.. — оглянувшись, с удивлением ответила Сластникова.

— Ты почему сегодня не на ферме?

— Детский садик на профилактику закрыли. Чтобы не растерять «козлят», уже третий день работаю заместителем бригадира по половой части.

— Что?..

— Пол в бригадной конторе мою!

— Тьфу, твою-занозу!.. — осуждающе сплюнул участковый. — И зачем при своем легкомыслии такой приплод завела?

— Назло капиталистам! Начнут вот американцы СОЮ сыпать, кто тебя, старого, защитит? А у меня, погляди... — Сластникова белозубо улыбнулась. — Вон сколько ракетчиков подрастает!

— Что-то ты веселая сегодня. Случаем, не выпила?..

Шура опять блеснула улыбкой:

— Не, сливового компота наелась.

Кротов погрозил пальцем:

— Смотри, доулыбаешься.

— Не бойся, участковый, не загуляю. После Указа я сама себе односторонний мораторий объявила.

— Не болтай, что попало!

— Ты чо, Федорыч, совсем шуток не понимаешь?

— Я все понимаю... — многозначительно сказал Кротов и сразу спросил: — Где твой сосед, Федор Степанович?

Сластникова полной рукой махнула в сторону Ерошкиной плотины:

— В тот конец села недавно завихорил.

— Не говорил, куда пошел?

— Не-е-е, мы с ним в контрах.

— Почему?

— Разного вероисповедания. Федор Степанович с утра до ночи богу молится, а я вспоминаю божью мать только тогда, когда бригадир на меня лайку спускает.

Шура с треском разорвала очередную коробку на четыре части, к восторгу мальчишек бросила куски картона в огонь и опять беззаботно запела:

На дальней станции сойду — трава по пояс...

ГЛАВА 7

Прождав Половникова около часа, но так и не дождавшись, Бирюков и Кротов вышли из ограды половниковского дома на сельскую улицу. Вечерело. Сентябрьское солнце уже скрылось за горизонтом, подсвечивая снизу багровыми подпалинами кучевые облака. Участковый предложил доехать из Серебровки до Березовки на мотоцикле, однако Антон отказался. Хотелось побыть одному, спокойно обдумать в дороге полученную за день информацию.

Когда он подошел к Ерошкиной плотине, вечерние сумерки заметно потемнели. Пойма речушки едва дымилась сереньким туманчиком. От нее тянуло луговой сыростью. Перед бывшей плотиной вдоль русла речки отсвечивали похожие на лужицы небольшие озерца, образовавшиеся на местах глубоких речных омутов.

Постояв в задумчивости, Бирюков присел на сухую валежину и, занятый своими мыслями, стал рассеянно глядеть на ближнее озерцо, наполовину прикрытое тенью вершины расположенной неподалеку ветлы. Мысли были невеселые. Большей частью вертелись они вокруг странного поведения Федора Степановича Половникова, который, по словам бабки Агафьи Хлудневской, оказался сегодня не в настроении и запинался на каждом слове в Библии. Куда он ушел из дому, глядя на ночь?..

Внезапно почти над самой головой Антона пронесся частый посвист утиных крыльев, и на озерную лужицу, заложив крутой вираж, плюхнулся шустрый чирок. Почти тотчас из-под ветлы вырвался язык пламени и раскатисто бабахнул ружейный выстрел. Подброшенный всплеском от заряда дроби, чирок беспомощно затрепыхался по воде. Из-за куста вышел пригнувшийся охотник. Длинной хворостиной он стал подгребать к себе подстреленную утку. Бирюков, поднявшись с валежины, громко сказал:

— С удачей, земляк!..

Охотник, видимо, от неожиданности резко выпрямился. Приглядевшись к Бирюкову, неуверенно проговорил:

— Антон Игнатьевич...

— Сергей?.. — узнав по голосу шофера Тропынина, на всякий случай уточнил Бирюков.

— Ну! Лихо я чирушку в хвост долбанул?

— Лихо.

— Здесь иногда и кряквы садятся... — Тропынин, нагнувшись, поднял с воды чирка и подошел к Бирюкову. — А вы как здесь ночью оказались?

— Из Серебровки домой иду. Федора Степановича Половникова сегодня вечером не видел?

— От самой серебровской поскотины вместе с ним досюда шли. Я к привычному своему скрадку свернул, а Федор-батькович вроде в Березовку подался.

— Зачем?

— Кто его, молчуна, знает. Сегодня он хоть малость, но поговорил со мной.

— О чем?

— Про моего дядю Колю спрашивал.

— Николая Дмитриевича?..

— Ну, который в НКВД когда-то работал.

— Он жив?

— Не знаю. Между нами давно родственные связи оборвались. Может, и умер. Как маманя рассказывала, ему теперь уже за семьдесят с лишним перевалило.

— И последнего адреса его не знаешь?

— Нет. Между делом от родственников как-то слышал, что перед Отечественной войной его из нашего района в Томск перевели, а потом он вроде бы в Москве учился.

— Почему Половников заинтересовался Николаем Дмитриевичем?

— Молчуна с ходу не поймешь. Мямлил что-то такое, мол, здоров ли дядя Коля и где теперь проживает?..

— Испортил я тебе сегодняшнюю охоту?

— Нет, норму выполнил. Я больше одной утки за вечер не стреляю. Солить их, что ли?

— Ружье как?

— Зарегистрировано по закону.

— Я — не о том. Бьет хорошо?

— Мировецки! С семидесяти метров чирка навылет вторым номером дроби прошивает. Шестнадцатый калибр. Двуствольная штучная тулка выпуска тридцатого года. У деда Лукьяна Хлудневского за сотню купил. Теперь таких ружей уже не выпускают. Серийную штамповку шуруют.

— В райцентр часто ездишь?

— Каждый день по десятку груженых рейсов с зерном на элеватор гоняю.

— Завтра меня попутно не захватишь?

— Какой разговор! Куда и во сколько за вами заехать?

— В шесть часов вечера буду у Кротова.

— Лады!..

После разговора с Тропыниным поведение Федора Степановича Половникова стало для Антона Бирюкова еще более загадочным. Почему этот богомольный «молчун» вдруг заговорил о старом чекисте?.. Какая новая загадка в этом скрывается?..

Размашистым шагом Антон меньше, чем за полчаса, дошел от Ерошкиной плотины до светящейся окнами домов Березовки. Ночную тишину нарушало лишь отдаленное потрескивание электросварочного аппарата у механической мастерской. Через неширокий проулок Бирюков вошел в село напротив дома Инюшкиных и разминулся со встретившимся сутулым стариком, чем-то похожим на Половникова. Остановившись, Антон несколько секунд поглядел вслед удалявшейся фигуре и негромко окликнул:

— Федор Степанович...

Старик не обернулся и вроде бы зашагал быстрее, словно хотел поскорее скрыться в темноте. Догонять его по крайней мере было смешно. Решив, что обознался, Бирюков посмотрел на освещенную яркой лампочкой застекленную веранду Инюшкиных. Там, будто на экране, сидел усатый Арсентий Ефимович и решал какую-то «проблему» с разгоряченным Торчковым. Антону вдруг захотелось просто так, без всякой цели, посидеть со стариками, которые наверняка отмочат что-нибудь смешное. Миновав калитку, он взошел на высокое резное крыльцо. Предварительно постучав, открыл дверь веранды и спросил:

— Можно войти?

— Милости просим! — шевельнув гусарскими усами, разулыбался Арсентий Ефимович. — Гости на гости — хозяину радости.

— Что-то сурьезное, Игнатьич? — сразу насторожился Торчков.

— Нет, ничего, — ответил Антон. — Просто заглянул на огонек.

— Вот молодец! С тобой-то мы быстро разберем наш вопрос. Представляешь, Федя Половников только что тут присутствовал. Битый час промолчал, как сыч, и воспарился не солоно хлебавши. Щас об заклад бьемся с Арсюхой: зачем Федя из Серебровки до Березовки сапоги топтал?..

— И ни к какому выводу не пришли? — усевшись на предложенную Арсентием Ефимовичем табуретку, спросил Антон.

— Выводов получилось два. Я убеждаю Арсюху, что богомольный Федя молчаливым гипнозом обращал нас в православную веру. Арсюха же доказывает, будто Половников в моем присутствии испугался заводить разговор об очень сурьезном для него деле. На чьей стороне твое мнение в нашем споре?

Бирюков улыбнулся:

— На вашем месте, я спросил бы самого Федора Степановича.

— Этот конкретный вопрос Арсюха ему и задавал. Федя в ответ — ни бэ ни мэ. Надвинул на рыжий кумпол картуз и — поминай как звали. Чудак ненормальный, а?.. Чего, спрашивается, по темноте семь верст киселя хлебал?..

— Правда, Антон Игнатьич, — сумрачно поддержал Торчкова Инюшкин. — Чую, тяжко у Феди на душе. Ты поговорил бы с ним...

— Встретил я его, когда к вам шел. Окликал, Федор Степанович не отозвался, — сказал Бирюков.

— Разве подозрительный богомолец отзовется начальнику уголовного розыска! — воспрял Торчков.

— Ваня, побереги патроны, — с укором проговорил Арсентий Ефимович.

— Чо ты, Арсюха, постоянно чужой боеприпас жалеешь?! — заершился было Торчков, однако быстро сник.

Разговор складывался невеселый. Видимо, странное поведение Половникова выбило стариков из привычной колеи. Недолго посидев с ними, Бирюков поднялся. Торчков тоже натянул на всклокоченную голову свою серую кепку. Выйдя от Инюшкиных на темную улицу, они какое-то время шли молча. Но неуемная натура Торчкова не переносила длительного молчания. Минуты через две Иван Васильевич заговорил:

— Аккурат перед твоим приходом, Игнатьич, мы с Арсюхой выясняли еще один сомнительный вопрос. Почему Федя Половников без памяти ударился в религию? Арсюха доказывает, будто Федю с малолетства воспитала в своем духе богомольная мамаша. Я же хочу тебе сказать другое. Арсюха, по сравнению со мной, пацан. Я знаю Федю на четыре года раньше и вполне сурьезно могу доказать, что в малолетнем возрасте Федька чрезмерно религиозным не был. Молиться он стал после похорон своего отца, Степана. С чего бы такое наваждение на него вдруг свалилось, а?..

— Я не бабка-угадка, — ответил Антон. — Сами вы что по этому поводу думаете?

— Тут можно по-разному думать. И дураку понятно, мамаша, конечно, повлияла на Федино поведение, но весь секрет не в этом. Подозрительно мне: не чокнулся ли Федя от смерти отца?..

— Почему?

— Потому, что ходил вроде слушок, будто Степан не своей смертью помер.

— А какой?..

— Объясню. В тридцать втором году зимой, когда Федя с отцом возили на продажу в Томск зерно, у нас в округе сильно буйствовали волки. Стаями по полям и лесам бродили. Понятно, чтобы отбиться от волков при их нападении, наши деревенские мужики, отправляясь в путь, брали с собой оружие. Иными словами, без ружей далеко от села не ездили. При таких сурьезных обстоятельствах Степан Половников перед поездкой в Томск непременно положил в сани ружьишко. Допускаешь такую мысль?

— Допускаю.

— Вот тут и собака зарыта! Отбиваясь от волков, не пальнул ли Федя по нечаянности в отца?.. Арсюха с моим выводом не согласен. У него одна песня — чуть чего, сразу: «Побереги патроны». А вот ты, Игнатьич, как считаешь?..

— В жизни много случайностей бывает, — уклончиво ответил Антон, чтобы не ввязываться в бесплодный разговор, и протянул Торчкову руку. — До свидания, Иван Васильевич, я уже у дома.

— Будь здоров, — с явным огорчением попрощался Торчков.

Когда Антон вошел в родительский дом, стол на кухне был накрыт к ужину, и вся семья находилась в сборе.

— Где, сынок, целый день пропадал? — встревоженно спросила Полина Владимировна.

— В Серебровке, — ответил Антон и посмотрел на уставленный едой стол. — Ух, и проголодался я сегодня!

— Умывайся да садись к столу. Только тебя и ждем.

— Ты, ядрено-корень, Антошка, не тощай, а то жена хилого любить перестанет, — назидательно проговорил дед Матвей, по-стариковски неловко умащиваясь за столом.

— Не завались, философ, — сказал ему Игнат Матвеевич.

— Чо гришь?..

— Щи, говорю, из тарелки не вылей!

— Не повышай голос, командир. Не в конторе командуешь...

За ужином, как издавна велось в семье Бирюковых, разговор зашел о насущных делах. Мать озабоченно заговорила о предстоящей копке картофеля в огороде.

— Выкопаем, не паникуй, — склонившись над тарелкой, сказал отец. — Сына со снохой призовем в помощь.

— Урожай хороший. Не знаю, куда девать будем.

— Ныне агропромовские заготовители станут прямо в селах принимать картошку. Без заботы сдадим.

— Значит, создание агропрома начинает сказываться? — спросил Антон.

— Задумка хорошая, но в зародыше гибнет.

— Почему?

— Кадры у нас слабыми оказались для увеличившегося объема работы. В армии, скажем, никому в голову не придет назначить командира взвода командиром дивизии. Формально, конечно, можно лейтенанту присвоить генеральское звание, но генералом от этого он не станет. В районном же и областном агропроме получилось, что на полковничьи да генеральские должности сели люди, которые в бывших сельхозуправлениях еле-еле тянули, а теперь в десять раз больше забот на их головы свалилось. Разве они вытянут этот воз...

— Вечно ты, отец, недоволен и собой, и другими, — сказала Полина Владимировна.

— Самодовольство, мать, только верхоглядам да очковтирателям свойственно.

Все замолчали. Сосредоточенно принялись за еду. В конце ужина, за чаем, Игнат Матвеевич спросил Антона:

— У тебя как дела?

— Вообще или в частности?

— И в том, и в другом смысле.

— Вообще — работаю не на генеральской должности. А в частности... Хотел выяснить судьбу Жаркова, но залез в архивные дебри. Строить по нему какие-то версии — все равно, что на кофейной гуще гадать.

— Ты все-таки погадай.

— Постараюсь, — невесело вздохнул Антон.

ГЛАВА 8

Заклубившиеся с вечера облака ночью расплескались по березовским и серебровским полям хотя и недолгим, но плотным дождем. Видимо, не зря вчера у старика Хлудневского «постреливал» крестец. На рассвете ливень утих так же внезапно, как и начался.

В воскресное утро Антон Бирюков встал ни свет ни заря, вместе с отцом, для которого в страдные дни выходных не существовало. Антону спешить было некуда, но ему не давали покоя мысли о странном поведении Федора Степановича Половникова. То, что Федор Степанович битый час промолчал у Инюшкина, объяснялось просто. В присутствии Торчкова заводить разговор мог только тот, кто не знает о безграничной фантазии Кумбрыка. Но какая серьезность привела Половникова в позднее время к Инюшкину? Почему старик при встрече не отозвался на отклик? По-стариковски не услышал, как его окликнули, или не захотел вступать в разговор?..

За завтраком Игнат Матвеевич поругал «вредительницу» природу — на сырое поле комбайн не запустишь, жди теперь пока колос обсохнет от влаги; обжигаясь, выпил бокал крепкого чая и, надвинув на голову «походную» кепку, отправился в контору. Антон, тоже позавтракав, хотел было позвонить в Серебровку Кротову, чтобы договориться с Половниковым о встрече, однако Кротов позвонил Антону сам. Оказывается, участковый уже спозаранку прикатил на мотоцикле из Серебровки и ждал Бирюкова в своем служебном кабинете.

Несмотря на ранний час, в коридоре колхозной конторы было многолюдно. Как бы ни складывалась работа, на утренней разнарядке всегда выявляется что-то непредвиденное и позарез необходимое. Толклись люди в конторском коридоре перед началом рабочего дня. Спорили о делах, шутили, незлобиво подначивали друг друга, дымили табаком. И каждый норовил проскользнуть в кабинет к председателю раньше другого. Всем требовалось что-то у него выяснить, всем — срочно! Так было раньше, так и теперь по сложившейся традиции продолжалось.

Поздоровавшись с приветливо заулыбавшимися земляками, Антон Бирюков отворил дверь кротовского кабинета. Участковый, сидя за столом, разъединял цепочку из канцелярских скрепок, укладывая их по одной в стоящую перед ним стеклянную пепельницу. При входе Бирюкова он смутился и торопливо предложил Антону сесть.

— Ну, какие сегодня новости, Михаил Федорович? — привычно спросил Антон, усаживаясь на стул против участкового.

— Относительные... — Кротов замялся... — Половников вчера появился дома очень поздно. Без согласования с вами я не стал с ним беседовать. Но с Лукьяном Хлудневским, после ужина, мы проговорили весь вечер.

— Что интересного дед Лукьян еще вспомнил?

— Память у старика отменная. Например, он говорит, что перед поездкой в Томск Степан Половников брал у него, то есть у Лукьяна, ружье и десять заряженных патронов, а после похорон отца Федя вернул Лукьяну с ружьем только девять...

«Неужели Торчков не выдумал?» — мелькнуло у Бирюкова и он уточнил:

— Значит, Половников в кого-то стрелял?

— Вероятно, так.

— В кого?

— Лукьян предполагает, что они отбивались от волков.

— Всего одним патроном?

Кротов задумался:

— При нападении волчьей стаи одного выстрела маловато, чтобы отбиться. Для одиночного волка, если не промазать, — достаточно.

— В то время, говорят, волки бродили стаями.

— Я и сам это знаю. Бывало, когда отправлялись мужики в поле, скажем, на вывозку сена или за дровами, непременно брали с собой ружья и полные патронташи к ним.

— Что Половников сказал Хлудневскому насчет выстреленного патрона, когда возвращал ружье?

— Федя с молодых лет красноречием не отличался. Дословно Лукьян не помнит, какую причину высказал тогда Федор, но предположительно что-то вроде того, мол, «один патрон мы с папашкой израсходовали».

— Это не то ружье, которое Хлудневский продал Сергею Тропынину?

— Оно самое. Двуствольная тулка шестнадцатого калибра. В молодости Лукьян был заядлым охотником.

— Михаил Федорович... — Бирюков помолчал. — Не мог ли Федя Половников застрелить отца по... неосторожности?

Кротов пожал плечами:

— Как говорится, раз в год ружье само стреляет. Допускаю даже такое, что Степан сам от неосторожного обращения мог застрелиться. Потянул, скажем, заряженное ружье за ствол из саней, а оно бабахнуло. Такой случай в нашем селе имел место. Троша Головизнев чуть не отстрелил себе руку.

— Вот что, Михаил Федорович... — Бирюков побарабанил пальцами по столу. — Поедем мы сейчас, не откладывая, к Федору Степановичу в Серебровку. Как думаете, расскажет Половников нам что-нибудь?

Участковый чуть подумал:

— На обстоятельный разговор с ним трудно рассчитывать — очень замкнутый человек. Однако солгать никогда не солжет. По религиозной заповеди ложь считается большим грехом. Поэтому у Феди каждое слово — на вес золота.

— Это уже хорошо, — сказал Антон и поднялся.

После ночного дождя солнечное утро выдалось ослепительно чистым и по-осеннему грустноватым. Кротов осторожно вел мотоцикл по травянистой обочине проселочной дороги, раскисшей от грязи. Тянувшиеся вдоль проселка желтые березы роняли на мокрую траву крупные пятаки осыпающихся листьев. Неторопливо миновали Ерошкину плотину и проехали мимо разрытого захоронения. Покачиваясь в коляске, Бирюков мысленно «проигрывал» план предстоящего разговора с Половниковым.

Езда от Березовки до Серебровки даже на малой скорости заняла не больше пятнадцати минут. Кротов хотел сразу подъехать к Половникову, но Антон предложил ему оставить мотоцикл у своего дома, чтобы не привлекать к усадьбе Федора Степановича внимание чрезмерно любопытных селян, способных, вроде Торчкова, на разные кривотолки.

Когда Бирюков с Кротовым вошли в ограду половниковского дома, Федор Степанович возле небольшого верстачка у крыльца насаживал на гладко выструганный новый черенок трехрожковые вилы. Антон давно не видел Половникова и невольно про себя отметил, как сильно тот постарел за последние годы. Возрастом, насколько знал Бирюков, Половников был чуть постарше Кротова, но выглядел он значительно старее деда Лукьяна Хлудневского. Некогда огненно-рыжие волосы, прикрытые до ушей картузом, на висках и затылке стали сивыми, а исконопаченное коричневыми крапинками круглое лицо вдоль и поперек исполосовали несметные морщины. Основательно поседели и обвислые, на белорусский манер, усы. Пожалуй, только почерневшие от кузнечной работы руки, с большими узловатыми в суставах пальцами, да неизменный залоснившийся кожаный картуз на голове остались прежними, будто время совершенно не коснулось их. Одет Половников был в застегнутую на все пуговицы клетчатую рубашку из плотной материи. Поверх рубахи — стеженая телогрейка без рукавов. Голенища больших сапог скрывались под широкими штанинами вылинявших парусиновых брюк. В ответ на приветствие Кротова старик односложно буркнул «Добрыдень» и, не обращая внимания на посетителей, сосредоточенно стал забивать в вилы крепежный гвоздь.

— Сенцом, Федя, надумал заняться? — дипломатично осведомился Кротов.

— Не, картоху пора копать, — опять пробурчал Половников.

— А мы вот с начальником районного угрозыска товарищем Бирюковым хотим с тобой побеседовать. Как ты на этот счет смотришь?..

— Коль пришли — беседуйте. В огород соваться пока рано — ботва у картохи мокрая, — более многословно ответил старик.

— Знаешь, Федя, что нас интересует?.. — снова закинул удочку Кротов.

— Скажете — буду знать.

Бирюков решил взять инициативу разговора в свои руки:

— Мы вчера, Федор Степанович, хотели с вами повидаться, но вас не оказалось дома.

— Мне Шура Сластникова говорила, что вы показывали ей бумагу на мой арест.

— Что-о-о?! — удивился участковый. — Опомнись, Федя! Иль Шуру не знаешь? У нее, как говорится, язык без костей. Она тебе наплетет лаптей про арестантов.

Половников промолчал.

— Нет, Федор Степанович, никто вас арестовывать не собирается, — снова заговорил Антон. — Приходили мы, чтобы поговорить о первом председателе Березовского колхоза. Знали вы Жаркова?..

Выражение лица Половникова ничуть не изменилось. Все с тем же замкнуто-мрачным видом он буркнул:

— Ничего я об нем не ведаю.

— Как так, Федя? — вновь вклинился Кротов. — По имеющимся у нас сведениям, Афанасий Кириллович водил постоянную дружбу с твоим отцом.

— Дак, это с отцом. Не со мной.

— Но ты ведь много раз видел Жаркова.

— Я тады совсем мальцом был.

— А кто молотобойцем в кузнице работал?

— Ну, дак и что из того?

— А то, что «малец» в ту пору ты уже был не малый.

— Ну, дак и что из того?

— Федор Степанович, — настойчиво сказал Антон. — Мы ведь ни в чем вас не обвиняем, не подозреваем. Собственно, и преступления-то никакого нет. Нам надо выяснить некоторые обстоятельства таинственного исчезновения Жаркова. Помните, как он последний раз, перед исчезновением, приезжал к вашему отцу?

Половников будто не услышал вопроса.

— Федя, не бери грех на душу, — с самым серьезным видом проговорил Кротов. — На том свете тебе это не простится.

Конопатое лицо Половникова густо покраснело, а обвислые и без того усы совсем поникли. Старик

растерянно посмотрел на участкового и, сложив в
щепотку огрубелые, с толстыми бугристыми ногтями, пальцы, торопливо перекрестился:

— Истинный Бог, Михаил Федорыч, в смерти
Жаркова моего греха нет.

— Ну а в чем дело? Почему каждое слово из тебя
надо вытягивать клещами?

— Дак, я уже молвил, что ничего особенного не
ведаю, — с прежним упрямством повторил Половников, однако теперь в его голосе вроде бы проскво-
зила неуверенность.

— Нам что-то особенное и не нужно, — стараясь
приободрить старика, сказал Бирюков.

— А чого вам надо?

— Почему Жарков в последний приезд оставил у
вас костыли? — почти наугад спросил Антон.

— Они моему папашке принадлежали.

— Но ведь Жарков на них ходил?..

— Ну.

— Почему же оставил?

— Дак, мы с папашкой железную протезу на шар-
нирах ему сделали, — после длительного молчания
хмуро проговорил Половников.

«Вот оно что!» — промелькнуло у Антона, но он
очень сдержанно уточнил:

— Значит, Жарков уехал от вас на протезе?

Половников молча кивнул. Кротов переглянулся
с Бирюковым. Заручившись молчаливой поддерж-
кой Антона, участковый ободряюще заговорил:

— Вот видишь, Федя, какими ценными сведениями ты располагаешь! Давай присядем, пока ботва в
огороде подсохнет. Поговорим откровенно. Тебе известно, какую беду разрыли позавчера мелиораторы
у Ерошкиной плотины?..

— Краем уха слыхал от Шуры Сластниковой.

— Шура — трескотливая сорока, — Кротов опять вопросительно глянул на Бирюкова. — Тебе вот сейчас сам начальник районного угрозыска кое-что расскажет...

Половников, словно раздумывая, прислонил к верстаку насаженные на новый черенок вилы. Лежавшим у крыльца голиком смахнул пыль со скамейки возле стены дома и вроде как с неохотой предложил:

— Садитесь, незваные гости. Разговор, можа, долгий получится.

Бирюков и Кротов сели на скамейку. Сам Половников уселся на принесенную от сеновала чурку и выжидательно замер, постукивая друг о дружку бугристыми ногтями скрюченных пальцев рук. Когда Антон рассказал ему о разрытом захоронении, проговорил:

— В позапрошлый вечер Шура Сластникова в бригадной конторе мыла пол и подслухала, как вернувшиеся от плотины бригадир Гвоздарев с Лукьяном Худневским меж собой обсуждали, кто бы мог там оказаться зарытым...

— И к какому выводу они пришли? — спросил Антон.

— Кто их знает...

— А вы что об этом думаете?

— Дак, понятно, что... Если с протезой, акромя Жаркова, некому из местных мужчин в той могиле быть. Вчерась к ночи хотел Арсентию Инюшкину об своем мнении сказать, дак у Арсентия Иван Торчков находился. При Иване скажи — разом небылицу сочинит...

Мало-помалу разговор завязался. Осторожными уточняющими вопросами Бирюкову удалось выяснить суть дела. По словам Федора Степановича,

Жарков очень уважительно относился к его отцу. Ценил кузнеца за мастеровые руки. Степан Половников тоже уважал председателя и, видя, как тому нелегко постоянно передвигаться на костылях, надумал сделать ему протез. Чтобы не опростоволоситься перед односельчанами в случае неудачи, задумку свою кузнец держал в тайне. Знали об этом кроме самого кузнеца лишь помогавший ему сын Федя да Жарков. Сложность изготовления протеза заключалась в том, что в культе, оставшейся ниже колена, заросли осколки от гранаты. Надо было придумать такую форму крепления к ноге, чтобы ни малейшего нажима на культю не было. И Степан Половников после многих примерок все-таки изготовил удобную конструкцию. Федя своими глазами видел, с каким облегчением, хотя и сильно прихрамывая, расхаживал по избе Жарков на протезе. В большой радости он даже оставил у Половниковых костыли.

Искать Жаркова начали на четвертый или пятый день после того, как он уехал из Серебровки. Вначале предполагали, что председатель отправился по делам в райцентр либо в Новосибирск. Когда выяснилось, что ни в райцентре, ни в Новосибирске его не было, подняли переполох.

— И тут мамаша, Царство ей Небесное, — Федор Степанович привычно перекрестился, — приказала мне изрубить оставленные Жарковым костыли.

— Зачем? — спросил Антон.

— С перепугу.

— А вообще, как она к Жаркову относилась?

— Дак, вроде бы, неплохо... — Половников замялся. — Жарков хотя и коммунистом был, но церковь в Березовке сохранил. За это все верующие были ему благодарны.

Стараясь не торопить Федора Степановича, Бирюков постепенно перевел разговор к утопленнику, обнаруженному у Ерошкиной плотины через год после исчезновения Жаркова, и почти неожиданно узнал обстоятельства обнаружения, можно сказать, из первых уст. Оказывается, осенью в тридцать втором году у плотины сильно понизился уровень воды. Чтобы сберечь ее остатки и еще поднакопить для зимней работы крупорушки, решили наглухо перекрыть деревянный щит-запор. Стали его опускать, а щит до конца не опускается. На помощь позвали кузнеца Половникова, чтобы поглядеть: не повреждены ли навесные петли затвора? Сам кузнец остался на плотине, а сына послал вниз. Раздевшись донага, Федя забрел по пояс в воду перед затвором, пытаясь оглядеть нижние петли, и нечаянно наступил на что-то мягкое...

Федор Степанович опять перекрестился:

— Глянул себе под ноги и чуть не обмер. Это ж я на мертвеца наткнулся. Течением его, упокойника, аж под самый затвор затянуло. Помню, закричал не своим голосом. Испужался. Папашка сверху ко мне прямо в одеже бухнулся. Новый предколхоза Лукьян Хлудневский, находившийся на крупорушке, ошалело в воду залез. Когда разглядели, что там находится, сразу погнали верхового нарочного в районный центр за следователями. Ей-богу, не вру...

— Кто из райцентра приехал? — спросил Бирюков.

— Дак, с перепугу я запомнил одного — Николая Тропынина. Серебровский парень, служил в районном ГПУ или НКВД, не знаю, как правильно его служба называлась. Он вроде бы главным заводилой в следствии являлся. Лично сам вытащил из воды того упокойника с вальцовой шестерней на ногах.

— Чем эта шестерня была привязана к ногам?

— Кажись, веревкой. Чем еще?..

— Не ремнем?

Половников, хмуро задумавшись, провел ладонью по обвислым седым усам, словно снимая с них паутину:

— Кажись, нет.

— Федя, тебя никто не торопит, повспоминай хорошенько, — посоветовал участковый.

Старик опять задумался. Долго разглядывал ногти и наконец решительно повел головой:

— Нет, ремня не помню. Чего не видал, того не видал. Грех на себя брать не стану.

«Зачем же Хлудневский приплел моряцкий ремень Жаркова?» — мысленно задал себе вопрос Бирюков и поинтересовался у Федора Степановича внешностью утопленника. По словам Половникова, тот был «маленького росту, навроде раскулаченного Ильи Хоботишкина или его старшего сына Емельяна».

— А лицо как?.. — спросил Антон.

— От лица там ничего не осталось, — нахмуренно ответил старик. — Водяные жуки все поели. Один армяк да рваные сапожишки на костях сохранились. Мужчины меж собой обсуждали, будто не меньше года тот горемыка пролежал в воде и совсем расквасился...

Исподволь Антон Бирюков стал подводить разговор к выяснению причины смерти Степана Половникова. И здесь Федор Степанович на удивление разговорился. Казалось, старик избавляется от тяжелой душевной боли, которую много лет носил в себе, не имея возможности ни с кем поделиться ею. Он вроде бы рассказывал не сотрудникам милиции, а исповедовался перед священником.

...Степан Половников с сыном повезли для продажи в Томск три мешка пшеницы. Они действительно взяли у Лукьяна Хлудневского двуствольное курковое ружье и патроны, заряженные картечью, на тот случай, если дорогой нападут волки. Из Серебровки выехали ранним морозным утром, а к вечерним сумеркам уже добрались до Томска. Заночевали в Доме крестьянина на берегу Томи, недалеко от базара.

Утром следующего дня спозаранку поехали торговать. Базар находился тогда в центре города, у деревянного мосточка через Ушайку — занесенную снегом речушку с крутыми берегами, протекавшую по городу. И здесь случилась с Половниковыми беда — неведомо как у них утащили с саней мешок с пшеницей. Торговавшие рядом крестьяне помогли поймать вора — здоровенного, в лохмотьях, мужика с пьяными глазами. Разом появился милиционер. Он повел схваченного с поличным оборванца в милицию и предложил Половниковым ехать следом. Милиция располагалась близко от базара, возле высокого кирпичного дома с облезлой крупной надписью на стене: «Шоколадно-паровая фабрика Некрасовой». Степан привязал подводу к коновязи, у которой стояло несколько оседланных лошадей, наказал сыну не отлучаться из саней и ушел с милиционером, как тот сказал, для составления протокола о краже.

Федя первый раз был в большом городе. Поэтому во все глаза рассматривал и высокие кирпичные дома, и широкие улицы со снующими по ним туда-сюда извозчиками, и нарядных городских людей. Насмотревшись на неведомое ранее зрелище, он из любопытства стал разглядывать на привязанных к коновязи лошадях красивые красноармейские седла. Внимание сразу привлек перебиравший передними ногами в белых, чуть не до колен, «чулках» вороной жеребец. Приглядевшись к нему, Федя от удивления раскрыл рот — жеребец, как две капли воды, походил на Аплодисмента, забранного в колхоз у Хоботишкиных и пропавшего в прошлом году вместе с председателем Жарковым. Чтобы проверить догадку, Федя позвал жеребца по кличке. Тот повел ушами, скосил жгуче-фиолетовый глаз и тихонько проржал — отозвался, значит.

Наверное, через час или чуть дольше, запнувшись о крыльцо, из милиции вышел отец. Всегда спокойный, на этот раз он был вроде как не в себе. Рывком отвязал повод от коновязи, повалился в сани и огрел лошадь кнутом. Не привыкшая к такому обращению монголка взбрыкнула. Федя указал на вороного жеребца: «Папаш, глянь, это ж Аплодисмент». Отец снова ожег кнутом монголку и, как показалось Феде, испуганно проговорил: «Молчи, Федор, тише рыбы. Ты ничего тут не видал». Он еще раз подхлестнул и без того тянущую сани изо всех сил лошадь. Федя, заметив, что вместо базара они выехали за город, недоумевая, спросил: «Разве не станем торговать зерном?» — «Засыпались мы, кажись. Надо убегать отсель, пока не поздно. Заряди на всякий случай ружье», — ответил отец. «Дак, ведь светло же... — ничего не понимая, сказал Федя. — Волки днем на людей не кидаются». Отец взмахнул кнутом: «Заряжай, тебе говорю!.. Есть люди страшнее волков».

Тревога отца передалась сыну. Трясущимися руками Федя зарядил патронами с картечью взятую у Лукьяна Хлудневского двустволку, завернулся вместе с ружьем в овчинный тулуп и, чтобы не вывалиться на дорожных раскатах, уперся спиной в изголовье розвальней. Ехали молча. В полдень остановились в небольшой деревеньке, чтобы подкормить запарившуюся двужильную лошадь да самим перекусить застывшего на морозе хлеба с соленым свиным салом. Не успела монголка опорожнить половину торбы овса, отец погнал дальше. Завернувшись опять в обнимку с ружьем в тулуп, под однотонный скрип полозьев Федя вроде бы задремал и не заметил, как наступили ранние вечерние сумерки.

Очнулся он от окрика отца: «Федор, готовь, ружье!» Распахнув тулуп, Федя выставил перед собой двустволку и, плохо соображая, закрутил головой. Лошадь рысью тянула розвальни с пригорка. По обочинам дороги хмурился черный лес. Однотонно скрипел под полозьями накатанный морозный снег. Сквозь этот ровный скрип вдруг ясно послышался приближающийся лошадиный топот. Федя уставился взглядом в серенькие сумерки и разглядел догонявшего их всадника. Отец что есть силы нахлестывал монголку, но разве могла она с гружеными санями убежать от мчащегося размашистым наметом черного жеребца...

Вскидывая белеющие ниже колен передние ноги, жеребец настигал Половниковых, словно стоячих. Когда он подскакал к саням метров на пятьдесят, Феде показалось, что прижавшийся к холке скакуна всадник в красноармейской, с шишаком на макушке, шапке будто бы вытаскивает то ли из кармана, то ли из кобуры наган. «Папаш! — закричал Федя. — Он стрелять в нас хочет!» — «Бей первым по ногам коня! — оглянувшись, крикнул отец. — Дуплетом бей, не то нам — крышка!» Федя лихорадочно щелкнул курками и, едва поймав на мушку грудь жеребца, почти не целясь, разом надавил на оба спусковых крючка. Ружье изрыгнуло сноп огня и порохового дыма. Больно ударило в плечо. Жеребец, утробно заржав, со всего маху взвился на дыбы. Всадник, видимо, не удержавшись в седле, стал опрокидываться на спину. В этот миг из его вытянутой вперед руки блеснул огонек, и что-то чмокнуло рядом с Федей. Услышав запоздалый, будто резкий щелчок кнута, звук наганного выстрела, Федя ничего не понял. Сообразил он, что пуля из нагана попала в отца, только после того, когда тот прохрипел: «Кажись, отвоевался». — «Папаш! Папаш!..» — закричал Федя. Отец с искаженным от боли лицом пытался все еще нахлестывать монголку, однако дорога из низины пошла в гору, и запарившаяся лошадь побрела тяжелым шагом. Федя испуганно оглянулся — догонявший их всадник вместе с жеребцом остался за поворотом. «Не пужайся... Кажись, основательно ты подкосил... Аплодисмента... Теперь не догонит», — с трудом проговорил отец. Он обессиленно передал вожжи сыну и наказал ехать в районную ГПУ, к Тропынину Николаю. Федя хотел было перевязать отцу рану, но тот отказался: «Замерзну на морозе раздетый... Гони кобылу, гони»...

— От этой раны отец ваш и умер? — спросил Антон Бирюков, когда Федор Степанович надолго замолчал.

Половников утвердительно наклонил голову:

— Много кровушки из него вышло, пока до райцентра ехали. К Тропынину мы средь ночи, прямо на квартиру заявились. Николай разом фельдшера вызвал. Забинтовали папаше всю грудину, да уже поздно оказалось.

— Кто же тот всадник был, который вас догонял?

— Не ведаю. Промеж папашей и Тропыниным короткий разговор состоялся. Папаша шепотом поминал Жаркова, Хоботишкина и еще какого-то Колоскова называл. С испугу я толком ничего не понял, но, сдается, навроде кто-то из них начальником

милиции в Томске служит... — Федор Степанович
опять затяжно помолчал. — Провожая нас, Тропынин просил никому не рассказывать про то, какая
беда с нами случилась. Мне шепнул, мол, если папашка помрет, не надо звонить по деревне, что его
застрелили.

— Может, вы не поняли Тропынина? — уточнил
Бирюков.

— Не, тут я все правильно понял. Видно, Николаю хотелось сохранить в тайне нашу перестрелку с
тем всадником, на Аплодисменте...

— Больше Тропынина не видели?

— На похороны Николай к нам приезжал. Когда папашку погребли, беседовал со мной с глазу на
глаз. Интересовался, где та милиция в Томске находится, в какой папашка был. Я сказал про надпись
«Шоколадно-паровая фабрика Некрасовой» на стене
кирпичного дома.

— Сколько же патронов вы по всаднику выстре-
лили?

— Сразу два картечных заряда спалил, — мрачно
ответил Федор Степанович и вдруг испуганно глянул на Антона. — Я не по всаднику стрелял, в ноги
жеребцу метил...

— Федя, тебя никто не торопит, повспоминай хорошенько, — опять посоветовал участковый.

Половников спокойно посмотрел на него:

— Дак, я и не тороплюсь. Чого тут вспоминать?
Два патрона использовал по ногам жеребца.

Кротов кашлянул в кулак:

— А Лукьян Хлудневский говорит, ты вернул ему
с ружьем всего один выстреленный патрон.

Федор Степанович хмуро задумался:

— Дак, пожалуй, Лукьян прав. Один из стреля-
ных патронов я обронил в сани, когда перезаряжал

ружье. После не нашел его. Наверно, вытрясся дорогой из саней...

Слушая Половникова, Бирюков старался уловить в голосе Федора Степановича фальшь. Однако старик говорил настолько сдержанно и немногословно, что рассказанное им казалось чистой правдой. Конечно, Антон понимал: из-за давности времени подтвердить все это другими показаниями практически невозможно. Оставалось одно — верить Половникову на слово.

Разговор затянулся. Бирюков попытался узнать, какого Колоскова называл в разговоре с Тропыниным раненый отец. Не того ли, именем которого названа Ерошкина плотина? Но Федор Степанович этого не знал. Антон задал еще несколько вопросов, посмотрел на высоко поднявшееся солнце и, извинившись перед Половниковым за отнятое у него время, поблагодарил старика.

— Да, ну чого там... — смутился Половников. — Исповедовался перед вами, и на душе полегчало.

— Как ты, Федя, выдержал столько лет молчания? — удивленно спросил Кротов.

— Я ж Николаю Тропынину побожился, что не проболтаюсь. Теперь приближение смерти чую, не хочу уносить грех в могилу. Чтоб на смертном одре не раскаиваться, рассказал вам чистую правду, как на духу.

Участковый вздохнул:

— Мучаешь, Федя, себя попусту религией. Не для протокола, по-товарищески, скажи: всерьез веришь в наличие Бога?

Половников глянул на участкового с укором:

— Я в свою веру никого не обращаю. Из всех селян одна Агафья Хлудневская ходит ко мне Библию слушать, дак и ее силком не тяну.

— Не в том дело, Федя. Говоря словами Ивана Торчкова, вопрос принципиальный. Мы почти ровесники с тобой, в одном селе выросли, а живем по-разному. Я с военных лет коммунист, ты же господу богу поклоны отбиваешь.

— У тебя одна вера, у меня — другая.

— Но почему, Федор, такое расхождение смогло получиться?.. — не унимался Кротов.

Половников хмуро потупился:

— После смерти папаши грех замаливаю.

— Какой?

— Если б я не выстрелил по коню того всадника, можа, и он в моего папашку не стал стрелять...

— Ага! Пожалел бы уголовник твоего папашку. Думаешь, он из озорства преследовал вас от самого Томска?

— Дак, кто ведает, какие намерения у него были.

— Не оправдывай, Федя, свое заблуждение. По моим выводам, мамаша забила тебе голову религиозным туманом, а ты и руки опустил. Скажи, не так?..

— Пусть будет по-твоему. На смертном одре мамки дал ей слово не отступать от веры. Религия тем и хороша, что не позволяет бросать слов на ветер.

— Эк, сказанул! Среди верующих тоже полно пустозвонов.

— Значит, они не верующие.

— Неисправимый ты, Федя.

— Таким и помру. Немного уж осталось...

ГЛАВА 9

Прохладный с утра день за время разговора с Половниковым разгулялся. Всегда отличавшаяся от других сел особой ухоженностью Серебровка, вытянутая по сибирскому обычаю одной длинной улицей, после ночного дождя еще более похорошела. Тихо и уютно было в селе. Все здесь дышало таким покоем, что, казалось, живут в Серебровке люди без всякой заботушки и печали.

— Чем дальше займемся? — спросил участкового Бирюков, когда они вышли от Половникова.

— Полагаю, не помешает еще раз побеседовать с Лукьяном Хлудневским, — ответил Кротов. — Сообщение Федора Степановича в корне меняет дело.

— Меня заинтересовало упоминание фамилии Жаркова вместе с Хоботишкиным и Колосковым. О Колоскове мы, по существу, ничего не знаем, — сказал Антон.

— Очередная загадка... — вздохнул Кротов. — Кто из них оказался начальником милиции в Томске?

— Судя по протезу, где оказался Жарков, нам известно. Но какая связь между ним, Хоботишкиным и Колосковым?.. — задумавшись, проговорил Антон. — И почему Николай Тропынин хотел сохранить в тайне нападение на Половниковых?

— Полагаете, сотрудник, ведущий дознание, преследовал корыстную цель, выдавая себя не за того, кем был на самом деле?

— Время, Михаил Федорович, было очень сложное и крутое. В той круговерти не сразу высвечивалось, кто какие цели преследует... — Антон помолчал. — Идем к Хлудневскому!..

Хлудневского дома не оказалось. Копавшаяся в огороде остроносая бабка Агафья на вопрос Кротова — где дед Лукьян? — развела руками. По ее словам, Шура Сластникова недавно шла домой из бригадной конторы и что-то сказала деду. Тот разом сгребся и побежал к Ерошкиной плотине.

— Что опять там такое?! — удивился Кротов.

— Не могу, Михаил Федорович, сказать, что, но как будто энти... мели... ораторы, — бабка Агафья перекрестилась, — еще одну могилку разрыли.

Кротов резко повернулся к Бирюкову:

— Придется немедленно туда ехать...

— Поехали, — сказал Антон.

Хлудневского они встретили сразу за околицей села. Старик, нахлобучив на глаза соломенную шляпу, понуро брел от Ерошкиной плотины в деревню. Кротов, остановив мотоцикл, настороженно спросил:

— Что, дед Лукьян, случилось?

— Физкультурой омолаживаюсь, — смущенно ответил старик.

— С чего это на старости лет молодиться задумал? Не к Шуре ли Сластниковой в женихи собрался?

Хлудневский, словно сам над собою, иронично усмехнулся:

— Ну ее к лешему, «Веселую вдову». С панталыку, лихоманка, меня сбила. Из конторы шла. Я к ней с вопросом подсунулся: «Что, Шура, в бригаде нового?». Она, не моргнув глазом, отвечает: «У плотины мелиораторы новую могилу отрыли». Я — шапку в охапку и дунул к плотине. Прибежал, запарившись, а ребята меня на смех подняли.

Кротов укоризненно покачал головой:

— Кому поверил, старый человек? Сластникова только на причудах и живет.

— Знаю, конечно, что язык у Шуры, как помело, да вот... И на старуху бывает проруха.

Участковый слез с мотоцикла и показал на пожухлую лужайку возле обочины проселочной дороги:

— Присядем, разговор есть.

Бирюков, выбравшись из коляски мотоцикла, тоже подсел к ним. Кротов пристально посмотрел виновато нахмуренному Хлудневскому в глаза:

— Не можешь ли ты, Лукьян, вспомнить, сколько холостых патронов вернул тебе Федя Половников, когда вернулся из Томска?

Хлудневский удивленно вскинул седые брови:

— Я уже говорил, один патрон.

— А Федор утверждает, что два патрона выпали. Один из них потерял. Что на это скажешь?

— Скажу, что больше полвека с той поры минуло. Разве все мелочи упомнишь до подробностей... — растерянно ответил старик и вдруг хлопнул себя ладонью по согнутому колену. — А ведь прав Федя! Он же, точно, один холостой патрон мне вернул, а другого не досчитался. Не сердись, Михаил, без задней мысли ввел тебя в заблуждение.

Участковый, словно прочищая горло, откашлялся:

— И еще возникает расхождение в предыдущих твоих словах. Ты утверждал, будто шестерня была привязана к ногам утопленника, поднятого у Ерошкиной плотины, моряцким ремнем. Так или не так?..

— Именно так, — подтвердил Хлудневский.

— А Федор Половников, первым обнаруживший труп, никакого ремня не видел.

— Как же это?.. — растерялся дед Лукьян.

— Да вот так получается...

И опять старик задумался, опять хлопнул себя по колену:

— Нет, Михаил! Тут Федя не прав! Голову даю на отсечение, ремень был!

— Куда же он сплыл?

— А вот куда! — словно обрадовался дед Лукьян. — Оперуполномоченный Николай Тропынин тихонько тот ремень отвязал и в брезентовую сумку спрятал. Я, помнится, намекнул, дескать, ремешок-то жарковский, а он ответил, мол, в наших интересах — помалкивать об этом.

— Что значит «в наших интересах»?

— Спроси его что. Наверно, так надо было.

Кротов переглянулся с Бирюковым. Антон, не выказывая озабоченности, спросил Хлудневского:

— После этого вы с Тропыниным часто виделись?

— Чуть не каждый месяц приезжал Николай по делам, то в Березовку, то в Серебровку. Он в нашем районе долго оперуполномоченным служил. Сначала в ОГПУ, потом в НКВД, когда их переименовали.

— О ремне разговор заводил?

— Никогда.

— Не из-за того ли, что ты помалкивал, Тропынин в тридцать седьмом году защитил тебя? — быстро вставил вопрос участковый.

— Ох, и въедливый же ты, Кротов! — не на шутку обиделся Хлудневский. — Да будет тебе известно...

— Не вскипай, Лукьян, не вскипай.

— Как это не вскипай! Я вижу, куда ты клонишь! Да разве одного меня Николай от клеветы очистил?! Он и других земляков, невиновных во вредительстве, защищал.

Чтобы успокоить Хлудневского, Бирюков тактично переменил тему разговора. Интуицией Антон чувствовал, что между исчезновением Жаркова, утопленником с шестерней на ногах и «начальником милиции» в Томске есть какая-то ниточка. Но какая?.. Поскольку утопленник походил на раскулаченного Илью Хоботишкина, Бирюков попросил деда Лукьяна рассказать о дореволюционном винопольщике. «Дореволюционного» Хоботишкина Хлудневский помнил смутно, но, по его мнению, Илья при старом режиме сколотил изрядное богатство.

— У Ильи Тимофеевича было два сына. Старшего Емельяном звали. Прыщеватый, весь в отца, замухрышка. А младший — Дмитрий, мой ровесник, ростом и лицом в мать удался. Красивый гонористый хвастун. Постоянно стремился какую-нибудь пакость девчатам сотворить. То майских жуков на вечеринке под сарафаны им запустит, то нюхательного табака осьмушку тайком рассыплет. Девчата на вытоптанном пятачке ногами пыль взобьют, и до того их чох от табачной пыли одолеет, что не до частушек уже, а, значит, все веселье пропадает. Надоело ребятам такое безобразие терпеть, и решили они проучить Дмитрока. Это мы меж собой Дмитрия так называли. Нашли весной змеиный выползок — когда змея шкуру меняет, остается от нее такая штуковина, точь в точь похожая на змею, только без внутренностей. И, значит, кинули тот выползок на пакостника. Дмитрок, посчитав, что змея настоящая, так испугался, что паралич его разбил. Вся левая половина тела отнялась. Винтом изгибаясь, стал ходить, когда оклемался от болезни. Так вот, этот самый Дмитрок лично мне хвастался: «У моего тятьки целый пуд золота — на безмене взвешивали».

— Не из бахвальства он это сказал? — спросил Антон.

Дед Лукьян крутнул головой:

— Нет. После паралича Дмитрок придурковатым стал. А у дурака, известно, как у пьяного, что на уме, то и на языке. И другие факты подтверждают наличие у Хоботишкина золотого запаса. Когда Хоботишкиных при раскулачивании отправили в Нарым, все семейство в слезы ударилось, а Дмитрок по-дурости как заорет: «Мы и в Нарыме не подохнем! У нашего тятьки целый пуд золота!» Емельян ему по мусалу так кулаком хряснул, аж красная юшка из носа потекла. Но слово не воробей — вылетело не поймаешь. Обшарили мужики узлы и телегу

Ильи Тимофеевича — пусто. Ну, конечно, посчитали, что Дмитрок с дури закричал. Чего, мол, с дурака взять? С дурака взятки гладки... — Хлудневский чуть помолчал и спросил Антона: — Помнишь в Березовке двухэтажный бревенчатый дом, в котором старая колхозная контора находилась?

— Помню.

— Вот тот самый купеческий домина принадлежал Илье Хоботишкину. После раскулачивания, понятно, усадьба со всеми постройками перешла в колхозную собственность. А построек там хватало. Среди них были два добротных амбара из отборного сосняка. В тридцать третьем или тридцать четвертом году — точно не помню — решили мы разобрать те амбары и построить из них в Березовке школу. Когда разбирали, под полом одного из амбаров нашли пустую жестяную банку, в каких раньше леденцовые конфеты продавались. Банка большая, этак... килограмма три конфет в нее входило. И возле этой банки полную пригоршню золотых денег насобирали. Царские десятки там были и несколько советских червонцев. Видать, нечаянно рассыпали их и почему-то собрать не смогли. Может, торопились, а может, ночью клад вытаскивали...

— Кто это мог сделать? — опять спросил Антон.

— Кроме хозяина, некому. А вот, куда это золотишко Илья сплавил до раскулачивания, так мы и не сообразили.

Бирюков задумался и снова обратился к деду Лукьяну с вопросом:

— А Ерофея Колоскова вы знали?

— Мне годков восемь было, когда Колосков с артелью пленных австрийцев строил Хоботишкину крупорушку. Несколько раз его там видел.

— Как он выглядел?

Хлудневский, сожалеючи, вздохнул:

— Не берусь обрисовать точно. Маленочком, говорю, тогда был. Запомнил фуражку черную со скрещенными молоточками. Такие фуражки в старину казенные инженеры либо техники носили.

— Рост — высокий, низкий?..

— При малых моих летах все взрослые люди казались высокими. Даже Илья Хоботишкин большим мужчиной выглядел. Насчет Колоскова, Антон Игнатьевич, надо поговорить с твоим дедом. Матвей Васильевич должен хорошо помнить Ерофея, поскольку до революции Колосков заметной личностью в нашем крае являлся.

Бирюков показал Хлудневскому взятую у его внучки Ларисы фотографию Жаркова:

— На этом фото Жарков похож на того, каким был в тридцать первом году?

Дед Лукьян близоруко вгляделся в снимок:

— Тут Афанасий Кириллович совсем юношей выглядит. В тридцать первом он намного старше был, но сходство безусловное имеется. Вот тут вот... — Хлудневский показал на правую скулу, — у него толстый рубец от ранения выделялся и, видать, нерв лица был поврежден. Когда Жарков сильно расстраивался, у него правая щека ходуном ходила...

Остаток воскресного дня Бирюков и Кротов провели в беседе с дедом Матвеем, оторвав старика от цветного телевизора. Дед Матвей на самом деле не только помнил Ерофея Николаевича Колоскова, но и знал из личного разговора с ним кое-какие подробности его биографии. Когда-то Колосков служил в Томском округе путей сообщения. Обслуживал судоходство на Оби и по притокам. Сам рассказывал, как принимал участие в ремонте Обь-Енисейского канала на реке Кети в тогдашнем Нарымском крае.

На той работе и появилась у него мысль: бросить путейскую службу и заняться строительством частных водяных мельниц. В Березовке Колосков впервые появился летом 1907 года с первыми переселенцами из России, которые после столыпинской аграрной реформы эшелонами двинулись со своим немудреным скарбом в Сибирь. Снимались с насиженных мест большей частью люди смелые, рисковые, либо те, кому в российских краях терять было нечего. Дело в Сибири заварилось невиданное. В необжитой глухомани возникали поселения, будто грибы после теплого дождя. Истосковавшиеся по доброй земле переселенцы тут же начинали осваивать заросшую непроходимой травой да лесом целину, где не ступала человеческая нога.

Колосков, видать, сообразил, что урожаи на такой землице вырастут не шуточные, и развернул строительство мельниц да крупорушек на широкую ногу. Самые богатые мельники, развивая свое дело, шли к нему с поклоном.

— Где Колосков жил? — спросил Антон.

— Постоянно — в Новониколаевске. Когда же в Березовку наезжал, то останавливался у Хоботишкина. Илья просторный дом имел, и меж собой были они родственники.

— Какие?

— То ли свояки, то ли кумовья — бес их знает.

— Артельщиков, которые строили, Колосков на месте нанимал?

— Бывало, что уже и с готовой артелью приезжал.

— Не обижались на него?

— Артельщики? Не-е-ет. Он же им хороший заработок обеспечивал.

— А вообще как с народом Колосков жил?

— Хорошо. Мужики уважительно к нему относились. Всегда по имени-отчеству величали: «Ерофей Нилович».

— Почему же плотину «Ерошкиной» назвали? Вроде как-то неуважительно для уважаемого человека...

— С болтливого языка Хоботишкина такое название к плотине прилипло. На глазах Илья унижался перед Колосковым. А заглазно, чтобы возвысить свое равенство с видным человеком, любил прихвастнуть: «Вчерась мы с Ерошкой за ужином полную четверть смирновки осадили». Водку тогда «смирновкой» называли, — дед Матвей сурово нахмурился. — Угодливые подлизы, Антошка, и теперь за глаза унижают умных людей до своего уровня. Ты среди своих подчиненных подлиз не держи. При удобном случае они, как пить дать, тебя подсидят.

— Спасибо за совет, — улыбнулся Антон и сразу спросил: — А вообще выпивал Колосков?

— Вообще не без того, конечно... При открытии каждой новой мельницы поднимал с артельщиками чарку, но, чтобы за ужином четвертями сивуху глушить, такого за ним не водилось. Тверезый был мужик.

— Пожилой?..

— Лет на десять старше меня.

— Значит, в начале тридцатых годов Колоскову было около пятидесяти?

— Так, примерно.

Из дальнейшего разговора с дедом Антон узнал, что Колосков был среднего роста, но жилистый. Любил перед сельскими мужиками двухпудовой гирей поиграть. И получалось это у него очень даже неплохо. Сам дед Матвей последний раз видел Колоскова летом 1914 года перед мобилизацией и после никаких слухов о нем не слыхал.

Дед Матвей подтвердил слова Лукьяна Хлудневского о том, что Колосков действительно носил фуражку с инженерскими молоточками на околыше. И еще Ерофей Нилович любил пощеголять в черной тужурке с двумя рядами золотых пуговиц и с якорями на воротнике, где теперешние военные носят петлицы. Видимо, этот парадный мундир остался у Колоскова от службы по судоходной части.

— А поясным ремнем с флотской пряжкой Колосков не «щеголял»? — осененный внезапной догадкой, спросил деда Антон.

Дед Матвей усмехнулся в белую бороду:

— Такие господа, Антошка, как Ерофей Нилович, ремнями не подпоясывались. Они на подтяжках штаны носили.

Догадка не подтвердилась, и Антон завел разговор о Николае Тропынине. Дед Матвей знал Тропынина с того возраста, «когда Николаша под стол пешком ходил». Повзрослев, Николай быстро освоил грамоту и стал «закоперщиком» в местной комсомольской ячейке. В конце двадцатых годов его призвали на службу в Красную армию, откуда Тропынин вернулся в родные места уже в «чекистской» форме. Прослужил он здесь то ли до 1938, то ли до 1939 года и его перевели куда-то на новое место. С той поры ни в Березовке, ни в Серебровке он не появлялся.

— Строгим был? — спросил Антон.

— Как сказать... В то время чекистов вообще боялись пуще огня. По указанию Сталина они свирепствовали люто. Весь народ на колени поставили. Дураков не трогали. Уничтожали тех, кто поумнее да побоевее. И люди пали духом. В угоду чекистам стали сами придумывать «врагов». Обидится сосед на соседа и — заявление в НКВД. Оперуполномоченный тут же приезжает в село для разбора. Начи-

нает свидетелей допрашивать, а те с перепугу несут
напраслину на земляка без стыда и совести! Ну, как
не упечь человека в кутузку или не подвести под
расстрел, если все в один голос на него, бедолагу,
дудят?.. — дед Матвей хмуро насупился. — Вот,
когда на Лукьяна Хлудневского кто-то из наших деревенских донос накатал, Тропынин мигом объявил-
ся. Некоторые подпевалы, вроде большесемейного
Троши Головизнева, от страху в штаны наложили.
Стали юлить, дескать, на самом деле Лукьян — человек подозрительный, шибко уж молодым в председатели вышел и вроде не в ту сторону колхоз ведет. Меня тоже Николай пригласил в контору на допрос. Статью зачитал об ответственности за ложные
показания. А я ему напрямик рубанул: «Тот, кто на
Лукьяна бочку катит, будь он хотя бы и моим род-
ственником, все равно — гнида! Лукьян — честный
парень, колхозом правит умно». Больше ни слова
из принципа говорить не стал. Только эти мои слова
Тропынин и записал в протокол. Ефим Инюшкин
так же, горой за Лукьяна поднялся. И другие со-
знательные мужики грудью в защиту Хлудневского пошли. Тем и оборонили его от ложного обвине-
ния. После Тропынин спасибо нам сказал, что не
стали подпевать оговорщику и не ввели следствие
в заблуждение. В отличие от своих сослуживцев по
НКВД Николай не стремился выполнять план по
расстрелам. Он, наоборот, всячески выгораживал
земляков. Наверное, поэтому его и убрали из нашего района.

Антон рассказал деду о ремне, которым якобы
была привязана шестерня к ногам утопленника, об-
наруженного у Ерошкиной плотины, и, как, по словам Хлудневского, Тропынин быстренько спрятал
этот ремень в брезентовую сумку. Дед Матвей долго

раздумывал, чесал пальцами густую белую бороду. Наконец он категорично заявил:

— Если Николай вправду тайком спрятал тот ремень, значит, так надо было.

— Но ведь это запрещенный в следствии прием, — сказал Антон.

— Не мог Тропынин запрещенного приема допустить, — с прежней уверенностью заявил дед. — Тут, Антошка, или Лукьян тебе соврал, или Тропынин для пользы следствия не хотел тот приметный ремень людям показывать.

— Какие отношения у Тропынина с Жарковым были?

— Человеческие. По отдельным вопросам, бывало, крепко меж собой схватывались. Кулаком по столу стучали. Ну а в большинстве случаев понимали друг друга без крика и беседовали мирно, как друзья.

— Не пытался ли Тропынин обелить Жаркова?

— Ежели Афанасий не виновен был в смерти утопленника, зачем его, уже отсутствующего в Березовке, грязью поливать?

— А если виновен?..

Дед Матвей нахмурился:

— Если бы да кабы, то во рту росли б грибы, а они там не растут...

Закончив разговор с дедом, Антон Бирюков почувствовал странную беспомощность, какой обычно не испытывал при раскрытии даже самых сложных преступлений по уголовным делам. Откровенно говоря, оставаясь на выходные дни в Березовке у родителей, он совсем не намеревался проводить какие-то розыскные действия и не тешил себя мыслью, что ему удастся хотя бы чуть-чуть приподнять полувековой занавес, плотно укрывающий многолетнюю тайну старого захоронения возле Ерошкиной плотины. Однако за два дня, проведенных в родном селе, совершенно неожиданно удалось собрать такую информацию, исходя из которой можно было выстроить несколько самых противоречивых версий. Таинственное исчезновение председателя Жаркова, обнаружение утопленника у плотины и смерть кузнеца Степана Половникова, разделенные между собой по времени всего только годом, Антон увязывал в один узел, но увязка никак не получалась.

ГЛАВА 10

Утром в понедельник, в самом начале рабочего дня, Бирюков обстоятельно доложил прокурору со следователем собранную за выходные дни информацию. Рассматривая на пожелтевшем листке газеты «Штурм пятилетки» найденные Хлудневским в тайнике рассохшегося сундука старые деньги, прокурор заговорил:

— Заинтриговал ты, Антон Игнатьевич, меня своим рассказом. Исчезновение председателя Жаркова конечно же не обошлось без возбуждения розыскного дела. Надо нам истребовать из архива эти материалы.

— Розыск, по всей вероятности, оказался незавершенным, — сказал Бирюков.

— Но на основании собранных тобою фактов, может быть, удастся по розыскным материалам выстроить убедительную версию.

— А какой смысл, Семен Трофимович? — спросил следователь Лимакин. — Что из того, если мы даже и установим преступника? Все сроки ведь уже давно миновали...

Прокурор сосредоточенно задумался:

— Если нам удастся установить преступника, мы, Петр, большое дело сделаем.

— Какое?

— Реабилитируем председателя колхоза Жаркова.

— А если ремень на ногах утопленника действительно принадлежал ему?

— Этим ремнем мог воспользоваться не только хозяин. Скорее всего, именно так и было.

— Ну а допустим, что утопленник — на совести Жаркова?..

— Значит, поставим в его биографию точку, и пусть селяне навсегда о нем забудут.

— Выходит, сработаем впустую? — спросил Бирюков.

— Установить точный исторический факт — дело не пустое.

— Эксперты что говорят? — спросил Бирюков.

Прокурор развел руками:

— Что они могут сказать по останкам полувековой давности. Криминалист утверждает, что металлическая конструкция, обнаруженная в захоронении, — самодельный протез правой ноги ниже колена. Признаков износа на нем не обнаружено. Да и как в том ржавом металлоломе определишь износ?.. Судмедэксперт... — прокурор глянул на часы, — обещал быть здесь через десять минут, но мы уже больше часа разговариваем, а его все нет.

Дверь кабинета внезапно открылась, и легок на помине вошел судебно-медицинский эксперт Борис Медников.

— Опаздываешь, Боря, — сказал ему прокурор.

— Я никогда не опаздываю — задерживаюсь, — буркнул судмедэксперт, усаживаясь на стул рядом с Бирюковым.

Бирюков положил на его плечо свою ладонь:

— Маршал Жуков говорил: «Человек, позволяющий себе "задерживаться" более, чем на пять минут, не соответствует занимаемой должности».

— Потому Георгий Константинович и маршалом стал. Я же за два года только до ефрейтора дослужился, — отпарировал Медников. — В археолога меня превратили, да еще торопите...

— Не томи, Боря, выкладывай, с чем пришел, — попросил следователь.

Борис исподлобья глянул на него и со вздохом вытащил из внутреннего кармана пиджака сложенные вчетверо листки медицинского заключения:

— Читайте, сыщики... Пресс-конференцию проведу позже.

Первым начал читать прокурор, передавая разрозненные машинописные листы по кругу: сначала — следователю, тот — Бирюкову. Большую часть текста занимало перечисление представленного на экспертизу. Само же заключение было лаконичным. Разрытые мелиораторами кости скелета принадлежали мужчине возраста сорока — пятидесяти лет, роста — приблизительно один метр семьдесят сантиметров, физически хорошо развитому. Из характерных примет указывалось на отсутствие правой ноги ниже колена, в результате чего мужчина при жизни вынужден был пользоваться протезом. Обнаружен пятнадцатисантиметровый обрубок кости правой голени, на основании чего можно предполагать, что у мужчины после ампутации ноги осталась культя. Возле коленного сустава культи «вжились» мелкие осколки сталистого металла, по которым можно предположить старое ранение. «Зажившая» рана также отмечена на правой скуловой кости подбородка. В грудной части скелета, выше солнечного сплетения и на ребрах левого бока в районе сердца обнаружены повреждения костей и застрявшие в них свинцовые картечины. Кости пролежали в земле не менее пятидесяти лет. Присутствие в них металла выявлено спектрографическим анализом, проведенным экспертами научно-технического отдела УВД области. А рентгенографическое исследование поврежденных костей грудной клетки не обнаружило реактивных изменений, на основании чего можно сделать вывод, что это так называемое «свежее» ранение без каких бы то ни было признаков заживления. По всей вероятности, именно от него наступила моментальная смерть.

Когда все трое прочитали заключение экспертизы, Медников развернул на столе перед прокурором небольшой бумажный сверточек. В нем лежали два сплошных кусочка окислившегося свинца и треугольный осколочек металла, вроде как от консервной банки. Это были те самые, отмеченные в экспертизе, картечины, извлеченные из грудных костей, и осколок из обрубка кости ниже коленного сустава.

— Итак, Боря, можно предполагать, что потерпевший был убит картечным зарядом из ружья? — посмотрев на судмедэксперта, спросил прокурор.

— Либо из обреза или другой огнестрельной пыхалки, которые были в моде на заре советской власти, — со вздохом добавил Медников.

— А осколок в ноге — от старого ранения?

— Да. Из-за того, что находился он в кости, металл почти не подвергся разрушению.

Прокурор задумался:

— Кости пролежали в земле пятьдесят лет...

— Не менее пятидесяти, — уточнил судмедэксперт.

— Если более, то насколько?..

— Вы, гражданин прокурор, слишком многого от меня хотите.

— Спасибо, Боря.

— Не за что, — иронично пробурчал Медников и поднялся. — На этом пресс-конференцию заканчиваю. Вещественные доказательства оставляю в ваше распоряжение.

После ухода судебно-медицинского эксперта началось обсуждение результатов экспертизы. Все трое единогласно сошлись во мнении, что вскрытые останки, судя по характерным признакам, принадлежат председателю колхоза Жаркову, но возникал вопрос: почему захоронение не было обнаружено при проведении следствия, которое наверняка велось в те, теперь уже далекие, тридцатые годы?..

— Придется все-таки нам истребовать из архива материалы того расследования, — подвел итог прокурор и обратился к Бирюкову: — А ты, Антон Игнатьевич, попробуй через свое ведомство отыскать след Николая Тропынина. Ведь не мог же он бесследно испариться из нашего района.

— Попробую.

Говорят, ждать да догонять — хуже всего, однако занятый текущей оперативной работой, Антон Бирюков не замечал времени. В конце недели позвонил прокурор и попросил заглянуть на минутку к нему. Когда Антон появился в прокурорском кабинете, там кроме самого прокурора находился следователь Лимакин и сосредоточенно читал машинописный текст, отпечатанный на фирменном бланке областного суда. Бирюков догадался, что получен ответ на запрос относительно «архивного дела». Дочитав до конца, Лимакин протянул листок Антону.

Антон быстро пробежал взглядом написанное и с огорчением про себя отметил, что и без того запутанный клубок таинственности вокруг Жаркова еще больше запутывается. По сообщению заведующего областным судебным архивом, никакого дела «Об убийстве или исчезновении председателя колхоза "Знамя Сталина" в 1931 году» там не числится.

— Вот мы и отстрелялись, — возвращая листок прокурору, невесело сказал Бирюков.

Прокурор отрицательно повел головой:

— Не совсем. Ниточка из Новосибирска потянулась дальше. В областной прокуратуре мне удалось выяснить, что дело по факту исчезновения Жаркова все-таки было возбуждено и, знаешь, кем?.. С санкции прокурора его возбудил сотрудник ОГПУ Тропынин. Через полгода оно было прекращено и сдано в архив. А через семь лет, то есть в конце тридцать восьмого, все тот же Тропынин, оказавшийся уже начальником РО НКВД в Томске, затребовал розыскные материалы на Жаркова для приобщения их к какому-то другому делу.

— Надо запрашивать Томский архив, — сказал Антон.

— Придется, — прокурор повернулся к следователю. — Подготовь, Петр, сегодня же такой запрос за моей подписью.

И опять замелькали для Бирюкова рабочие дни. Но на этот раз, еще до ответа из Томска, к нему прилетела первая ласточка удачи — из МВД СССР пришло извещение с адресом Николая Дмитриевича Тропынина, проживающего в Москве. В придачу к адресу был указан номер квартирного телефона. Посоветовавшись с прокурором, Бирюков, не откладывая, стал по коду накручивать Москву. Ответил молодой женский голос. Антон, не называя своей должности, представился только по фамилии и попросил пригласить к телефону Николая Дмитриевича Тропынина. В ответ послышалось:

— К сожалению, Николай Дмитриевич дома не живет.

— Почему? — удивился Антон.

— С весны обосновался на даче. Что ему передать?

— А вы кем доводитесь Николаю Дмитриевичу? — уклонился от ответа Бирюков, опасаясь, как бы своим звонком не перепутать все карты.

— Внучкой. Настей меня зовут.

— Где вы работаете, Настя? — все еще раздумывая, потянул время Антон.

— Я учусь на последнем курсе факультета журналистики МГУ.

Бирюкову надо было выяснить, тот ли это Тропынин, который ему нужен. Фамилия хотя и не очень распространенная, но вполне могло случиться так, что московский Николай Дмитриевич к уроженцу Серебровки Николаю Тропынину никакого отношения не имеет. Поэтому Антон поинтересовался у Насти местом рождения его деда. Внучка об этом «не имела представления». Недолго подумав после такого ответа, она добавила:

— По-моему, дедуля — коренной москвич.

— Жаль, — вздохнул Бирюков. — Мне думалось, что мы с ним земляки, из Серебровки.

— Серебровка... Это что?

— Сибирская деревня.

— Сибирская?! — мгновенно заинтересовалась Настя. — Вот где мне безумно хочется побывать, в Сибири! У вас там уже зима?

— До крыши снегом замело, — в шутку сказал Антон.

— Ой, как здорово! Уже в шубах и в валенках ходите?

Бирюков глянул на распахнутое окно кабинета, за которым сиял ослепительно чистый осенний день, и засмеялся:

— У нас сегодня такая же погода, как в Москве.

— Да-а-а?.. — разочарованно протянула Настя. — А мне дедуля рассказывал, что в Сибири зима рано начинается и что бывают такие морозы, когда птицы на лету замерзают.

— Выходит, Николай Дмитриевич бывал в наших краях? — мигом ухватился Антон.

— По-моему, в молодости он там служил.

— А теперь где служит?

— Теперь он полковник в отставке.

— Почему же дома не живет?

— На даче ему больше нравиться.

— Знаете, что Настя... — наконец решился Антон. — Передайте своему деду, что звонил ему из Сибири внук Матвея Васильевича Бирюкова. Если Николай Дмитриевич не забыл этого Георгиевского кавалера, пусть позвонит мне.

— У вас дедушка Георгиевский кавалер?

— Да.

— А мой дедуля — Почетный чекист.

— Значит, мы потомки заслуженных дедов, — весело сказал Антон. — Запишите для памяти мою просьбу.

— Одну минуту... — Телефонную трубку вроде бы положили на стол. Что-то зашуршало, и через несколько секунд вновь послышался голос Насти: — Диктуйте номер своего телефона и все остальное...

Бирюков продиктовал. Настя пообещала при первой же поездке на дачу передать записанное «дедуле» и сразу спросила:

— У вас что-то срочное к нему?

— Не особо. Хотелось бы навести у Николая Дмитриевича одну историческую справку.

— Вы, наверное, научный работник?

— Нет, полувоенный майор, — шутливо сказал Антон, чтобы не афишировать свою причастность к уголовному розыску.

— Почему «полувоенный»?

— Служба не совсем гладко идет, — опять увильнул от ответа Бирюков и хотел было попрощаться, но Настя опередила его:

— Если рассчитываете на какую-либо протекцию, сразу предупреждаю: пустые хлопоты. Даже самым близким родственникам дедуля не помогает устраиваться в жизни.

— Честное слово, мне позарез надо уточнить у Николая Дмитриевича очень серьезную историческую справку. Пожалуйста, передайте ему, что с нетерпением буду ждать его звонка, — сказал Антон.

— На это рассчитывать можете. При первом случае дедуля вам позвонит. Он страшно исполнительный и отзывчивый. Человек слова, не то, что нынешнее племя, — быстро проговорила Настя и с гордостью добавила: — Старая чекистская гвардия!..

Положив телефонную трубку, Бирюков задумался. Разговор получился неожиданным. Если бывший сотрудник ОГПУ, а затем — начальник РО НКВД Николай Тропынин дослужился до полковника и награжден знаком Почетного чекиста, сомневаться в его безупречности было крайней глупостью. Но почему Настя считает «дедулю» коренным москвичом? Что это: стремление современной молодежи укрепить генетические корни в столице или безразличие к прошлому своих предков? А, может, ушедший в отставку полковник Тропынин совершенно иное лицо? Мало ли бывает совпадений...

«Если через неделю звонка из Москвы не будет, позвоню еще раз», — твердо решил Антон.

И опять для Бирюкова замелькали дни, похожие в служебной круговерти один на другой. Прошла неделя — звонка не было. Антон начал звонить сам. Учитывая четырехчасовую разницу во времени с Москвой, он каждый день перед уходом с работы брался за телефон и упорно накручивал по коду запомнившийся квартирный номер Тропынина. Несмотря на настойчивые продолжительные звонки, в Москве к телефону никто не подходил.

ГЛАВА 11

Кончился сентябрь, однако на редкость теплое бабье лето затянулось. В первых числах октября из Томска пришел ответ на запрос прокурора и еще больше озадачил своим содержанием, смысл которого сводился к тому, что архивное дело по факту исчезновения председателя колхоза Жаркова — более чем пятидесятилетней давности — в марте нынешнего года затребовано из архива областного суда Московским управлением КГБ и отправлено, естественно, в столицу.

— Я человек не суеверный, но начинаю верить в магическое действие какой-то таинственной силы, — глядя на Бирюкова, сказал прокурор. — Или это исключительно редкое совпадение, или напали мы на след очень серьезного преступления. Не случайно же — столько лет спустя! — им заинтересовалась даже Москва. Тропынин на телефонные звонки так и не отвечает?

— Нет, — отрицательно повел головой Антон. — И сам не звонит. Видно, не вспомнил моего приметного деда Матвея и продолжает спокойненько поживать на даче.

— А если после твоего звонка у него неспокойно стало на душе? Допустим, Тропынин вовсе не Почетный чекист и даже не полковник в отставке...

— Все может быть. Только думается мне, что внучка Тропынина, если она действительно студентка последнего курса МГУ, не могла так легкомысленно насочинять о своем «дедуле». Вероятнее, это не тот Тропынин, который нам нужен... — Бирюков помолчал. — Не обратиться ли, Семен Трофимович, в республиканскую прокуратуру с просьбой, чтобы помогли разыскать неуловимое дело Жаркова?..

Прокурор достал из пачки «Беломора» папиросу и задумчиво стал разминать ее в пальцах:

— Придется написать туда...

На следующий день Бирюков стал набирать номер Тропынина, когда в Москве едва забрезжил рассвет. После нескольких продолжительных зуммеров в трубке послышался щелчок соединения, и заспанным голосом ответила опять Настя. Узнав, что снова звонят из Сибири, она смутилась:

— Простите... Я только вчера вечером передала дедуле вашу просьбу.

— Что ж это вы, «нынешнее племя», так затянули? — вспомнив Настины слова при первом разговоре, шутливо упрекнул Антон.

— Ох-хо-хо... — тяжело вздохнула Настя. — Над дипломной задыхаюсь. С утра до поздней ночи сижу в читальном зале университетской «научки». — И заторопилась: — Вы, пожалуйста, не беспокойтесь. Дедуля прекрасно помнит вашего деда. Когда я упомянула о сибирском Георгиевском кавалере, он обрадовался, не знаю как! Даже сердито отчитал меня за то, что не выяснила у вас, по какому делу хотите к нему обратиться. Короче, честное комсомольское, сегодня после десяти утра дедуля будет в Москве и непременно позвонит вам.

— Это правда?

— Чистейшая!

— Спасибо, Настя, — поблагодарил Антон и попрощался.

Ждать у моря погоды Бирюков, разумеется, не стал. Едва стрелки часов показали по московскому времени десять, он засел за телефон. После третьей попытки автоматика пропикала соединение абонентов. Вскоре уверенный и, как показалось Антону, совсем не старый мужской голос несколько старомодно ответил:

— Тропынин у аппарата.

— Николай Дмитриевич? — уточнил Бирюков.

— Да.

— С вами говорит внук Матвея Васильевича Бирюкова из сибирского села Березовки... — начал было Антон, но Тропынин не дал ему договорить:

— Неужели ты, Игнашка?!

— Извините, меня зовут Антоном Игнатьевичем, — сказал Бирюков.

После незначительной паузы Тропынин вроде бы сам над собою усмехнулся:

— Вот склероз... Спутал сына Матвея Васильевича со внуком. Сколько вам лет, Антон Игнатьевич?

— Уже за тридцать.

— Уже за тридцать! — весело удивился Тропынин. — А мне еще и восьмидесяти нет. Рассказывайте, земляк, о своих заботах. Почему у вас служба не совсем гладко идет?

— Я работаю в районе начальником отделения уголовного розыска...

— Вот как!.. — Тропынин опять вроде бы удивился. — Это любопытно, когда уголовный розыск выходит на старого чекиста. Не к ответственности ли привлечь хотите?..

Бирюков сжато рассказал о разрытом захоронении у Ерошкиной плотины. Едва он замолчал, не перебивавший ни единым словом Тропынин спросил:

— Считаете, что разрыли останки бывшего председателя колхоза Жаркова?

— Да, Николай Дмитриевич.

— Любопытно...

Бирюков изложил содержание медицинской экспертизы и стал рассказывать о собранной информации, но на этот раз Тропынин не дал ему договорить:

— Неужели Федя Половников еще жив?

— Не только он, но и Лукьян Хлудневский, и даже мой дед Матвей продолжают жить и здравствовать, — сказал Антон.

— Ай, да земляки!.. — совсем уже не скрывая радости, воскликнул Тропынин. — Молодец, что разыскал меня! Какая у вас там, в Сибири, сейчас погода?

— Затяжное теплое бабье лето.

— Прекрасно!.. — Тропынин вроде бы задумался и вдруг, неожиданно для Антона, заявил: — Завтра вылетаю в Новосибирск.

— Вас встретить?.. — пытаясь разгадать столь внезапное решение, спросил Бирюков.

— Я не привык к пышным встречам. В Новосибирске у меня много друзей в УКГБ. Думаю, они не откажут в любезности отставному полковнику и помогут добраться до родных мест.

— До Серебровки? — снова закинул удочку Антон.

— Сначала, разумеется, заеду к вам, в райотдел.

— Николай Дмитриевич, — почти без всякой надежды обратился к Тропынину Бирюков, — не поможете ли отыскать в Москве материалы расследования той, давней поры по Жаркову?

— Считайте, они уже найдены, — коротко сказал Тропынин. — До встречи!..

На этом телефонный разговор закончился. Чувство неудовлетворенности осталось от него у Бирюкова. Привыкший оценивать поступки людей логическими мотивировками, на сей раз во внезапно принятом решении Тропынина Антон не видел логики. С чего бы вдруг старый полковник, которому «еще нет и восьмидесяти», но уже прилично за семьдесят, так легко сорвался со своей дачи и, можно сказать, в считанные секунды надумал отправиться из столицы в далекую Сибирь? Неужели только ради того, чтобы встретиться с земляками?..

Поступок Тропынина показался странным и прокурору со следователем. Даже опытный оперативник начальник РОВД подполковник Гладышев и тот на полуироничный вопрос Бирюкова — что бы это значило? — в ответ пожал плечами.

— Чувствую, Антон Игнатьевич, нашему ведомству зарываться в архив не стоит, — сказал Бирюкову прокурор. — Забирай у Лимакина все скудные материалы и, если Тропынин действительно навестит родные места, попробуй выяснить у него судьбу Жаркова до конца…

Утром, через полтора суток после телефонного разговора с Москвой, в кабинет к Антону Бирюкову в сопровождении молодого лейтенанта с эмблемами госбезопасности на погонах вошел осанистый седой полковник со множеством орденских колодочек и знаком «Почетный чекист». На вид полковнику было явно за семьдесят, но держался он с той молодецкой выправкой, которая свойственна кадровым военным. Антон невольно поднялся из-за стола.

— Если не ошибаюсь, Бирюков?.. — смерив Антона прищуренным взглядом, спросил полковник.

— Так точно.

— Здравствуй, земляк. Разреши представиться: Тропынин Николай Дмитриевич, — полковник протянул крепкую сухощавую руку. — Тебя, дружок, как говорится, без документов опознать можно. Вылитый молодой Игнат Бирюков. И гвардейским ростом, и шириной плеч в отца удался, а?.. Силой, наверное, тоже природа не обидела?.. Игнашка в тридцать седьмом году, помню, на спор с Маркелом Чернышевым колхозную телку кулаком по лбу ахнул, та, милая, и с копыт рухнула.

Лейтенант, поставив на пол объемистый дорожный портфель, улыбнулся. Тропынин сказал ему:

— Чистую правду говорю! Хорошо, что та телка ожила, не то пришлось бы мне привлекать Игната Бирюкова к ответственности за умышленное уничтожение колхозного скота. Заявление об этом на второй же день в отдел НКВД поступило...

— Садитесь, пожалуйста, — показывая на свободные стулья, предложил Антон. — Устали в дороге?

Тропынин набросил на вешалку полковничью фуражку и машинально провел ладонью по зачесанным назад белым, как свежий снег, волнистым волосам:

— От самолетного гула я отдохнул в гостинице. А сегодня и не заметил, как домчался на «Волге» из Новосибирска сюда. Полвека в родных местах не был. Здесь многое переменилось! Асфальт, хоть боком катись. Попутные деревни не узнать. Лишь железнодорожный вокзал в райцентре с тридцатых годов сохранился, постарел, — Тропынин с завидной легкостью присел к столу. — Ну-с, дружок, прошу доложить: что вы у Ерошкиной плотины разрыли?..

Бирюков достал из сейфа составленный следователем протокол осмотра разрытого захоронения, заключение экспертов и пачку глянцевых фотографий, отснятых криминалистом при выезде к Ерошкиной плотине. Тропынин вынул из кармана очки. Сосредоточенно рассмотрев одну за другой фотографии, он, ни слова не говоря, занялся чтением. Ознакомившись с экспертизами, вроде бы удивился:

— Даже спектро- и рентгенографическое исследование обнаруженных костей провели!.. В период моей службы оперуполномоченным о таком и мечтать не приходилось, — Тропынин встретился с Бирюковым взглядом. — А теперь поведай, что старики-земляки рассказывают...

Бирюков стал коротко излагать суть собранной информации. Тропынин слушал, не перебивая ни единым словом. Только, когда Антон пересказал свой разговор с Федором Степановичем Половниковым, заинтересованно спросил:

— Неужели Федор до сих пор так и молчал?

— Да, говорит, что вы его об этом попросили.

— Ох, Федя, Федя... Не человек — кремень. Я в самом деле не хотел, чтобы о нападении на Половниковых стало известно в Березовке и Серебровке. В ту пору ведь каждое убийство раздувалось в устрашающую кару для запугивания народа. Сказать, что то время было страшным, значит — ничего не сказать. Смерть витала буквально над каждым, в том числе и над чекистами. Моя жизнь тоже не один раз висела на волоске. Очень не нравилось руководству, что я плохо ищу «врагов народа», не возбуждаю политических дел, а занимаюсь в основном раскрытием уголовных преступлений. По этой причине мое начальство не могло «красиво» отчитаться перед вышестоящим... — После непродолжительной паузы Тропынин глянул Бирюкову в глаза: — Знаете, отчего я так оперативно оказался здесь?.. Одно из столичных издательств уговорило меня написать правдивые воспоминания с острым сюжетом. Стал припоминать молодость, но память уже начинает подводить. Чтобы не наплести вранья, пришлось обращаться к архивным материалам, в том числе и к делу Жаркова... — Тропынин попросил лейтенанта подать ему портфель и достал оттуда два старых тома, прошитых у корешков толстыми нитками точно так, как и теперь подшиваются материалы следственных дел. — Вот двухтомное повествование моего личного производства той поры. Здесь в хронологической последовательности изложен весь запутанный преступный сюжет. Упоминается и захоронение у Ерошкиной плотины, но точное место его тогда установлено не было. И еще не смог я отыскать исчезнувшие с Жарковым деньги...

— Извините, Николай Дмитриевич, забыл их показать вам, — смущенно проговорил Антон и, открыв сейф, достал сверток из старой газеты «Штурм пятилетки». — Это тот «клад», который обнаружил Хлудневский в тайнике председательского сундука.

Тропынин развернул ветхую газету и с повышенным интересом, словно никогда раньше не видел подобных денег, стал рассматривать разноцветные денежные купюры. Затем взял в руки газетный листок. Посмотрел на крупный размашистый заголовок. Прочитал одну короткую заметку, другую и с нескрываемой грустью заговорил:

— Эх, боевая была районка — не чета некоторым нынешним, беззубым. Помню ее первые номера. И деньги той поры вспомнились... Крепко пришлось мне поломать головушку из-за этих общественных денег. Не догадался тогда по молодости, что председательский сундук с тайником. Обшарил его в присутствии понятых до донышка и руки опустил...

Воспользовавшись паузой, Бирюков коротко изложил рассказ Хлудневского о флотском ремне на ногах утопленника. Тропынин вскинул на Антона прищуренные глаза:

— Со стариками, земляк, надо держать ухо востро. Видимо, подвела память Лукьяна. Перед тем как отправляться сюда, я перелистал архивный двухтомник от корки до корки, — Тропынин положил сухощавую ладонь на материалы расследования. — Здесь есть протокол опознания ремня, подписанный самим Лукьяном Хлудневским и Ефимом Инюшкиным, которые лучше других знали Жаркова и опознали его ремень. Это тогда меня насторожило: с какой стати преступнику оставлять уличающие его улики?.. Чтобы не распространять ложную версию и не наводить тень на плетень, я попросил Хлудневского с Инюшкиным молчать о жарковском ремне. Лукьян, оказывается, по-иному мою просьбу понял... — Тропынин, задумавшись, помолчал. — Не следует огульно, как у нас кое-кто делает, обвинять всех сотрудников бывшего НКВД. Я лично знаю многих из них, кто даже в самую мрачную пору жестоких репрессий, рискуя собственной жизнью, бескомпромиссно отстаивал справедливость. В те нелегкие для страны и чекистов годы было немало разоблачено, арестовано и обоснованно осуждено матерых негодяев. Это показал анализ следственных материалов тех лет. Мне довелось участвовать в пересмотре дел тридцатых годов. Уверенно вам скажу, что в начале десятилетия подтасовок обвинительных фактов было значительно меньше, чем в последующие годы. Но уже и тогда, к сожалению, в сельской местности наблюдалось много оговоров свидетелями своих односельчан, что, естественно, было на руку недобросовестным сотрудникам дознания, занимавшимся фальсификацией. А таких приспособленцев, держащих нос по ветру и заглядывающих в рот начальству — что изволите? — на Руси во все времена хватало. Да, чего греха таить, и теперь с лихвой хватает. За примером далеко ходить не надо. Посмотрите, сколько партийных функционеров переменили свои убеждения буквально в один миг. Еще вчера они зорко оберегали чистоту социализма, а сегодня вдохновенно рушат его до основания. Это напоминает мне период коллективизации. Вы знакомы со структурой правоохранительных органов той поры?

— Очень смутно, — сознался Бирюков.

— В связи с напряженным положением в обществе и часто меняющейся политической обстановкой в тридцатые годы, так же часто меняли свою структуру и правоохранительные органы. В районах тогда имелись подразделения ОГПУ, а с тридцать четвертого года были созданы районные отделы или отделения НКВД. Была и милиция, функции которой до сих пор не так уж сильно изменились. Прокуратура тоже была, и тоже в чем-то сходна с нынешней. Дела по контрреволюционным — так они тогда назывались — и особо опасным государственным преступлениям вели сотрудники ОГПУ, затем — НКВД, а не милиции, на закрепленных за ними участках, состоявших обычно из нескольких деревень или сельсоветов. Например, в мой участок входили Серебровка, Березовка и Ярское. Имел я тогда должность старшего оперативного уполномоченного. Следователей в наших органах в ту пору не было. С санкции прокурора и своего начальника РО оперуполномоченный сам возбуждал уголовное дело и проводил по нему следствие в полном объеме с применением экспертиз, кои тогда были возможны. Опердаботник имел те же права, что и нынешний следователь, и действовал в соответствии с нормами уголовно-процессуального кодекса РСФСР. И как следователь, он был обязан доказать виновность или невиновность подозреваемого в преступлении... — Тропынин, словно припоминая что-то важное, задумался. — К сожалению, сообщение об исчезновении Жаркова поступило ко мне с опозданием на целую неделю. В первую очередь я был обязан определить, что это: террористический акт или умышленное убийство в той или иной форме? Была еще одна версия — хищение общественных денег. Она сразу показалась мне малоубедительной, поскольку я знал Жаркова как порядочного человека, хотя у него и имелся своеобразный взгляд на текущие события, порою расходившийся с директивными указаниями крайкома. Это было одно из трудных и запутанных дел... — Тропынин полистал привезенные с собой материалы и показал Бирюкову четыре фотографии. — Один из них — убийца, остальные потерпевшие. К последним надо еще добавить кузнеца Степана Половникова. Его фотоснимка раздобыть тогда не удалось...

— Четыре трупа по одному делу? — удивился Антон.

Тропынин скорбно наклонил белую голову:

— Согласитесь, что даже для той сложной поры это был неординарный случай.

Едва взглянув на фотографии, Бирюков сразу узнал одетого в кожаный пиджак Жаркова с заметным шрамом на правой стороне подбородка. По сравнению с тем фотоснимком, который Антон взял у заведующей Березовским Домом культуры Ларисы Хлудневской, здесь Жарков был сфотографирован значительно позднее, по всей вероятности, в сорокалетнем возрасте. На другом фото на фоне нарисованного экзотического пейзажа с пальмами позировал в полный рост с обнаженной шашкой, уткнутой концом в пол, коренастый мужчина лет пятидесяти с волевым холеным лицом. Одет он был в форму командира Красной армии. На голове возвышался шишак буденовского шлема со звездой над небольшим козырьком. На остальных двух мутноватых снимках были запечатлены невзрачный подслеповатый старик с реденькой козлиной бородкой и чем-то похожий на него худощавый парень, прикусивший верхними зубами пухлую нижнюю губу. Эти две фотокарточки были пересняты, похоже, с какой-то групповой семейной фотографии.

— Попробуй, земляк, угадать, что это за люди... — сказал Тропынин Антону.

Антон посмотрел на фотографию Жаркова:

— Вот этот — безвестно канувший в Лету председатель колхоза. Остальных не знаю.

Тропынин показал на репродукции с групповой фотографии:

— Отец и сын Хоботишкины.

— Сына Дмитроком в Березовке звали?

— Нет, это старший — Емельян. А вот это... — Тропынин указал на мужчину с шашкой. — Ерофей Нилович Колосков во время службы — командир артиллерийского дивизиона.

— Здесь он скорее на кавалериста похож.

— Тогда артиллерия была на конной тяге. Ездовым полагалась шашка, а командиры любили с ней фотографироваться.

— Каким образом бывший строитель мельниц переквалифицировался в артиллериста, да еще и до командира дивизиона дослужился?

— Колосков был незаурядным человеком. Имел инженерное образование. А Красная армия в период своего становления нуждалась в грамотных командирах. Ерофей Нилович быстро сориентировался в политической обстановке и признал советскую власть. Кстати, тогда более важные, чем он, господа добровольно переходили на сторону Советов. Многие из них оказались настоящими патриотами и честно служили народу до конца своих дней... — Тропынин помолчал. — Хотя и перевертышей, ждущих возврата к прошлому, из их числа хватало.

— Старики говорят, будто Илья Хоботишкин с Колосковым были родственниками, — сказал Бирюков.

— Жены их — двоюродные сестры. Родство относительное, но именно оно сыграло роковую роль в последующей судьбе Колоскова. Современным молодым людям трудно понять то сложное, противоречивое время. В нем было много победного и много трагического. Многие ушли вместе со своим временем, — Тропынин положил ладонь на материалы расследования. — Здесь со всеми подробностями зафиксирована трагедия Жаркова, Половникова, Хоботишкиных и Колоскова. Прочти, земляк, обвинительное заключение, полистай материалы дознания. Возникнут вопросы — отвечу чуть позже. Сейчас мне хочется проехать по райцентру, посмотреть, что здесь осталось от прошлой поры. Очень долго не был я в родном краю и, видимо, благодаря тебе последний раз сюда заглянул. Ну а завтра, если не возражаешь, отправимся вместе в Серебровку и Березовку.

— Конечно, Николай Дмитриевич, не возражаю, — сказал Антон.

— Вот и прекрасно. Попрощаюсь с земляками, — Тропынин глянул на молчаливо слушавшего лейтенанта госбезопасности. — Итак, Виталий, совершим экскурсию по земле моей молодости.

Лейтенант, улыбнувшись, взял полковничий портфель.

Когда они вышли из кабинета, Бирюков нетерпеливо открыл первый том следственного дела. Начинался он с постановления старшего оперуполномоченного ОГПУ Тропынина Н.Д. о розыске председателя колхоза «Знамя Сталина» Жаркова А.К., таинственно исчезнувшего 10 октября 1931 года. Дальше шли протоколы допросов свидетелей, которые разговаривали с председателем или хотя бы видели его накануне исчезновения. В протоколах то и дело попадались знакомые Антону фамилии, но много было и таких, о ком Антон ни разу не слыхал. Вероятно, со временем эти люди умерли или давно выехали из Серебровки и Березовки в другие места. К делу прилагались справки районных и окружных Новосибирских организаций, официально сообщавшие о том, что с 10 октября по момент запроса председатель Жарков у них не появлялся.

Почерк у старшего оперуполномоченного был убористый, но разборчивый. Вчитываясь в поблекшие чернильные строки, Бирюков невольно обратил внимание на то, с какой тщательностью старался Тропынин выяснить мельчайшие подробности последних дней нахождения на председательском посту Афанасия Кирилловича Жаркова. Свидетельские показания были путаными, противоречивыми, во многих случаях даже заведомо ложными, но Тропынин упорно, по крупицам, докапывался до истины.

Особенно заинтересовался Бирюков показаниями сторожа крупорушки Трофима Головизнева, который утверждал, что 10 октября перед закатом солнца Жарков проехал из Березовки по Ерошкиной плотине на жеребце Аплодисменте, запряженном в легкий рессорный ходок, и обратно не возвратился. Вечер тот был пасмурный, ночь темная, а под утро начался холодный проливной дождь, не прекращавшийся весь следующий день. После заката солнца, когда утки начинают перелет с зерновых полей на озера, 10 октября недалеко от плотины, за камышами, стреляли из ружей охотники. Сколько их было, Головизнев не знал, однако с вечера видел, как к пруду направлялись с ружьями березовский старик Кожемякин и Лукьян Хлудневский из Серебровки. После утиного перелета, уже в полной темноте, Хлудневский с двумя подстреленными кряквами прошел через плотину в Серебровку. Головизнев попросил у него закурить, и, пока сворачивал самокрутку, они недолго поговорили о надвигающемся осеннем ненастье. Кожемякин, вероятно, ушел от пруда домой лугами, так как сторож крупорушки в тот вечер больше старика не видел. А еще Головизнев до утиного перелета вроде бы слышал одиночный выстрел в лесу, у Серебровки, но кто там стрелял, сторожу известно не было. После того выстрела к плотине никто не подходил.

Вторую половину первого тома занимали следственные материалы, относящиеся к обнаружению у Ерошкиной плотины утопленника через год после исчезновения Жаркова. В деле имелись протоколы опознания трупа и ремня, которым была привязана негодная вальцовая шестерня, валявшаяся в прошлом году возле пруда и неизвестно когда исчезнувшая с берега. Лукьян Хлудневский и Ефим Инюшкин предполагали, что «ремень с латунной морской пряжкой» принадлежал Жаркову. При опознании останков утопленника понятые заявили, что перешитый из серой шинели армяк с дореволюционными солдатскими пуговицами раньше они видели на березовском жителе Хоботишкине. Судя по останкам, потерпевший был малого роста, примерно, как сам Илья Хоботишкин или его старший сын Емельян. Районный врач дал заключение, что труп пролежал в воде не менее года.

Из дальнейших материалов было видно, как Тропынин стал разыскивать отправленного в Нарым Илью Хоботишкина. По его запросу сотрудники Томского управления ОГПУ отыскали семью Хоботишкиных в селе Подъельник, расположенном в нескольких километрах от пристани Нарым на Оби. Жена Хоботишкина Анна Кузьминична показала, что ее муж Илья Тимофеевич и старший сын, двадцатипятилетний Емельян Ильич, в начале октября 1931 года отправились на пассажирском пароходе «Пролетарий» в Томск продавать кедровые орехи и домой не вернулись. Где они находятся, Анна Кузьминична не знала. Младшего сына Дмитрия Хоботишкина, ввиду его умственной неполноценности, оперуполномоченный допрашивать не стал.

Во многих протоколах дознания чувствовалось, как Тропынин старался выявить связь между исчезновением Жаркова и обнаруженным трупом предполагаемых кого-то из Хоботишкиных, но все его старания оказались бесплодными. Допрашиваемые в один голос заявляли, что после того, как раскулаченного Илью Хоботишкина отправили в Нарым, не видели в здешних местах ни самого Ильи, ни его сына Емельяна, ни других, чем-то похожих на них людей.

Заканчивался первый том материалами о нападении на Половниковых. Большую часть их занимали показания сына кузнеца, содержание которых Бирюков уже знал из рассказа Федора Степановича и с удивлением отметил, насколько хорошо тот помнил буквально все подробности происшествия. Предсмертные показания самого Степана были короткими. Умирающий кузнец успел сообщить Тропынину, что при допросе в томской милиции «оборванец», укравший у него мешок зерна, предъявил милиционеру справку, будто он является членом колхоза «Знамя Сталина». Была колхозная справка и у Половникова. Когда их сравнили, то оказалось, что у «оборванца» в справке и печать другая, и подпись председателя не та. Степанову справку подписал Хлудневский, а «оборванцеву» — Жарков. На очной ставке с «оборванцем» кузнец заявил, что видит этого человека впервые и что никакой он не колхозник, а самый отпетый вор. В ответ «оборванец» закричал, что за такие слова Половникову ни одного дня не жить на белом свете. И еще Степан сообщил Тропынину: начальником милиции в Томске служит бывший мельничный подрядчик Ерофей Колосков, который по ранешнему знакомству отпустил Половникова, хотя другой милиционер, проводивший дознание, настаивал задержать Степана вместе с «оборванцем» до полного выяснения их личностей.

В медицинском заключении о ранении Степана врач районной больницы констатировал: полученное Половниковым пулевое ранение в спину — смертельно.

После заключения врача в деле были подшиты запрос в Томское управление ОГПУ и ответ на него, из которого явствовало, что начальник районного отделения Ерофей Нилович Колосков бесследно исчез в тот же вечер, когда было совершено вооруженное нападение на Половниковых. Накануне исчезновения Колоскова от коновязи угнали служебного жеребца вороной масти с белыми «чулками» на передних ногах. Задержанный за попытку хищения у Половниковых мешка с зерном гражданин, числящийся по справке Губановым Семеном Павловичем, при этапировании из камеры предварительного заключения в следственный изолятор совершил побег, и след его затерялся.

ГЛАВА 12

Второй том, за изучение которого взялся Антон Бирюков, начинался материалами дознания по существу самостоятельного уголовного дела, возбужденного по поводу исчезновения Ерофея Ниловича Колоскова. Труп бывшего начальника отделения милиции обнаружили лишь в апреле 1933 года, когда обильно стал таять снег, под обрывистым берегом Ушайки недалеко от ее устья при впадении в Томь, почти рядом с домом, где жил Колосков. Судебно-медицинский эксперт, производивший вскрытие трупа, дал заключение, что потерпевший убит выстрелом из нагана в спину. Это подтвердила извлеченная при вскрытии пуля, застрявшая в костях грудной клетки. А оперуполномоченный ОГПУ, проводивший расследование обстоятельств убийства, пришел к выводу, что причиной покушения на начальника милиции является не террористический акт, как предполагалось вначале, а стремление убийцы завладеть служебным револьвером системы наган № 6342 выпуска 1930 года, которого не оказалось в кобуре на поясном ремне Колоскова. Несмотря на тщательную розыскную работу, выявить убийцу не удалось.

Вновь расследование было начато в январе 1939 года, когда Тропынин уже стал начальником районного отдела НКВД в Томске. Поводом для этого послужило письмо, написанное химическим карандашом, судя по сильному наклону влево, измененным почерком. Несколько высокопарно и с намеком на юридические познания в нем сообщалось:

«Глубокоуважаемый гражданин начальник! Пишу в НКВД впервые и обращаюсь к Вам от всего племени жильцов дома № 28, находящегося по Набережной Томи, рядом с пристанскими складами бывшего купца-пароходчика Горохова. Наряду с достопочтенными совслужащими речного флота проживает в нашем доме гражданка Снежкова Розалия, начавшая свой жизненный путь в публичном доме. После она была «нэпмановской барышней», то есть жила на содержании у преуспевающих фабрикантов, а теперь живет на средства приводимых ею клиентов-мужчин.

В последнее время почти каждую ночь посещает Розалию Снежкову представительный гражданин, выдающий себя за Петухова Павла Семеновича. В действительности — это внебрачный сын известного в Томске до революции скорняка Рафаила Валеевича Муртазина. В разные времена он привлекался к уголовной ответственности под псевдонимами Курочкина Ивана, Губанова Семена, Фуксмана Артура и так далее. Его уголовная кличка "Муха", хотя, считаю нужным предупредить Вас, что сей гражданин ростом — под потолок, а в плечах — косая сажень с четвертью. Если Вы пороетесь в уголовных делах дореволюционного периода, то без труда обнаружите криминальные преступления упомянутой "Мухи" в широком диапазоне, начиная от карманных и рыночных краж до грабежей с убийствами.

С появлением в квартире Снежковой этого рецидивиста всем жильцам нашего дома стало неуютно, поскольку "Муха" вооружен огнестрельным оружием и тем самым представляет большую социальную опасность. Например, находясь в нетрезвом состоянии, вчера он совершил террористический акт — застрелил из револьвера сиамскую кошку, принадлежащую одному из наших уважаемых жильцов — бывшему адвокату, ныне нетрудоспособному гражданину. Причиной теракта послужило то, что кошка нечаянно проникла в квартиру Снежковой и совершила попытку хищения копченой колбасы. Отсюда вытекает вывод, что "Муха" не порвал связей с преступным прошлым. Этим он унижает Советскую власть и органы НКВД, ведущие бескомпромиссную борьбу с террористами всех мастей и рангов.

При положительном решении моего заявления учтите, что гражданин, выдающий себя за Петухова П.С., появляется в квартире Снежковой регулярно после восьми часов вечера и остается у нее до семи утра. Где он находится в другое время суток, неизвестно.

Не думайте, гражданин начальник, что это письмо анонимное. Я не привык сочинять жалобы и ставить под ними свою фамилию. Поэтому подписываюсь просто — Наблюдатель».

В левом углу «заявления» стоял официальный штамп РО НКВД с указанием входящего номера и даты. В первый же вечер после поступления письма «Наблюдателя» на пути к Снежковой в Пристанском переулке был задержан «Муха», оказавшийся тем самым «Губановым», который в декабре 1932 года пытался украсть у Половниковых мешок зерна. При задержании у него изъяли наган с гравировкой на рукоятке «А.К. Жаркову — от Сибревкома. 1920 г.».

Оперативно проведенные баллистическая экспертиза и исследование пули, извлеченной из трупа убитого семь лет назад начальника милиции Колоскова, показали, что Ерофей Нилович был застрелен в спину именно из этого нагана.

Тертый рецидивист «Муха» быстро сообразил, какое возмездие нависло над ним. Ознакомившись с неопровержимой экспертизой, он заявил Тропынину, что наган недавно подарил ему тот самый «сморчок», который когда-то сделал липовую колхозную справку. Теперь он работает на Томской пристани и проживает у старого адвоката Всеволода Станиславовича Акулича в доме № 28 по Набережной Томи, то есть именно там, где живет Розалия Снежкова.

Тропынин немедленно проверил показания «Мухи». Восьмидесятилетний, с манерами аристократа, Акулич после недолгих уверток признался, что это он, изменив почерк и подделываясь под обывателя, написал в НКВД заявление в отместку «Мухе» за погибшую сиамскую кошку. И еще бывший адвокат подтвердил, что у него действительно квартирует пристанский конюх Емельян Ильич Хоботишкин.

Вечером квартирант Акулича был арестован. Проведенным с санкции прокурора и в присутствии понятых обыском личных вещей Хоботишкина в фанерном чемодане, замкнутом навесным замком, была обнаружена кожаная торба с золотыми дореволюционными десятирублевиками и советскими червонцами чеканки 1923 года. Там же, в чемодане, хранилась баночка из-под вазелина с печатью колхоза «Знамя Сталина», а под бельем лежал завернутый в холстинный лоскут наган № 6342, исчезнувший из кобуры убитого Ерофея Ниловича Колоскова.

Чем дальше Антон Бирюков вчитывался в материалы проведенного Тропыниным расследования, тем отчетливее вырисовывалась картина преступления, повлекшего за собой цепочку убийств из-за того, что преступник старался во что бы то ни стало спасти собственную шкуру.

...Продажа кедровых орехов для раскулаченного Ильи Хоботишкина была лишь предлогом, чтобы добраться из Нарыма до Томска. На самом деле он вместе со старшим сыном Емельяном давно задумал тайком унести оставшееся в Березовке золото. При раскулачивании Илья не рискнул взять накопленное богатство. И хорошо, что не взял — дурацкий выкрик Дмитрока, после которого колхозники обшарили все узлы с вещами и телегу, привел бы к неминуемому краху. Без золота Хоботишкин жить не мог — слишком много риска вложил в накопление золотого запаса. Емельян тоже скрежетал зубами при мысли, что новая власть лишила его приличного наследства.

Привезенные в Томск два мешка отборных орехов Хоботишкины распродали на базаре за день. Емельян предложил добираться до Березовки на попутных подводах, однако осторожный отец сказал:

— Сдурел! За самовольную отлучку из Нарыма нас, если узнают, сошлют еще дальше, к черту на кулички. Пойдем тайком, ночами. Отсиживаться в лесу станем.

— А волки?.. — испугался трусливый Емельян. — Загрызут ведь, тятька.

— Ружье купим, — ответил отец.

Так и сделали. Здесь же, в базарной толчее, у какого-то старьевщика взяли по дешевке допотопную берданку и десятка полтора заряженных картечью патронов. Картечь тогда была самым ходовым зарядом — расплодившиеся за годы разрухи волчьи стаи нагло рыскали по Сибири.

До места Хоботишкины благополучно добрались поздним вечером 9 октября 1931 года. Затаились в тальниковых кустах ниже Ерошкиной плотины, над которой высилась бревенчатая башня крупорушки. Стали ждать полночи, когда село окончательно угомонится и заснет. На пруду изредка бухали выстрелы по уткам, начавшим перелет с полей на воду. Глухо шумела вода, льющаяся через плотинный водосток. Прислушиваясь к этому шуму, Емельян в сердцах сказал отцу:

— Дурак ты, тятька! Не поджигал бы крупорушку — жили б мы теперь в своем доме. И золото под боком бы хранилось.

— Заткнись, умник! — обиделся отец. — Я в строительство крупорушки капитал вложил. Думаешь, легко было подарить кровный кусок колхозной голытьбе?..

— Будто в колхозе одна голь и собралась. Другие тоже капиталы вкладывали, а ныне сопят тихо и не рыпаются.

— Всяк по-своему с ума сходит.

— Из всех березовцев да серебровцев только мы и оказались с ума сошедшими, — буркнул Емельян.

— Не скули, щенок! — визгливо сорвался отец. — Без тебя тошно...

После полуночи, когда выстрелы на пруду стихли и охотники, видать, разбрелись по домам, Хоботишкин-старший направился окольной тропой в Березовку. Емельян, сжав в онемевших ладонях заряженную берданку, остался сидеть под тальниковым кустом. Ночную тишину теперь нарушал лишь шум воды у плотины да где-то далеко, в болотистой пойме, жутко стонала выпь.

Вернулся отец перед рассветом. Опираясь вместо батога на заступ с коротким черенком, он тяжело опустил на траву пухлую кожаную торбу и устало повалился рядом с Емельяном.

— Почему так долго колупался? — спросил Емельян.

— Замок у амбара сменили... Ключ не подошел... Пришлось подкоп рыть... — хрипло переводя дыхание, ответил отец.

— Утром увидят разрытую землю — искать нас станут.

— Не... Я так замаскировал... комар носа не подточит.

— Лопату колхозную зачем унес от амбара?

— Задышка придавила... Чудом выкарабкался из подкопа и... через силу сюда доскрипел...

— Хватятся лопаты — искать станут.

— Не каркай... Это наш собственный заступ, из заначки...

Емельян поднялся:

— Пошли, тятька, пока не рассветало.

Отец тяжело встал на ноги, нагнулся за торбой и вдруг, захрипев, ткнулся лицом в траву.

— Тятя, ты чего?! — перепугался Емельян.

— Говорю, задышка... Подмогай...

Емельян зажал под мышкой берданку, взял в одну руку увесистую торбу, а другой — поднял отца. Кое-как отдышавшись, тот попросил подать ему заступ. Опираясь на него и постанывая, он зашаркал сапогами следом за Емельяном. Выбравшись на проселочную дорогу, побрели от Ерошкиной плотины в сторону райцентра. На подходе к развилку, где один конец дороги уходил в Серебровку, их застал рассвет. Чтобы не встретиться со знакомыми земляками, свернули в березовую чащу и, затаившись, стали ждать вечера. За день Хоботишкин-старший оклемался. Бледное лицо его к полудню порозовело. Надсадный хрип в груди утих. Илья повеселел и, ласково поглаживая пухлую торбу, мечтательно заговорил:

— Ну, сын, теперича нам и Нарым не страшен. С таким капиталом развернемся на широкую ногу...

— Чтобы еще раз раскулачили? — усмехнулся Емельян.

— Опять закаркал! Типун тебе на язык... — отец трижды сплюнул через левое плечо. — Вот проклятое время настало — собственным запасом распорядиться не в состоянии... Ну, ничего! Золото всегда будет золотом... — Он опять погладил торбу. — Поглядим, чья возьмет...

Вечером, когда березовую чащу затянули сумерки, Хоботишкины стали пробираться из зарослей к проселочной дороге. Емельян плохо ориентировался в лесу и шел следом за отцом, приспособившим торбу на спине наподобие рюкзака. На дороге было светлее, чем в глубине леса. Поэтому, затаившись за деревьями у обочины, решили дождаться полной темноты. Они видели, как из Серебровки к Ерошкиной плотине прошагал Лукьян Хлудневский с ружьем на плече. Прождав после этого еще с полчаса, тронулись в путь. Едва вышли на дорогу — из поворота от Серебровки вывернулся навстречу запряженный в ходок белоногий Аплодисмент. Не раздумывая ни секунды, Емельян с заряженной берданкой шмыгнул за ближайшую березу. Отец же, замешкавшись, оказался прямо перед жеребцом.

— Илья?.. Хоботишкин?.. — послышался удивленный голос колхозного председателя Жаркова.

Отец невнятно что-то забормотал. Жарков легко соскочил с ходка. На удивление, председатель был без костылей. «Нога у него выросла, что ли?» — мелькнула у Емельяна нелепая мысль, и он осторожно взвел затвор берданки.

— Ты почему, Илья, не в Нарыме?! — теперь уже сурово спросил Жарков.

Хоботишкин-старший словно онемел. Не долго думая, Емельян вскинул берданку и нажал на спусковой крючок. Приглушенный высокими березами выстрел бухнул, как в погребе. Тотчас Жаркова будто кинуло навзничь. Жеребец рванулся вперед, но старик Хоботишкин успел схватить его за узду, и тот, видимо, узнав прежнего хозяина, притих. Опомнился Емельян от бормотания отца:

— Молодец, Емелюшка. Спас, родимый, и меня, и золото от верной гибели. Откуда его, чертяку, вынесло...

— Бежим, тятька, — сорвавшимся голосом просипел Емельян.

— Сдурел! Надо мертвяка зарыть подальше от дороги. Тащи, сынок, откомиссарившегося большевика в лес...

— Боюсь я, тятька!

— Слюнтяй паршивый!.. — осерчал отец и засуетился: — Если поджилки дрожат, угони жеребца, чтоб не маячил на дороге. Вдруг еще какой полуночник навернется — хана нам тогда наступит.

— Куда гнать?

Отец махнул рукой в сторону райцентра:

— Там просека влево сворачивает. Заезжай с дороги в нее и стой ни с места. Как зарою упокойника, прискребусь туда.

— Давай торбу, чтоб не мешала.

— Ишь чего захотел! Ты, умник, с торбой мотанешься так проворно, что и в Нарыме тебя не найду.

— Дурак ты, тятька!

— Гони, умник, жеребца. Гони!.. Заступ я удачно прихватил от амбара, мигом могилку выдолблю. Гляди, на людей знакомых не нарвись!..

Эта ночь показалась Емельяну вечностью. К утру зарядил проливной дождь. Стараясь чем-нибудь прикрыться, Емельян стал шарить в плетеной кошеве ходка. Нащупал кожаный пиджак Жаркова и ремень с металлической пряжкой. Видимо, председатель почему-то снял их с себя. Для щуплого Емельяна жарковский пиджак оказался почти плащом. Укрывшись им с головой, Емельян сунул руку в один карман, в другой и нащупал наган. Все отверстия наганного барабана были заполнены патронами. Во внутреннем кармане пиджака оказалась баночка с круглой печатью.

Жеребец, позвякивая удилами, нетерпеливо переминался с ноги на ногу. Близился рассвет, а отца все не было. Преодолевая страх, Емельян развернул Аплодисмента и тихо подъехал к тому месту, где стрелял в Жаркова. Отец, с торбой за плечами, сидел прислонившись к березе на обочине дороги. В предрассветных сумерках лицо его белело, как и прошлым утром.

— Мертвяк с железной ногой... Запарился... Кажись, хана мне пришла, — изменившимся до неузнаваемости голосом проговорил он.

— Садись скорей в ходок!..

— Подмогни...

Емельян поднял отца на ноги. Тот закачался, как пьяный, и сразу рухнул мешком на землю.

— Тятька, ты чего?! — склонившись над ним, перепугался Емельян и заметил, что отец уже не дышит...

Первым желанием Хоботишкина-младшего было схватить торбу с золотом и бежать сломя голову, куда глаза глядят. Он сорвал с плеч отца заветное богатство, однако с ужасом подумал, что колхозники, обнаружив мертвого старика и запряженного в ходок Аплодисмента без председателя, сразу все поймут и догадаются, чьих это рук дело. Рыть отцу могилу было некогда — несмотря на проливной дождь, солнце уже подсвечивало небо на востоке. И тут Емельяну стукнула мысль: утопить труп в пруду. Привязывая жарковским ремнем вальцовую шестерню к ногам отца, он вовсе не предполагал наводить подозрение на Жаркова. Просто под рукой, кроме ремня, ничего не оказалось, а отрезать конец от вожжей Емельян пожалел.

Застоявшийся за ночь жеребец резво взял с места, но, чмокая копытами по раскисшей от ливня дороге, быстро выдохся. Езда походила на затяжной кошмарный сон. Несколько раз Емельяну хотелось застрелиться. В такие приступы он нащупывал торбу с золотом и успокаивался. На полпути к Томску попалась неширокая речка с мостиком. Хоботишкин утопил в ней берданку и картечные патроны. Заряженный наган был надежнее ружья. Промокнув до нитки, в середине дня Емельян остановился у обнесенного высоким бревенчатым забором одинокого дома на опушке мрачного урочища. В таких усадьбах, в стороне от сел, обычно жили кержаки, занимающиеся пасечным делом. Крепкий чернобородый старик в брезентовом плаще с надвинутым на голову капюшоном отворил добротные ворота и разрешил поставить жеребца под навес, чтобы тот не мок на дожде. Проголодавшийся Аплодисмент жадно набросился на лежавшую под навесом охапку свежего сена.

В доме, кроме старика, никого не было. Хозяин быстро вскипятил чайник. Наблюдая исподлобья за продрогшим Емельяном, с намеком сказал:

— Коняга, паря, у тебя чистой орловской породы. Случаем, продать не намерен?..

— Это не мой конь, — буркнул обжигающийся круто заваренным чаем Емельян.

— Вижу, что краденый, потому и приценяюсь. Не отдашь ли по сходной цене?..

Чувствуя, как заколотилось от страха сердце, Хоботишкин выпучил на старика глаза:

— Чего городишь, дед?..

Старик хитро подмигнул:

— Испужался?.. Ходочек тоже добрый. Может, его продашь, а?.. К следующему утру я так перелицую тележку — никакой хозяин не признает.

— Зачем тебе ходок?

— Цыгане тут таборами часто бродят, нуждаются в лошадях да телегах.

— Так и быть, подарю ходок вместе со сбруей, — стараясь задобрить старика, сказал Емельян.

— Если не шутишь, спасибо, — старик сунул руку за ситцевую занавеску на русской печи и достал оттуда поношенный буденовский шлем с красной матерчатой звездой над козырьком. — Из суеверия в долгу не хочу оставаться. Возьми, паря, за твою щедрость. Носи на счастье казенную шапку. А картузик свой скинь. Ты в нем на жулика похож, подозрение вызываешь. Не заночуешь у меня?..

Хоботишкин от ночлега отказался. Старик явно был, как говорится, ухо с глазом. За ночь он мог не только шутя прибрать к рукам торбу с золотом, но и косточки ночлежника зарыть надежнее, чем отец зарыл Жаркова. Наскоро допив чай, Емельян, даже не просушившись, закинул за плечи торбу, поверх нее натянул жарковский кожаный пиджак — отчего стал похож на горбуна — и, взобравшись на Аплодисмента, поскакал дальше.

Вечером Хоботишкин подъехал к леспромхозовскому поселку Калтай. До Томска оставалось — рукой подать, но появляться ночью в большом городе Емельян не осмелился. Попросился переночевать к глуховатой сгорбленной старушке, избенка которой стояла на отшибе, среди густого ельника. Старушка, видимо, разглядела на шлеме пятиконечную красную звезду и согласилась приютить «служивого». Хоботишкин наконец-то просушил у раскаленной печки одежду и вместе с хозяйкой избы поужинал «чем бог послал». Укладываясь спать на полу, он тайком сунул за пазуху наган, а торбу положил под голову. Спалось плохо. Назойливо кружились вопросы: что делать с золотом? как жить дальше? куда девать Аплодисмента?..

С восходом солнца Хоботишкин приехал на Томский базар. Привязав жеребца к коновязи, стал подыскивать покупателя из людей крестьянского вида. Однако все, к кому бы Емельян ни обратился с предложением насчет орловского рысака, смотрели на него, будто на прокаженного. С запозданием он сообразил, что при коллективизации частная лошадь нужна крестьянину, как мертвому припарки. Единственное, что удалось сделать за первый день в Томске — продать какому-то лысому мужику в ювелирной мастерской за пятьдесят рублей два золотых червонца. Много или мало заплатил мужичок, Хоботишкин не знал, но обрадовался. На вырученные деньги можно было не тужить больше месяца. Вернувшись на базар, Емельян купил полнехонькое ведро овса, всыпал его голодному Аплодисменту и чуть не со слезами простился с любимым жеребцом. После он узнал, что базарное начальство передало оказавшегося «бесхозным» жеребца в ближайшее отделение милиции, где Аплодисмент под новой кличкой «Рысак» легко прижился на служебной конюшне.

А жизнь Емельяна Хоботишкина не складывалась. Без документов его принимали лишь на поденную работу грузчиком то на речной пристани, то на лесоперевалочном комбинате, то на железнодорожной станции. Устроиться получше не помогла и справка, которую сфабриковал сам себе с помощью колхозной печати. С этой справкой только пускали ночевать в Дом крестьянина. Работать физически Емельян не любил, да и силенок для такой работы у него, тщедушного, не хватало. Поэтому целыми днями он бродил по городу или слонялся бесцельно на базаре. Здесь однажды познакомился со старым Рафаилом Валеевичем Муртазиным. До революции Муртазин держал скорняцкую мастерскую, а когда частное предпринимательство закрыли, стал подрабатывать скорняжным делом в обход закона. Жил старик одиноко в крепеньком домике по улице Татарской. У него-то и поселился Хоботишкин накануне надвигающейся зимы, предварительно зарыв свою торбу с золотом и наганом в самом глухом углу университетской рощи.

Стали скорняжничать вдвоем. Точнее, набивший руку на подделках, Рафаил Валеевич из третьесортных, купленных за бесценок шкурок «стряпал» нарядные с виду шапки, а Емельян продавал их на базаре по приличной цене. Промысел был рискованным — милиция строго выслеживала спекулянтов и частных предпринимателей. Емельяну долго везло. Муртазин перекроил жарковский пиджак, сделав из него малорослому Хоботишкину подстеженное ватой полупальто. В таком «кожане» да при красноармейском буденовском шлеме Емельян стал походить на уволенного в запас красноармейца, что, видимо, притупляло бдительность милиции. Однако в конце концов он все-таки попался.

Задержанного с поличным Хоботишкина доставили в кабинет начальника милиции, и здесь, за начальственным столом, Емельян не то с испугом, не то с радостью увидел своего дальнего родственника по материнской линии Ерофея Ниловича Колоскова, который до революции часто бывал в их доме. Колосков тоже с первого взгляда узнал Емельяна — уж очень сильно тот походил на отца. Не долго думая, Емельян «пустил слезу», что, мол, уже несколько месяцев не может подыскать в Томске подходящую работу и, чтобы не подохнуть с голоду, вынужден подрабатывать торговлей. Хмуро выслушав его, Ерофей Нилович стал расспрашивать об отце. Емельян принялся вдохновенно врать. Дескать, отец самым первым из березовцев вступил в колхоз, передал туда все свое хозяйство вместе с крупорушкой, но вот, мол, у него самого, у Емельяна, нет расположенности к крестьянскому труду, а поэтому и отпросился он из колхоза для трудоустройства в городе.

— Какую же работу здесь ищешь? — спросил Колосков.

— Милиционером хочу устроиться, — нагло заявил Хоботишкин.

Ерофей Нилович прочитал его «колхозную» справку и отрицательно повел головой:

— Нет, родственник, с таким документом в милиционеры ты не годишься. Почему в Красной армии не служил?

— Не взяли по здоровью, — на этот раз Емельян сказал правду.

Колосков подумал:

— Рабочим на наш конный двор пойдешь?..

Хоботишкин растерялся:

— А возьмут туда?

— Я поручусь за тебя, но предварительно уплати штраф за сегодняшнее правонарушение.

— У меня ни копейки нет, — заканючил Емельян.

— Деньги одолжу. С получки рассчитаешься, — сухо сказал Колосков.

Так Емельян Хоботишкин оказался в числе конюхов, ухаживающих за лошадьми районного отделения милиции. Жить он продолжал у Муртазина. Старый Рафаил Валеевич был огорчен выходом из дела компаньона, однако в жительстве не отказал. Милицейский конюх — это, хотя и небольшая шишка, но все-таки своего рода ширмочка для прикрытия дома от подозрения.

Летом 1932 года Емельяну выделили комнатку в общежитии, где проживали одинокие милиционеры и другие сотрудники отделения. Хоботишкин тут же купил крепкий чемодан, уложил туда вырытую ночью в университетской роще торбу и, замкнув надежным навесным замком, засунул в угол под железную кровать с казенной постелью. Ни с кем из сослуживцев Емельян дружбы не заводил. Жизнь шла тоскливо. Свободными от работы вечерами, когда одиночество становилось невмоготу, он уходил на улицу Татарскую к старику Муртазину и до полуночи слушал рассказы Рафаила Валеевича о прошлой жизни. На ломаном русском языке «просвещал» скорняк Емельяна и в юридических вопросах. Иной раз к старику забегали компаньоны, с которыми Муртазин завел дела после Хоботишкина. В один из вечеров здесь появился подвыпивший здоровенный мужчина с уголовными замашками. Узнав от старика, что Емельян имеет отношение к милиции, он бесцеремонно потребовал:

— Слышь, лягавый, душа из тебя винтом, добудь мне официальную бумагу о подтверждении личности Семена Павловича Губанова.

— Где я такую бумагу возьму, в конюшне? — попробовал отшутиться Хоботишкин.

— Где хочешь, сморчок, там и бери! — рыкнул мужчина и посмотрел на Муртазина: — Пахан-Раф, выдай лягашу за мой счет бумажный червонец для подмаза...

Старик без слов выложил на стол две пятирублевых купюры. Хоботишкин хотел отбояриться от сделки, но пятерки были такими новенькими, что у Емельяна аж дух захватило. Покосившись на деньги, он сказал:

— Справку колхозника попробую раздобыть.

Мужчина грозно сверкнул нетрезвыми глазами:

— Учти, «проба» должна быть настоящей. За липу, клянусь покойной мамой, секир-башку схлопочешь...

— Печать будет настоящая, — пообещал Емельян и в следующий вечер принес Муртазину справку.

Говорят, мир тесен. В этом Хоботишкин убедился в один из декабрьских дней 1932 года, когда, находясь в коридоре отделения милиции, увидел, как в кабинет к начальнику ввели задержанного «Губанова», а следом туда же вошел угрюмый кузнец Степан Половников. Скорее инстинктом самосохранения, чем умом, Емельян почувствовал, что дело для него запахло керосином. Затаившись у окна, он видел, как сидящий на улице в санях Федя — сын кузнеца рассматривал привязанного к коновязи оседланного Аплодисмента и как потом, выйдя от начальника, кузнец, нахлестывая, погнал свою лошадку не на базар, а вдоль улицы, ведущей из города.

Какой разговор состоялся в кабинете Колоскова и чего напугался Степан Половников, Емельян не знал, но не надо было иметь семи пядей во лбу, чтобы сообразить: если при Половникове у «Губанова» нашли колхозную справку — беды не миновать. Еще страшнее стало Емельяну оттого, что Половниковы конечно же узнали председательского жеребца.

Впоследствии, на допросе, Хоботишкин пытался убедить Тропынина, будто вовсе не хотел убивать кузнеца, однако в конце концов вынужден был признать, что тайком угнал от коновязи Аплодисмента и погнался за Половниковыми с намерением выведать у Степана содержание разговора в кабинете начальника милиции, после чего застрелить и самого кузнеца, и его сына Федю, чтобы они не рассказали в колхозе, где находится председательский жеребец. О том, что Половниковы, отправляясь в дальний путь, наверняка прихватили с собой ружье, Емельян предполагал, но не думал, что они станут отстреливаться.

Вывалившись после перестрелки из седла, Хоботишкин не рискнул дальше гнаться за земляками. Да и раненный картечью Аплодисмент не мог бежать. Емельян с трудом отвел жеребца с дороги в лес и выстрелил ему в ухо.

В те сутки Хоботишкину надо было заступать на дежурство по конюшне в двенадцать часов ночи. Расставшись навсегда с Аплодисментом, Емельян заторопился в Томск. Будто назло ему, разыгрался встречный ветер, переметающий поземкой и без того невидимую в темноте санную дорогу. Он ни за что не успел бы ко времени, если бы не подвернулся попутный почтовый извозчик из Юрги. От мелодичного звона колокольчика под дугой Хоботишкин мало-мальски успокоился. Однако, когда сменяющийся конюх сказал, что днем его разыскивал начальник милиции, внутри у Емельяна словно что-то оборвалось.

— Зачем я понадобился начальству? — спросил Хоботишкин.

— Об этом Ерофей Нилович не доложил, — усмехнулся конюх. — Приказано, как придешь на смену, немедленно явиться к нему.

Почти в бессознательном состоянии Хоботишкин вошел в кабинет Колоскова. Ерофей Нилович сурово посмотрел на него:

— Ты где пропадал?

— У старого хозяина квартиры картишками забавлялся, — мигом соврал Емельян и, заметив, что лицо Ерофея Ниловича еще более посуровело, торопливо добавил: — Мы не на деньги играем, а так это... в подкидного дурачка.

— Пока служишь у нас, прекрати всякую игру, — сделав ударение на слове «всякую», вроде бы с намеком сказал Колосков и, как показалось Емельяну, подозрительно спросил: — Не знаешь, кто теперь в Березовке председателем колхоза?..

— Когда я уезжал оттуда, был Афанасий Кирилыч Жарков, — вывернулся Емельян, похвалив себя в душе за то, что свою справку «оформил» задним числом, когда Жарков был еще жив.

— А Семена Павловича Губанова знаешь?

— Первый раз о таком слышу, — опять соврал Емельян.

Колосков показал губановскую справку:

— Посмотри, Жаркова ли здесь подпись?..

Перепуганный Хоботишкин уставился на свою собственную писанину, как баран на новые ворота.

— Будто бы... его...

— А почерк чей?.. — опять вроде бы с намеком спросил Колосков.

— Колхозный счетовод-учетчик Лукьян Хлудневский, кажись, так пишет, — продолжал лгать Емельян.

— Твою справку он писал?

— Не-не знаю, — заикнулся от растерянности Хоботишкин и вновь ускользнул: — Вручал ее сам Жарков, а кто написал — откуда мне знать...

Больше Колосков не задал ни одного вопроса, однако из его кабинета Емельян вышел с обреченным настроением. Ерофей Нилович — мужик неглупый.

Чтобы основательно разобраться, он наверняка отыщет в отделе кадров справку Емельяна и сравнит с губановской. Тогда — крышка. Обе справки хотя и написаны измененным почерком и разными чернилами, но писала-то их одна рука, Емельянова.

Начавшаяся с вечера поземка к полуночи разбушевалась такой пургой, что света белого не видно стало. Светящееся в кабинете Колоскова окно сквозь снежное месиво казалось едва приметным желтым пятном. Около часа ночи «пятно» погасло, и вскоре из дверей милиции вышел Ерофей Нилович. Прикрываясь от ветра поднятым воротником полушубка, он сутуло направился к мосту через Ушайку, сразу за которым в двухэтажном деревянном доме находилась его квартира. Хоботишкин сжал в кармане рукоятку нагана и тенью двинулся следом. Если бы Колосков оглянулся — в пяти метрах от себя он даже сквозь пургу разглядел бы щуплую фигуру в буденовском шлеме. Но, занятый невеселыми мыслями, начальник милиции шел не оглядываясь...

Надсадный завывающий ветер подхватил звук выстрела и мгновенно унес его в неслышимость. Хоботишкин знал от старика Муртазина, что убийство без признаков ограбления считается террористическим актом и за него дают «стенку». Оставляя себе хоть маленькую лазейку на случай разоблачения, Емельян решил «ограбить» Ерофея Ниловича. Смелости хватило лишь на то, чтобы вытащить из кобуры убитого револьвер и столкнуть труп в сугроб, под обрывистый берег Ушайки. К утру мертвого Колоскова тщательно зализал снегом дующий с заледенелой Томи ветер.

Колосковский револьвер Хоботишкину был не нужен, однако приученный отцом — тащить все в дом, а не из дома, Емельян пожалел его выбросить и спрятал в торбу с золотом. В начале марта, не дожидаясь, когда обнаружится вытаявший из снега Ерофей Нилович, Хоботишкин взял расчет в милиции и, теперь уже с неподдельными документами, устроился матросом на буксирный пароход «Услуга». Работа была сезонная. Нанимались на нее обычно парни из близлежащих к Томску сел. Когда флот становился на зимний отстой, матросы разъезжались по своим семьям. Хоботишкину уезжать было некуда. Поэтому он приспособился каждую зиму переводиться из матросов в конюхи на Томскую пристань.

Шло время, а страх перед расплатой не покидал Емельяна. В разных потайных местах он то зарывал торбу, то доставал ее и прятал в чемодане. Каждый год менял квартиры, стараясь устраиваться на жилье к пожилым, немощным людям. Осенью 1938 года Хоботишкин снял угловую холодную комнатку у престарелого адвоката Акулича в одном из домов, расположенных на территории пристанской конюшни. И здесь вновь мир оказался для Емельяна тесным — видимо, для преступников земля теснее, чем для честных людей. В том же доме, где поселился Хоботишкин, жила разгульная Розалия Снежкова — давняя подруга уголовника «Губанова».

В один из вечеров только что начавшегося 1939 года, когда Емельян разносил сено лошадям по кормушкам, его вдруг кто-то крепко взял за воротник и хрипло сказал:

— Щас, сморчок, секир-башку сделаю...

В богато разодетом мужчине Хоботишкин не сразу узнал «Губанова», а когда сообразил, в чьих лапах оказался, стал горячо предлагать тому деньги. Рецидивист пьяно закрутил головой:

— Не стрекочи, лягаш! Ныне я фартовый. Могу кредитными бумажками твой гроб обклеить. Мне для полного счастья теперь не хватает только вот такой игрушечки... — Губанов, выставив указательный палец, изобразил револьвер. — Сможешь, сморчок, такую пу-пушечку стибрить у своих корешей-лягашей?..

— Смогу, — торопливо сказал Емельян.

Этим же вечером Хоботишкин передал «Губанову» жарковский наган, оставив себе револьвер Колоскова, на котором не было дарственной надписи. Емельяну думалось, что, завладев оружием, рецидивист сразу уберется от Снежковой, а тот как ни в чем не бывало закатил со своей разгульной подругой пир горой и с пьяных глаз буквально на другой день ухлопал выстрелом в упор шкодливую до наглости кошку Акулича.

Жить в одном городе с таким безрассудным знакомым Хоботишкину показалось страшнее, чем сидеть на пороховой бочке во время пожара. Быстренько собрав чемодан, Емельян срочно оформил на пристани увольнение, рассчитывая с ночным поездом укатить куда-нибудь подальше от Томска. До самого последнего момента его не покидала надежда — вывернуться из «пикового» положения. Вечером, уже с документами в кармане, он забежал к Акуличу за вещичками и совершенно неожиданно оказался между двух сотрудников НКВД. Узнав в одном из них серебровского земляка Николая Тропынина, Емельян почувствовал, как подкашиваются ноги, и обреченно сообразил, что на этот раз песенка спета...

Областной суд определил Емельяну Хоботишкину высшую меру наказания. В установленный законом срок приговор суда был приведен в исполнение.

* * *

Антон Бирюков задумчиво посмотрел в окно, за которым угрюмо хмурились вековые сосны. Деревья были настолько могучими, что, казалось, никакое время не властно над ними. Антон встал из-за стола, подошел к окну и распахнул створки. Свежий осенний воздух тотчас заполнил тесноватый кабинет.

Полковник Тропынин появился в конце дня. Устало присев на стул, он глянул Бирюкову в глаза и спросил:

— Ну что, Антон Игнатьевич, есть вопросы?

— Нет, Николай Дмитриевич, — Бирюков машинально поправил пухлый двухтомник уголовного дела. — В материалах расследования все факты доказаны обстоятельно и полно.

— Когда поедем в родные края?

— Как договорились, завтра утром.

— Вот и прекрасно... — Тропынин снял фуражку. Опустив голову, провел ладонью по белым волосам. — Сложная встреча предстоит мне с земляками. Не знаю, чего будет больше: радости или печали.

Антон чуть помолчал:

— Не тревожьтесь, Николай Дмитриевич. Земляки уважают вас. А особенно обрадуется вашему приезду заведующая Березовским Домом культуры Лариса, внучка Лукьяна Хлудневского. Это ведь ее инициатива — восстановить в памяти сельчан доброе имя Афанасия Кирилловича Жаркова.

Содержание

Литературно-художественное издание
Военные приключения

Черненок Михаил Яковлевич

АРХИВНОЕ ДЕЛО

Выпускающий редактор *Д.С. Федотов*
Художник *Ю.М. Юров*
Корректор *Г.Г. Свирь*
Дизайн обложки *Д.В. Грушин*
Верстка *Н.В. Гришина*

ООО «Издательский дом «Вече»

Почтовый адрес:
129348, Москва, ул. Красной Сосны, д. 24, а/я 63.

Фактический адрес:
127549, Москва, Алтуфьевское шоссе, д. 48, корпус 1.

E-mail: veche@veche.ru
http://www.veche.ru

Подписано в печать 07.12.2009. Формат 84×108 $^1/_{32}$.
Гарнитура «KudrashovC». Печать офсетная. Бумага офсетная.
Печ. л. 11,5. Тираж 5000 экз. Заказ № 608.

Отпечатано с готовых диапозитивов
в ОАО «Рыбинский Дом печати»
152901, г. Рыбинск, ул. Чкалова, д. 8.